D0674121

STILLE WATEREN

Anne Berry

Stille wateren

DE KERN

Oorspronkelijke titel: *The Water Children*
First published in Great Britain by Blue Door,
an imprint of HarperCollins*Publishers*, 2011

De Kern, een imprint van Uitgeverij De Fontein, Utrecht
Vertaling: Els Franci-Ekeler
Omslagontwerp: De Weijer Design BNO bv
Omslagillustratie: Mark Owen/Arcangel/Hollandse Hoogte
Auteursfoto omslag: John Godwin
Opmaak binnenwerk: Hans Gordijn, Baarn
ISBN 978 90 325 1267 5
ISBN e-book 978 90 325 1319 1
NUR 302

www.dekern.nl

Voor Bez, mijn dierbare schoonvader, die nooit in de zee heeft gezwommen, maar de wisselende getijden koos als laatste rustplaats.

1911 – 2010

'Geef je over aan mijn stromingen. Dan zal ik je meevoeren naar mijn moeder, de zee. Want daar is al een bed voor je gespreid.'

The Water Children, Anne Berry

Geen waterkinderen dus? Wijze mannen hebben ooit gezegd dat je alles wat je op het vasteland vindt, ook in het water kunt vinden; en je zult zien dat dit waar is, misschien niet volkomen waar, maar net zo waar als de meeste andere theorieën die je nog heel vaak zult horen. Er zijn landkinderen – dus waarom geen waterkinderen? Zijn er soms geen waterratten, waterspinnen, watermuggen, watertorren, waterschildpadden, waterschorpioenen, waterslakken en waterslangen, geen zeehonden, zeekatten, zeeleeuwen, zeeberen, zeepaardjes, zeeolifanten, zeekoeien, zeemuizen en zee-egels; en heb je bij de planten geen waterkers en zeegras en noem maar op?

The Water Babies, Charles Kingsley

I

1961

ALLES WIJST EROP DAT HET EEN PRACHTIGE DAG GAAT WORDEN. DE zon brandt aan de strakblauwe hemel. De lucht prikkelt van warmte en zout. De glinsterende, rusteloze zee verheft zich tot golven die omslaan op het lange, bleke, gouden strand van Devonshire: Saunton Sands. De branding rolt bruisend over bemoste kiezels en warrig wier en brengt op het strand een nerveuze, opgewonden sfeer teweeg. De kreten van de zeemeeuwen bereiken een crescendo als de vogels opstijgen en verstommen abrupt als ze een duikvlucht maken en met hun gebogen snavels naar vissen happen. Afgezien van een paar surfers die de golven berijden en wat mensen die schuldig genieten van een doordeweeks dagje uit, is het kleine paradijs verlaten. Maar het is dan ook nog vroeg.

Ook voor de familie Abingdon wijst alles erop dat dit een prachtige dag gaat worden. Alle ingrediënten zijn aanwezig. Het is slechts afwachten wat er gebeurt als je die met elkaar mengt. Daar lopen ze het strand op, met hun armen vol spullen, doelbewust door het mulle zand ploeterend. De moeder, Ruth, met haar lange, slanke postuur, en de vader, Bill, vroeg kaal, een paar centimeter kleiner dan zijn echtgenote, een man met de brede, gedrongen bouw van een gewichtheffer. Achter hen aan komen de twee kinderen, Owen, een jochie van acht met een verwarde, blonde haardos en lange, magere benen, die een stevig, klein meisje, de bijna vijfjarige Sarah, met zich meetrekt. Sarah zeurt, maar haar gejengel wordt gedempt door haar knuffeldoek, ooit roze, nu grijs, gerafeld en verschoten door haar gesabbel.

'Zeg eens tegen Sarah dat ze haar benen moet optillen,' roept Owen naar zijn ouders. Ze stoppen niet. De speurtocht naar de juiste plek, de ideale plek in deze onbekende woestijn, mag niet licht worden opgevat. 'Ze doet het erom!' Hij geeft de arm van zijn zusje een ruk, fronst zijn wenkbrauwen en draait zich gefrustreerd naar haar om. Hij kan haar gezicht niet goed onderscheiden omdat de zon precies in zijn ogen schijnt. 'Ik kan je niet dragen, hoor. Ik moet de tas ook al dragen.' Sarah, die de logica van wat haar broer zegt klaarblijkelijk niet inziet, of niet wil inzien, gaat plompverloren zitten. Met een diepe zucht, waarbij hij zijn magere schouders eerst optrekt en dan verslagen laat zakken, zoals hij zijn moeder wel ziet doen, laat Owen haar hand los.

'Mam! Sarah doet vervelend!' roept hij, maar niet erg hard, lang niet zo hard als hij zou kunnen, zeker niet hard genoeg om zijn moeder aan te sporen naar hen toe te komen.

Hij blijft staan wachten of zijn zusje, bang voor een standje, zal opstaan en haar best doen om hem bij te houden. Het leven zou voor hem heel wat makkelijker zijn als ze zou meewerken. Maar Sarah drukt wiebelend haar bips juist wat dieper in het zand en steekt uitdagend haar duim in haar mond. 'Doe niet zo kinderachtig.' Owen zet de tas neer en laat zich op zijn knieën vallen. Hij heft zijn arm beschermend op tegen de zon en ziet tranen glinsteren in Sarahs ogen, die een tint lichter blauw zijn dan de zijne, stralend blauw, groot en rond. Haar onderlipje trilt en ze steekt hulpbehoevend haar armpjes naar hem uit. De spanning in zijn borst lost onmiddellijk op en daarmee verdwijnt ook de ergernis om het gedrag van zijn zusje, zijn juk. Hij streelt haar witblonde krullen, die zo zacht zijn als engelenhaar.

'Niet huilen, Sarah. Ik ben niet boos. Ik zal wat langzamer lopen, goed?' Hij had het liefst zijn armen om haar heen geslagen en dat halsstarrige, mollige lijfje van haar tegen zich aan gedrukt, maar voelt zich een beetje verlegen hier in de openlucht. Thuis mag je knuffelen, en daar vindt hij het ook fijn, maar niet in het openbaar. Althans, zijn ouders doen het nooit buitenshuis, en eigenlijk ook niet binnenshuis, in elk geval niet waar hij bij is. Als compromis kietelt hij haar oksel. Ze giechelt en beloont hem met die bijzondere glimlach van haar, de glimlach waar hij geen verweer tegen heeft. Hij pakt de tas en ze staan samen op. Hand in hand sjokken ze verder, een beetje stuntelig, alsof hun benen aan elkaar zijn gebonden voor een hindernisloop.

Een eindje verderop is hun moeder opeens gestopt. Ze heeft zich naar hen omgedraaid en hun vader komt met grote stappen op hen af, dus is er misschien toch hulp onderweg.

'Papa!' roept Sarah verheugd. Owens vader loopt pardoes langs hem heen om zijn dochter uit de greep van zijn zoon te tillen.

Zijn vader, denkt Owen als hij hem Sarah in de rondte ziet zwaaien, is niet op het strand gekleed. Owen draagt een witte, katoenen bloes en een lichtbruine korte broek, zijn moeder een zomerse halterjurk met een patroon van madeliefjes op een turkooizen achtergrond, Sarah een groen-gele rok en een katoenen bloesje met pofmouwen. Eronder hebben ze allemaal hun zwemkleding al aan. Die hebben ze in het pension aangetrokken voordat ze zijn vertrokken. Zijn vader draagt echter een overhemd met lange mouwen, een blazer en een lange broek, allemaal grijs van kleur, en schoenen die glanzen als kastanjes. Op zijn hoofd staat een strohoed. Hij ziet er zo mal uit, zo belachelijk netjes, dat Owen de neiging krijgt in lachen uit te barsten. Het is net alsof zijn vader moeite heeft gedaan om zich zo netjes mogelijk te kleden voor het strand, terwijl andere mensen moeite doen er juist niet netjes bij te lopen. Hij schudt zijn hoofd als Owen hem vraagt of hij op Sarah kan passen.

'Dat zal niet gaan,' zegt hij. Hij zet Sarah behoedzaam neer en drukt een vluchtig kusje op haar hoofd. 'Ik heb een belangrijke taak. Stenen zoeken voor op de hoeken van de strandmat. Bevel is bevel, jongen, en ik moet voortmaken. Je kent het klappen van de zweep. Je moeder is al bezig het kamp in te richten,' zegt hij grijnzend en hij gebaart in de richting van zijn vrouw. Van zijn Welshe accent is bijna niets meer te merken, al wou Owen dat ook de laatste sporen ervan zouden verdwijnen. In zijn oren klinkt het mal, bijna komisch, alsof zijn vader de lolbroek in een televisieserie is. Hij volgt de richting van zijn vaders stram uitgestoken wijsvinger en ziet dat zijn moeder inderdaad het kamp aan het inrichten is, waarbij ze een hoeveelheid spullen uitstalt alsof ze hier een week zullen blijven. 'Je hebt niet erg ver meer te gaan. Sarah, wees lief voor je grote broer. Kop op, Owen. Voorwaarts mars!'

Hij loopt weg, met gebogen hoofd, vastberaden marcherend met ritmisch zwaaiende armen. Owen zucht. Sarah en hij hebben leren sandalen aan. Als hij ziet hoe de glanzende schoenen van zijn vader wegzakken en er bij elke stap zand achter hem wordt opgegooid, vermoedt hij dat er nu al een flinke hoeveelheid naar binnen moet zijn geslopen, waardoor het lopen erg ongemakkelijk zal zijn geworden. Hij schraapt met zijn boventanden over de zijkant van zijn onderlip, pakt dan Sarahs mollige handje weer vast en loopt naar zijn moeder. Tegen de tijd dat hij haar bereikt, heeft hij het warm en is hij uit zijn humeur. Hij had liever dat ze helemaal niet waren gegaan. De dag is bedoeld als een traktatie, maar heeft zo langzamerhand meer weg van een straf.

Hij ziet dat zijn moeder staat te popelen om de tassen uit te pakken, de strandmat uit te rollen en eigendomsrechten op dit plekje te claimen. De wind rukt plukjes haar uit haar paardenstaart en hij ziet aan de tic in haar wang dat ook zij een beetje geprikkeld is. Ze neemt er voorlopig genoegen mee het windscherm op te zetten en met de hulp van haar zoon de haringen in het zand te duwen. Sarah zit op de kleurige badhanddoek die hun moeder voor haar heeft uitgespreid en brabbelt in een zangerig kindertaaltje dat alleen zij verstaat. Met haar mollige vuistjes schept ze zand op dat ze in de schoot van haar rok laat vallen, verbaasd over hoe de stof ervan doorzakt en hoe zwaar dat losse gele spul is.

Ruth kijkt naar haar poezelige dochter, die grote baby met haar blonde haar en haar blauwe ogen. De aanblik tilt het loden gewicht van haar hart en vult het met licht. Ze geeft haar een standje, maar haar toon rijmt niet met haar woorden en haar mondhoeken gaan omhoog. Ze trekt Sarahs bloesje en rok uit en slaat het zand eraf. Dan maakt ze van haar handen een boogje boven haar ogen en tuurt in de verte of haar man al terugkomt. Hij is echter nergens te bekennen. Ze klakt ongeduldig met haar tong en begint in zichzelf te praten. Misschien denkt ze dat Owen haar niet kan verstaan als ze zo praat, maar hij verstaat het wel. Hij denkt weleens dat hij juist gevoelig is voor dat gemompel, alsof hij als een radio is afgesteld op die ruisende geluidsgolven.

'Typisch je vader. Die kan niet gewoon een paar stenen bij elkaar rapen. Welnee. Hij moet ze speciaal uitkiezen, ze op zijn hand wegen, ze van alle kanten bekijken. Zijn ze zwaar genoeg? Zijn ze glad genoeg? Zijn ze geschikt genoeg? Overdreven gedoe. Wat maakt het uit? Vier stenen, vier doodgewone stenen om op de hoeken van de strandmat te leggen, niet om de zuilen van de Acropolis te steunen!'

Intussen rolt ze de strandmat een klein stukje uit, zet Sarah erop neer, klopt het badlaken af, vouwt het op en stopt het weer weg. Ze haalt een wit matrozenpetje uit een tas, zet het op haar dochters verwaaide krullen en trekt haar de sandaaltjes uit. Dan zegt ze tegen Owen dat hij naast zijn zusje moet gaan zitten.

'Ik ga kijken waar papa blijft,' zegt ze, de wapperende losse lokken van haar haar ongeduldig naar achteren strijkend. 'Ik wil dat jij op Sarah past tot ik terug ben.' Owen luistert maar half. Hij kijkt naar de nieuwe strandbal die ze bij zich hebben. Het is er zo een die je kunt opblazen, een rood-witte. Hij steekt half uit de grootste tas waarin ook de emmertjes en schepjes zitten. 'Luister je naar me, Owen? Je moet op Sarah passen tot ik terug ben.' Owen kijkt nu naar de lucht. Hij is jaloers op de zeemeeuwen, die krijsend boven hem cirkelen. Die zijn tenminste vrij, die hoeven niet op vervelende zusjes te passen die altijd dwars doen. Soms wou hij dat hij in plaats van haar een broertje had, een kleine deugniet die tegen hem zou opzien en als een gehoorzaam hondje achter hem aan zou lopen en precies zou doen wat hij zei, in plaats van een weerspannig, ongehoorzaam meisje. Meisjes zijn lastig. Ze luisteren niet en doen wat ze zelf willen. Hij zal Sarah nooit kunnen africhten.

'Hoor je wat ik zeg, Owen?' vraagt zijn moeder.

'Ja,' antwoordt hij nukkig. Hij rolt met zijn ogen. Nu kijkt zijn moeder op die speciale manier naar hem, waarbij ze haar wenkbrauwen optilt, haar lippen tuit en haar hoofd een beetje schuin houdt, dus zegt hij snel: 'Ik zal op haar passen. Ik beloof het.' Ze maken zich altijd zorgen om Sarah, denkt hij somber. Nooit om hem. Altijd Sarah, Sarah, Sarah! Op zich vindt hij dat niet erg, maar het zou leuk zijn als ze ook eens belangstelling voor hem zouden tonen, als ze bijvoorbeeld bezorgd zouden zijn als hij met een gat in zijn knie thuiskwam of zoiets. Hij huilt nooit om niets, zoals Sarah, maar hij zou het toch wel fijn vinden als ze eens zouden zeggen dat hij een flinke jongen is. Dat zou hij erg fijn vinden.

Zijn moeder knikt, aarzelt nog even en loopt na nog zo'n blik weg, achter zijn vader aan. Door het windscherm is ze meteen uit het zicht verdwenen.

'Goed zo, Owen. Wat ben je toch een flinke jongen, Owen!' Hij zegt het hardop om te horen hoe het klinkt. Het klinkt goed. 'Je bent een flinke jongen, Owen!' Het klinkt al vertrouwd, als een reclameleus. Sarah kijkt naar hem op.

'Fjinke jongen, Owen,' zegt ze.

Ze kan sommige woorden nog niet goed uitspreken, maar dat klinkt juist schattig en op den duur zal ze heus wel leren om goed te praten. Hij waggelt op zijn knieën naar voren. Vanaf de strandmat kan hij net bij de opblaasbal. Hij strekt zijn arm en pakt hem. Nu een toverkunstje om indruk te maken op zijn zusje. 'Kijk eens,' zegt hij. Hij sluit zijn lippen om het transparante plastic tuitje en begint te blazen. De bal bolt op, eerst langzaam, dan sneller, tot het glanzende plastic strak staat. Sarah vindt het prachtig. Ze klapt in haar handjes. 'Zie je wat een slimme broer jij hebt?'

'Wat een mooie bal, Owen,' zegt ze ademloos.

Met een van die onverwachte, onstuimige gebaren van haar slaat ze haar armpjes om zijn nek. Toen zijn moeder Sarah haar rok en bloesje had uitgedaan, had Owen ook zijn bloes uitgetrokken en nu voelt hij de druk van haar armen op zijn blote huid. Ze vleit haar wangetje tegen zijn borst. Het is een van die mysterieuze momenten waarop alles veel groter lijkt. Hij voelt haar haar, als water, en haar onvoorstelbaar zachte lipjes, zelfs haar bewegende wimpers. Alsof een vlinder met zijn vleugels over zijn huid strijkt. De wind wakkert aan. Doordat ze achter het windscherm zitten, kunnen ze dat niet voelen, maar hij ziet dat de segmenten bol komen te staan als zeilen.

Hij doet zijn ogen dicht en geeft zich over aan Sarahs omhelzing, zo licht dat hij haar met een schouderophalen van zich af zou kunnen duwen en zo sterk dat hij een brok in zijn keel krijgt. Het gevoel... zo stelt hij zich voor dat priklimonade in een flesje met de dop er nog op zich voelt, omdat het wil bruisen maar dat niet kan... dat gevoel is... overweldigend. Zo overweldigend dat er op dat moment voor hem niets anders lijkt te bestaan dan Sarahs knellende armpjes en het exploderende gevoel.

De vloed komt op. De golven worden hoger. Ze rollen niet meer zacht bruisend over het strand, maar storten zich erop neer. Owen neemt zich voor te leren surfen als hij groot is, dan kan hij de golven berijden als een cowboy op een zeepaard. De donkere gedaanten die op de surfplanken balanceren zien eruit als onbekende zeewezens die op de kust afstevenen. Als ze zich uiteindelijk laten vallen en de druipende surfplank onder hun arm nemen, lijkt het net alsof ze in het ondiepe water een grote haai voor zich uit duwen, waarbij de gekantelde surfplank de rugvin van de haai is. Surfen is vast heel leuk, nog leuker dan autorijden.

'Zal ik je laten zien hoe je moet voetballen?' vraagt hij, met een neerwaartse blik op de bleekgouden krullen en het onder deze hoek groot lijkende hoofd. 'Wil je zien hoe goed ik het al kan?'

Hij voelt Sarah knikken maar verstaat niet wat ze zegt. 'Goed,' zegt hij, blij dat hij iets kan gaan doen. Hij maakt haar van zich los en springt overeind met de bal in zijn handen. 'Goed kijken, hoor.'

De strandmat waait op als hij ervan afstapt, maar hij ziet dat Sarahs gewicht voldoet om hem op zijn plek te houden. Hij begint te dribbelen, eerst met de bal aan zijn voet, dan rent hij er een eindje mee weg en schopt hem terug, alsof er twee Owens zijn in plaats van één. Sarah klapt welwillend in haar handjes.

'Goed zo!' roept ze verrukt.

Ze zegt niet dat hij een flinke jongen is, maar dit is goed genoeg. Een poosje laat hij de bal op zijn knie stuiteren, maar opeens wordt de bal door een windvlaag gegrepen en naar de zee geblazen. Hij holt er erachteraan. Hij hoort Sarah roepen.

'Owen! Waar ga je heen?'

'Ik ga alleen de bal halen. Ik ben zo terug,' roept hij over zijn schouder.

'Niet weggaan, Owen!'

Zodra hij de bal te pakken heeft, kijkt hij over zijn schouder om te zien of Sarah netjes is blijven zitten. Hij had zich geen zorgen hoeven maken, want ze zit nog op precies dezelfde plek, brabbelt wat in zichzelf, telt haar vingers en kijkt met grote ogen om zich heen. Ze zijn geen strandmensen. Zover hij zich herinnert zijn ze tot nu toe maar een paar keer naar zee geweest. Dit is dus echt bijzonder. Ze wonen in Wantage, Oxfordshire, en zijn ouders vinden het over het algemeen prettiger om een caravan te huren of te gaan kamperen. Ze zitten liever op een weiland dan op het strand. Misschien omdat zijn vader tuinman is of omdat zijn moeder niet van zand houdt. Ze zegt dat het overal in gaat zitten – in je kleren, in het eten, in je haar. Ze zal er straks ook wel over gaan zeuren.

Owen kan nog niet zwemmen. Op school hebben ze het erover dat ze met de hoogste klassen naar het zwembad moeten gaan zodat de kinderen zwemles kunnen krijgen, maar tot nu toe is daar niets van gekomen. Zijn ouders hebben ook al vaak beloofd het hem te leren, maar ze wonen niet aan zee, dus hoe zouden ze dat moeten doen? Hij zeurt zijn vader voortdurend aan zijn hoofd met hem naar het zwembad te gaan, zodat hij het daar kan leren. Daar denkt hij vaak over na. Dat hij zijn vader dan fijn een poosje voor zichzelf heeft, dat die hem laat zien hoe het moet en hem zelfs aanraakt als hij hem leert hoe je je armen en benen moet bewegen. Dat lijkt hem nog het fijnst van alles, omdat zijn vader hem haast nooit aanraakt. Hij geeft Owen alleen soms een schouderklopje of schudt hem de hand, alsof ze helemaal geen familie van elkaar zijn en Owen zijn gelijke is, een volwassene. En zelfs bij dat lichamelijke contact krijgt hij een rood hoofd van verlegenheid. Hij weet wat zijn vader denkt. Dat knuffelen niet mannelijk is en dat je je sentimenteel gedraagt als je je zoon omhelst. Op intieme momenten schraapt hij zijn keel en begint te praten over een nieuwe plant of een manier van snoeien of iets dergelijks. Toch schaamt hij zich er niet voor Sarah te knuffelen, heeft Owen gemerkt. Zijn moeder slaat elke avond haar armen om hem heen als ze hem een nachtzoen geeft, maar dat doet ze automatisch, alsof ze er zelf geen erg in heeft, terwijl de manier waarop ze Sarah in haar armen sluit, altijd onstuimig is, als het plotselinge opschieten van een vlam. En precies hetzelfde geldt voor zijn vader.

Hoe dan ook, zijn vader heeft het te druk om met hem naar het zwembad te gaan. De weinige keren dat ze er waren, gedroeg hij zich ongedurig en keek hij verveeld, en toen Owen de principes van het zwemmen niet meteen doorhad, zag hij eruit alsof hij eigenlijk het liefst meteen weer naar huis wilde. En vanwege dat ongeduld, vanwege het intuïtieve gevoel dat zijn vader van tevoren al wist dat het hem niet zou lukken, lukte het ook niet. Het was alsof hij verlamd raakte toen hij zijn vader met zijn armen over elkaar geslagen naar de grote klok aan de muur zag kijken. Hij kreeg water naar binnen, begon te hoesten en raakte zo verkrampt van angst dat hij dacht dat hij zou verdrinken waar zijn vader bij stond. Ze waren niet eens aan de zwemslagen toegekomen, dus was er van aanraken ook niet veel gekomen – bijna niks, als Owen heel eerlijk moest zijn.

Terwijl hij hierover nadenkt, dribbelend met de strandbal, ervan dromend dat zijn vader hem in het water ondersteunt en bemoedigende dingen zegt als 'Ja, heel goed, zo moet het, jij zult nog eens een zwemkampioen worden', ziet hij zijn moeder. Ze is een heel eind bij hem vandaan, maar holt op hem af en roept iets wat hij niet verstaat omdat de wind in zijn oren suist en ze veel te ver weg is. Maar iets in de onbeheerste manier waarop ze zich beweegt doet hem verstijven en geeft hem een hol gevoel vanbinnen. Ze loopt alsof ze voortdurend voorover dreigt te vallen, alsof ze over haar eigen benen struikelt, en hoewel ze buiten adem moet zijn, stoot ze steeds een kreet uit, net zoals de zeemeeuwen.

Dan wordt zijn bonkende hart doorboord door een vlijmscherpe pijl die het verandert in een klomp ijs. Hij denkt: Sarah. Hij draait zich om. Het gestreepte windscherm lijkt kilometers ver weg en zo klein als een postzegel. Hoe is het mogelijk dat hij zo ver is afgedwaald? Waar liep hij over te dromen? Hij weet heel goed waarover hij liep te dromen. Nu ziet hij de strandmat die achter het windscherm wegwaait, fladderend, steeds opvliegend en op het zand neerstrijkend als een gewonde vogel. Maar Sarah zit vast nog veilig en wel achter die bollende postzegel van tentdoek. Vast! O, laat het alstublieft zo zijn. Ja, natuurlijk zit ze daar nog, uit de wind, precies zoals hij haar heeft achtergelaten. Zoals hij haar heeft achtergelaten. De woorden bonken in zijn hoofd. Zoals hij haar heeft achtergelaten. 'Niet weggaan, Owen.' Ondanks het feit dat hij maar een paar jaar ouder is dan zijn zusje, weet hij op een angstaanjagende, intuïtieve, volwassen manier dat haar smeekbede hem altijd zal bijblijven. Dat hij erdoor is gebrandmerkt. 'Niet weggaan, Owen.' Dit is de onheilspellende angst die bezit van hem neemt als hij over het strand sprint. En omdat hij zo veel lichter is en niet in het zand wegzakt, is hij veel sneller dan zijn moeder.

Hij is goed in hardlopen. Bij de laatste sportdag op school heeft hij zelfs de vijfentwintig meter gewonnen. Hij herinnert zich hoe trots hij was, hoe zijn hart bonkte toen hij de finishlijn naderde, het lint brak en zich hijgend omdraaide om te zien of hij tussen de ouders langs de kant van de baan zijn vader zag. En de teleurstelling, die als een baksteen neerdaalde in zijn maag. Zijn vader was weggelopen om een praatje te maken met de tuinman van de school. Hij zag hem onder de bomen aan de rand van het veld over een struik gebogen staan. Hij was de wedstrijd misgelopen. Hij had hem niet zien winnen.

Maar dit is een ander soort wedstrijd, een afschuwelijke wedstrijd, een van het soort waarvan je niet zeker weet of je hem wilt winnen of niet. Hij kan de kreten van zijn moeder nu horen, rauwe, lelijke geluiden, die lijken op de geluiden die hij in zijn hoofd hoort als de heksen en monsters in sprookjes praten. Hij hoort de naam die ze aan één stuk door roept.

'Sarah! Sarah! Sarah!'

Hij is bij het windscherm aangekomen en roept haar nu ook. Ze is er niet. Alleen het witte matrozenpetje ligt er, zonder Sarah. Ernaast ligt een bergje zand en hij meent de strepen te zien die Sarah er met haar vingertjes in heeft gemaakt. Haar roze knuffeldoek steekt eronderuit, het smerige vod dat zo veel macht lijkt te hebben dat zijn zusje in een soort trance raakt als ze er ritmisch mee over haar lippen strijkt. Maar hoewel hij er indringend naar kijkt, komt ze er niet onder vandaan. Hij brult haar naam, alsof hij verwacht dat ze dan opeens uit het zand zal oprijzen, zoals de zandman in dat boek dat hij heeft gelezen, *Five Children and It*. Dat ze overeind zal komen en de glanzende zandkorreltjes van zich af zal schudden, zich slap lachend omdat ze hem zo mooi tuk heeft.

Vanuit zijn ooghoek ziet hij zijn moeder langs hem heen stuiven en naar de zee rennen. Ze holt zomaar het water in. De golven slaan over haar heen, maar ze gedraagt zich alsof ze het niet voelt. Hij rent achter haar aan, het water in, zo ver als hij durft, ook al weet hij dat hij niet kan zwemmen. Hij begint heen en weer te draven, zoals hij honden heeft zien doen als ze bang waren nat te worden. Zijn moeder komt steeds boven, als een zeehond, en stoot dan raspend woorden uit alsof er in haar keel wordt gezaagd.

'Sarah! Sarah! Ik kan... Sarah niet vinden!' Owen denkt, nogal suf, terwijl zout schuim in zijn ogen vliegt en hem doet knipperen: waarom zoekt ze haar daar, in de zee, waarom probeert ze Sarah op te duiken? Ze verdwijnt, komt weer boven, hapt naar adem, duikt weer onder. Ze blijft lang onder, schiet dan weer naar boven uit het water en kijkt nu naar Owen, haar bruine ogen tot spleetjes geknepen wegens het prikken van het zout of misschien wegens iets anders? 'Hoe heb je zo stom kunnen zijn?! Achterlijk joch!' Dan duikt ze weer en voor zijn gevoel blijft ze verschrikkelijk lang onder water, terwijl hij, het achterlijke joch, heen en weer rent alsof hij een doel moet verdedigen. Ze komt boven en valt weer tegen hem uit: 'Heb ik niet gezegd dat je op haar moest passen? Heb ik niet gezegd dat je bij haar moest blijven? Heb ik dat niet gezegd? Heb ik dat niet gezegd, achterlijk jong dat je bent?!' Haar gezicht verbrijzelt als een spiegel die kapotvalt. Haar haarlint is losgeraakt en de natte lokken hangen voor haar ogen en kruipen in haar mond.

Dan dendert zijn vader plotseling langs hem heen, zoals de woeste neushoorn die hij op zijn laatste verjaardag in de dierentuin in Londen heeft gezien. Hij houdt alleen even in om die glanzende schoenen uit te schoppen. Met zijn tweeën nu, twee zeehonden, de ene een lint van grijs, de andere van geel, wit en turkoois, langs elkaar heen duikend. De strohoed van zijn vader huppelt op het water, huppelt zo vrolijk dat Owen hem het liefst uit elkaar zou rukken. Dan rijst zijn vader triomfantelijk op uit het water met iets in zijn armen, en dat iets is Sarah. Hij waadt door de branding. Owen ziet het hoofd van Sarah slap achterover hangen op zijn arm, het zonlicht van haar krullen gladgestreken door het gewicht van het water. Hij ziet dat haar lichaam zo wit is dat het bijna zilver lijkt en dat haar ogen gesloten zijn alsof ze in diepe slaap is verzonken. Hij ziet de roze en gele stippen van haar badpak, en dat de lok haar die zijn vader altijd over zijn kale hoofd kamt, vol zit met zand dat glinstert als speldenknoppen. Hij ziet hoe ze Sarah neerleggen en schikken alsof ze een bos bloemen is, ziet haar met gespreide ledematen op het zand liggen, ziet hoe zijn moeder naast haar knielt en haar op een ster lijkende handje grijpt. De schaduw van zijn vader glijdt over hen heen. Dan deinst hij achteruit, bij het deerniswekkende tafereel vandaan, zijn blauwe ogen uitpuilend van ontsteltenis, zodat Owen de rode adertjes in het waterige wit ziet.

'Ik wil haar terug hebben!' gromt zijn moeder met een nog veel angstaanjagender stem dan die van de monsters in de sprookjes. Een stem die de lucht doorklieft en de kakofonie van de zeemeeuwen in één keer verzwelgt. De blik waarmee ze naar haar zoon kijkt, is heter dan haat en dreigender dan de dood.

Zijn vader stapt weer naar voren, buigt zijn brede lichaam en knielt traag, moeizaam, zoals Owen hem in de kerk heeft zien doen. Hij pakt Sarahs broze armpjes en schudt eraan, alsof hij haar wil dwingen op te houden met deze grapjes. Ze moet overeind komen. Er gebeurt echter niets. Hij spreidt zijn grote handen op haar roerloze borst en klopt er zachtjes op, alsof ze een hond is. Paniek puilt uit zijn ogen, want deze kleine Lazarus zal niet opstaan en wandelen. Al die tijd druipen er zoute tranen uit zijn doorweekte kleren. En opeens dringt het tot Owen door, met de kracht van een moker: zijn vader weet niet wat hij moet doen, hij weet niet hoe hij Sarah weer tot leven kan wekken.

De surfer rent het water uit, gooit zijn surfplank van zich af en stort zich midden in hun verdriet. Hij duwt Owens vader opzij, strijkt de natte lokken van het witte gezichtje, buigt Sarahs hoofd achterover en haakt een vinger in haar mond. Dan knijpt hij haar tere neusvleugels sierlijk dicht met zijn duim en wijsvinger en terwijl Owen vol afgrijzen toekijkt, kust hij zijn zusje. Hij probeert Sarah met een kus tot leven te wekken, net zoals de prins in *Doornroosje*. Zijn vader staat erbij, hulpeloos, zijn natte kleren aan zijn verslagen lichaam geplakt. De kussen zijn luchtpufjes die de roestige scharnieren van Sarahs tere ribben lijken te oliën. Er ontsnapt Owen een verstikte kreet van blijdschap als ze op en neer gaan. Ze komt weer tot leven! Maar zodra de surfer stopt, liggen de ribben weer stil. Nu betast hij haar borst tot hij de plek heeft gevonden waar de verborgen schat ligt. Hij begint ernaar te graven met zijn vingertoppen. Nog steeds geen teken van leven, alleen de scherven die van zijn moeders gezicht glijden en het portret steeds onduidelijker maken.

Er komen mensen om hen heen staan. Iemand roept dat ze een

ambulance gebeld hebben. Zijn moeder wiegt van voren naar achteren en Owen wil zijn vingers in zijn oren stoppen tegen de griezelige geluiden die uit de afgrond van haar binnenste opstijgen. De surfer blijft het proberen, blijft proberen Lazarus tot leven te wekken. Hij blijft het proberen tot er verpleegkundigen arriveren met een brancard. Dan proberen zij het ook en daarna leggen ze Sarah op de brancard en brengen haar snel naar de ziekenauto, om het nogmaals te proberen, zeggen ze.

Op dat moment, terwijl de mannen met de brancard over het strand rennen alsof dit een slapstickfilm is, en zijn vader achter hen aan sjouwt terwijl hij ondertussen in de kletsnatte zakken van zijn jasje naar zijn autosleutels zoekt, stort zijn moeder neer. Het is alsof ze het zand waarop Sarah heeft gelegen, wil opeten. Ze smeert het over haar gezicht en propt het in haar mond. En het geluid dat ze voortbrengt is een onmenselijk gebrul. Het ontlokt een zee van tranen aan Owens ogen. Ze worden door de wind geoogst en in het zand gezaaid als zaadparels. Mensen buigen zich over zijn moeder en helpen haar overeind alsof ze een invalide is. Gesteund door een lange man en een kleine vrouw wordt zijn lappenpopmoeder meegesleept, achter zijn vader en het ambulancepersoneel aan, achter de brancard aan waarop Sarah ligt, doodstil en zo wit als vissenvlees.

De andere mensen verspreiden zich terwijl ze zachtjes met elkaar praten. Hij hoort een oude man zeggen dat ze volgens hem te laat zijn, dat het meisje dood is. Niemand heeft erg in Owen. Hij bukt zich om Sarahs knuffeldoek uit het zand te trekken, drukt hem tegen zijn neus en ademt er doorheen. Hij ruikt de geur van zijn zusje, zuurzoet, warm en slaapverwekkend. Zich vullend met haar geur haast hij zich struikelend achter de anderen aan.

Het beste moment van de dag was voor Owen het allereerste, de gloed van het bewustzijn voordat hij zijn ogen opende, voordat de beelden en gewaarwordingen op hem afkwamen. Het probleem met de gloed was alleen dat die net zo snel wegtrok als hij opkwam en dat het in zijn slaapkamer dan meteen zo druk was dat er voor hemzelf nauwelijks ruimte overbleef. Het was net alsof hij zich op een filmset bevond, behalve dat hij geen specifieke rol had gekregen, maar alleen een figurant was, een achtergrondfiguur, iemand met een kleine bijrol die de sfeer kon indrinken, maar ervoor moest oppassen de grote filmsterren niet naar de kroon te steken.

Geluiden. Het strakke tikken van snel naderende voetstappen in de gang van het ziekenhuis. Het plofje waarmee alle lucht uit zijn moeder wegstroomde toen ze het haar vertelden. Het tandengeknars van zijn vader, onophoudelijk, alsof hij probeerde zijn kiezen tot stompjes te slijten. En de schreeuw van stilte op de achterbank toen ze naar huis reden in de Hillman Husky, de stilte die hun smeekte terug te gaan, die hun eraan herinnerde dat ze iets waren vergeten, dat ze iemand hadden achtergelaten.

Geuren. De stank van de zee, van zout en mineralen en aangespoelde dode dingen die langzaam verrotten. De bittere mottenballengeur van zijn moeders adem, nog vele weken erna, een muffe, bedorven odeur die uit de leegte in haar binnenste opsteeg. De langzaam vervagende geur van Sarah in elke kamer van het huis, die hem er als een wegebbende echo aan herinnerde dat ze er niet meer was. De rijke, zware, vruchtbare geur van kluiten aarde met krioelende wormen en pieren, van de ontwrichte schepping, die vrijkwam toen het open graf zijn zusje ontving.

Beelden. Haar van geen kwaad bewuste kleren die zich gereedmaakten voor haar terugkeer, die in de buik van de wasmachine dartelden, vrolijk naar hem wuifden aan de waslijn, zich lijdzaam lieten opvouwen en in de strijkmand leggen. De koppige beslissing van zijn moeder dat ze moesten worden gewassen en gestreken, en vervolgens in haar kast worden gehangen of netjes opgevouwen in haar laden gelegd. Waarvoor? Moesten ze gereed zijn voor Sarahs wederopstanding? Het speelgoed dat er zo eenzaam en triest uitzag, alsof het opgewonden moest worden en de sleuteltjes waren kwijtgeraakt. Haar tekening van hun gezin aan een van de keukenkastjes, een stakerige papa, mama, Owen en Sarah die samen voor een vierkant huis stonden met daarboven een zon met kaarsrechte stralen, simpele lijnen die al hun dagen met licht zouden overgieten. Een kleine, witte doodskist met op de bovenkant een koperen plaatje waar het licht op weerkaatste toen ze hem in de grond lieten zakken en Owen zich inbeeldde dat het de gouden ziel van Sarah was, dat ze de glanzende kolibrie van Sarahs geest begroeven en aan de eeuwige duisternis prijsgaven. Hij leek niet veel groter dan de schoenendoos waarin hij aan het begin van de kerstvakantie zijn hamster had begraven, die doodskist waarin Sarah lag.

Aanraking. De manier waarop zijn vaders vingers zijn schouders hadden vastgegrepen tijdens de begrafenis, de nagels die als punaises in zijn vlees waren gedrongen en een pijn hadden veroorzaakt waardoor hij een eeuwigdurende schreeuw had willen worden. De tere textuur van de haren die hij uit haar borstel had getrokken en tussen de bladzijden van zijn bussenlogboek gelegd. Het gevoel dat ze hem bezorgden als hij ze zachtjes tussen zijn vingers heen en weer rolde en zich herinnerde hoe haar krullen op zijn blote borst hadden gekriebeld, die laatste dag op het strand, bijna een jaar geleden. En het schuldgevoel, het zware juk van de schuld dat hij droeg vanaf het moment waarop hij ontwaakte en dat zwaarder en zwaarder werd, tot hij zich tegen de avond voelde als een oude man die nauwelijks de kracht had om rechtop te staan.

Maar vandaag was het anders. Hij merkte meteen dat hij niet in zijn bed had geplast. Dat moest een goed teken zijn. Voor alle zekerheid steunde hij op zijn elleboog en stak zijn vrije hand tastend onder de deken. Droog. Hij was droog. Misschien zou zijn moeder vandaag niet midden in een zin inzakken, leeglopen als een doorgeprikte ballon, en kreunen, die grommende kreun die de sonore tonen van de dood bevatte.

Alles bij elkaar was het geen slechte dag, die zaterdag, minder slecht dan sommige dagen die eraan vooraf waren gegaan. Er kroop geen kreun uit de open mond van zijn moeder, in elk geval niet waar Owen bij was. Zijn vader besloot die middag niet te werken, maar Owen te helpen een modelvliegtuigje te maken, een

Airfix Spitfire. Ze gingen aan de eetkamertafel zitten waarop ze kranten hadden uitgespreid. Ze spraken niet, behalve om mompelend te zeggen hoe het volgende onderdeel heette dat ze gingen monteren. Het krantenpapier ritselde terwijl ze methodisch de taken verrichtten die ze zichzelf hadden opgelegd. Ze raakten elkaar niet aan, op één keer na toen hun vingers tegen elkaar stootten bij het doorgeven van de tube lijm. Ze concentreerden zich volledig op het gevechtsvliegtuig. Owen verheugde zich al op het schilderen ervan. Als het af was, ging hij er nog eentje kopen. Hij had ervoor gespaard.

Zijn vader was nu degene die hem 's avonds kwam instoppen. Zijn moeder stak alleen haar hoofd om de hoek van de deur om hem een kushandje toe te blazen. Ze meed lichamelijke interactie met haar zoon, precies zoals zijn vader, maar om heel andere redenen, dacht Owen. Ze was bang dat ze haar afkeer zou laten merken voor de achterlijke jongen die Sarah had laten verdrinken.

Maar toen werd het allemaal bedorven, want 's nachts kwam het onderwatervolk weer om hem te grijpen. Hij werd wakker en zag dat zijn bed een snel krimpend vlot in een woeste zee was geworden. Met het zweet in zijn handen greep hij de lakens vast. Hij voelde zijn kleine vaartuig wild dansen op de golven. Soms leek het net alsof het dek bijna rechtop kwam te staan en dan moest hij zich uit alle macht vastklampen om niet langs die muur naar beneden te glijden. Eerst ving hij alleen maar een glimp van hen op, een flits van rioolwatergrijs, een plons, het geluid van hol gelach dat opsteeg als een zuil van uiteenspattende luchtbellen. Hij trok zijn knieën op en drukte zijn gezicht in het matras. Maar zelfs in de volslagen duisternis wisten hun lantaarnogen hem te vinden. Toen hij half verstikt zijn hoofd ophief om adem te halen, kwamen hun enge handen, met vliezen tussen de vingers, uit het water om hem te grijpen. Vol afgrijzen zag hij hun glinsterende lichamen kronkelen en wentelen, alsof er een reuzenslang rond zijn bedboot zwom. Hij gluurde in de diepte en zag hun haren als rubberachtig wier wuiven in de troebele stromingen. De oppervlakte van het water werd stukgebeten door hun scharende vissenbekken, door hun op uitgerekte wormen lijkende lippen, door de precieze beet van hun piranhatanden.

'Tjak-tjak' klonk het. 'Tjak-tjak.' Ze probeerden hem te verleiden met hun honingzoete beloften. 'Owen, ga met ons mee. We zullen je leren zwemmen. Je kunt ons berijden als zeepaarden. Met ons galopperen door een onderwaterwereld van neonblauw en groen. We gaan jongleren met zeeanemonen en zeesterren. We gaan reusachtige krabben opgraven uit het zilveren zand en mosselkreeften uit hun huisjes pulken. We gaan netten spreiden om garnalen te vangen en een knoop leggen in de staart van slijmerige palingen. We gaan surfen in het kielzog van spuitende walvissen. We gaan koraalkastelen bouwen en tikkertje doen in tuinen van bruinwier. Kom... kom... ga met ons mee.'

Hij stak zijn vingers in zijn oren, kroop weg onder de dekens en weigerde naar hun leugens te luisteren. Hij trapte er mooi niet in. Ze waren vergeten dat hij al wist dat ze zijn zusje hadden gestolen, dat ze haar stralende ziel uit haar slappe lichaam hadden gezogen en meegenomen om licht te brengen in de duistere diepten waarin ze zich ophielden. Zouden ze nooit weggaan? Zouden ze hem eeuwig achtervolgen? Hij deed de lamp op zijn nachtkastje aan en bad, badend in het zweet, dat de visioenen zouden verdwijnen. Hij riep zijn vader niet, want die hoefde geen getuige te zijn van zijn beschamende lafheid. Hij riep ook zijn moeder niet, omdat zij er niet langer was. Hij keek alleen naar de foto in het ebbenhouten lijstje op zijn nachtkastje.

Zijn vader had die vorig jaar met Kerstmis genomen. Het was een foto van hem en zijn moeder en de sneeuwpop die ze hadden gemaakt. Zijn moeder had haar armen om hem heen geslagen en hij hield een wortel bij zijn neus, alsof hij Pinocchio was. Naast hen stond de mooiste sneeuwpop die Owen ooit had gezien. Hij zwol van trots dat zij die samen hadden gemaakt, zij tweeën, zijn moeder en hij. Terwijl hij ernaar keek, sprongen zijn herinneringen een paar dagen verder en zag hij zichzelf naar diezelfde sneeuwpop kijken terwijl de tranen over zijn wangen stroomden. De zon was tevoorschijn gekomen, de barometer op de veranda stond op 'mooi weer' en de sneeuw was aan het smelten. De sneeuwpop waar ze zo hard aan gewerkt hadden, begon te verdwijnen. Zijn moeder was bij hem komen staan en vroeg wat er was. Toen hij haar dat vertelde, zei ze iets heel bijzonders tegen hem. Iets waardoor hij niet alleen ophield met huilen, maar zelfs kon glimlachen. En nu hij terugdacht aan haar woorden, glimlachte hij weer. Ze vertelde hem dat in het grote, bevroren lichaam een kind zat, een kind dat bestond uit water, een kind dat ernaar verlangde vrij te zijn. Pas als de sneeuwpop zou zijn gesmolten, zou het waterkind bevrijd zijn.

Owens hart bonkte nog als een drum en zijn handen beefden. Hij sloot zijn ogen en begon in gedachten de smeltende sneeuwpop te tekenen. Hij vertrok zijn gezicht van de inspanning. Hij concentreerde zich tot het pijn deed en uiteindelijk zag hij hem, een bekkenslag van zilver licht terwijl het smeltwater een steeds grotere plas vormde. Dat was het moment waarop hij was geboren, een kind dat bestond uit trillend zilver licht, een kind dat door zijn moeder tot leven was gewekt, het Waterkind. Toen Owen zijn ogen opende, zag hij hem glashelder, een dansende lichtvorm op de muren van zijn slaapkamer. Het onderwatervolk, dat was opgestegen uit het slijk op de bodem van de wereld, het volk dat voortkwam uit de zuigende modder van nachtmerries, uit het nachtelijke rijk van afzichtelijke gedrochten, smolt voor hem weg, net zoals de sneeuwpop was gesmolten. Alhoewel Owens lippen te stijf bleven om zich tot een glimlach te kunnen krullen, bedaarde zijn hart en werden zijn handen rustig genoeg om modelvliegtuigjes te kunnen bouwen. En toen kon hij eindelijk slapen.

Owen wilde niet meer leren zwemmen. Hij wilde niet dat zijn vader het hem leerde. Zwembaden en meren waren nu transparante blauwe monsters die hem wilden verslinden. De zee was een loodgrijze reus die zich voedde met kinderen die zich te dicht bij de grijnzende golven waagden. De dokter gaf Owens angst een naam. Hij vertelde zijn moeder dat haar zoon watervrees had. 'Het komt waarschijnlijk door een trauma, nare ervaringen met de zee misschien? Als ik u was zou ik er niet op aandringen dat hij die angst moet leren bedwingen. Mettertijd groeit hij er vanzelf overheen. Het gaat er maar om dat hij lichamelijk niets mankeert. Ik zal een briefje schrijven voor zijn school dat hij om medische redenen niet hoeft mee te doen met de zwemles.' Opkijkend van zijn aantekeningen glimlachte hij Owen geruststellend toe. 'Als je wilt, kun je altijd later nog leren zwemmen.'

2

1963

EEN HUIS VAN VLAK NA DE OORLOG IN KINGSTON, ZUIDWEST-LONden, met een façade van grindpleister die roomwit is geschilderd. Boven. De kleinste van de drie slaapkamers. Zeven uur 's ochtends. Catherine is al een poosje wakker. Ze heeft de auto van de melkboer en het rinkelen van de flessen op de stoep gehoord. Het is 17 september. Vandaag wordt ze negen en ze heeft een plan. Ze heeft gisteravond lang wakker gelegen om het uit te werken. Nu heeft ze vlinders in haar buik. Ze beeldt zich in hoe hun felgekleurde vleugels in haar binnenste onrustig fladderen. Het daglicht steekt zijn vingers naar binnen door de kier tussen de gordijnen. Ze hoort haar ouders in de slaapkamer aan de overkant van de gang, de hoge, schorre stem van haar moeder, het gemoedelijke teddybeergegrom van haar vader.

Haar plan start met een gebed. Catherine is niet erg goed in bidden, dat geeft ze zelf grif toe. Als ze met haar ouders in de kerk is, doet ze maar alsof. Ze beweegt haar lippen en mompelt wat terwijl ze in gedachten dingen telt. Hoeveel mensen hebben een hoed op? Hoeveel kaarsen branden er? Hoeveel banken zijn onbezet? Ze weet dat haar moeder ook nooit echt bidt, omdat die het te druk heeft met het kijken naar wat de andere vrouwen aan hebben, omdat ze er zeker van wil zijn dat ze hen allemaal heeft overtroffen met, bijvoorbeeld, een nieuwe zachtgele, wollen jurk waarvan de taille is ingesnoerd met een brede zwarte ceintuur, en bijpassende pumps met punthakjes en een modieuze ronde neus.

Diep in haar hart is Catherine er niet zeker van of God wel echt bestaat. En of hij – aangenomen dat hij bestaat – zich druk maakt over haar verjaardag. Ze kampt met twijfels, grote twijfels. Ze denkt aan alle nare dingen die er gebeuren, zoals moorden en vliegtuigrampen, en hongersnood waardoor duizenden kleine kinderen opzwellen als pruimen, en hevige stormen die hele steden van de aardbodem laten verdwijnen. Daar doet hij toch ook niets aan? Waarom zou hij dan bereid zijn om ervoor te zorgen dat Catherine's verjaardag gladjes zal verlopen? Als hij niet eens moeite wil doen om afschuwelijke rampen te voorkomen, waarom zou hij zich dan druk maken over een meisje, een verjaardagstaart van de banketbakker en wat spelletjes?

Niettemin vindt ze dat ze het best kan proberen en dat het in elk geval geen kwaad kan. Dus haalt ze diep adem en probeert ze volkomen eerlijk te zijn en welgemeende woorden te gebruiken voor haar gebed. Ze geneert zich een beetje (alhoewel alleen zij en God er zijn, en hij misschien niet eens echt), dus kruipt ze onder de dekens. In de wazige schemering vouwt ze haar handen en begint ze te fluisteren:

'Lieve God, zou u er alstublieft voor kunnen zorgen dat deze dag precies zo wordt als ik me heb voorgesteld? Dat hij niet wordt bedorven door de slechte gedachten. Dat mama zo dadelijk mijn kamer binnen komt met een echte glimlach, niet de glimlach die ze meestal op haar gezicht plakt en die er zo stijf uitziet, als een schilderij. En dat ze niet tegen mij uitvalt, en ook niet tegen papa, en niet tegen me schreeuwt met die schelle stem waar ik vanbinnen altijd zo'n naar gevoel van krijg. En dat papa niet gaat rondscharrelen alsof hij niet weet waar hij is, wat ik zo erg vind als mijn vriendinnen erbij zijn. Kunt u erop letten dat Stephen het ritje op de motor niet vergeet? En kunt u er alstublieft voor zorgen dat ik alle cadeautjes krijg die op mijn verlanglijstje staan, en dat ze me laten winnen bij het pakje doorgeven, en dat Penny Rainbird zo jaloers op me wordt dat ze allemaal rode vlekken in haar gezicht krijgt. Amen.'

Niet gek voor haar eerste echte gebed, vindt ze zelf, helemaal niet gek. En het ziet ernaar uit dat God haar heeft gehoord, want de dag begint veelbelovend. Als Catherine beneden komt om te ontbijten, met haar haar netjes geborsteld en haar mond tintelend van de tandpasta, liggen er twee pakjes voor haar op de tafel, allebei met een kaart erbovenop. En er zijn per post nog meer kaarten gekomen, eentje helemaal uit Amerika. Die is natuurlijk van haar oom en tante.

'Daar is de jarige job,' zegt haar vader, Keith Hoyle. Hij staat op en geeft haar een zoen.

'Dag lieverd. Van harte gefeliciteerd,' zegt haar moeder plichtmatig en ze bukt zich om haar een zoen te geven die ergens in de lucht naast haar hoofd verdwaalt.

'Nu het dilemma: wat ga je als eerste openmaken?' vervolgt haar vader teder, met pretlichtjes in zijn ogen van verschoten blauw.

Als hij weer gaat zitten en Catherine tegenover hem plaatsneemt, zweeft haar moeder langs, afgeleid door haar reflectie in de ovale spiegel die aan een koperen kettinkje aan de schilderijrail boven het dressoir hangt. Ze schikt haar krullen en bekijkt zichzelf van dichtbij, bang dat ze grijze haren zal ontdekken tussen het rood. Catherine heeft geen erg in de praalzucht van haar moeder. Ze zou het liefst de pakjes grijpen en het papier er wild vanaf scheuren, maar dat zou verkwisting zijn en ze zou er een standje voor krijgen.

Het getuigt van goede manieren als je eerst de kaarten leest. Bovendien wil ze erg graag weten wat oom Christopher en tante Amy hebben geschreven. Ze heeft horen fluisteren dat de Amerikaanse Hoyles met de kerst naar Engeland komen. Het idee dat ze Rosalyn weer zal zien is zo opwindend dat ze er niet lang bij durft stil te staan, voor het geval het, als een spartelende vis, uit haar handen zal glippen. Ze heeft een voorgevoel dat als de anderen, zelfs God, zouden weten hoeveel dit voor haar betekent, ze het plan met opzet zouden saboteren.

Ze heeft Rosalyn nu al, even denken... bijna een jaar niet gezien. Misschien heeft ze inmiddels een Amerikaans accent gekregen. Ze vraagt zich af hoe de mensen in Boston praten. En ze is benieuwd of ze elkaar zullen herkennen of dat ze beiden al te sterk veranderd zijn. Ze vermoedt dat zijzelf er nog ongeveer hetzelfde uitziet. Ogen met de kleur van groene druiven, een ovaal gezicht, halflang, zacht, donkerrood haar dat ze in een scheiding opzij draagt, met knipjes. Zal Rosalyn haar nog net zo aardig vinden als vroeger of zou haar mening over haar nichtje Catherine na een jaar in Amerika zijn veranderd? Misschien vindt ze haar nu saai of, erger nog, irritant. O, als ze toch de hele kerstvakantie samen met Rosalyn zou kunnen doorbrengen! Samen met haar in slaap vallen op de vooravond van Kerstmis en samen met haar wakker worden op eerste kerstdag. Ze waagt het te geloven dat dit wonder kan gebeuren. Ze heeft iets opgevangen over dat ze Kerstmis misschien gezamenlijk gaan vieren, dat de Engelse Hoyles zich bij de Amerikaanse Hoyles zullen voegen in het huis dat die van plan zijn in Sussex te huren. Samen kijken wat er in de kousen aan de schoorsteenmantel zit, samen aan knalbonbons trekken en de malle versjes hardop aan elkaar voorlezen, samen het huis uit glippen om lange wandelingen te maken en elkaar de geheimen toe te vertrouwen die ze hebben opgespaard in de maanden dat ze van elkaar gescheiden zijn geweest. Eerlijk gezegd kan Catherine zich niet zo snel geheimen voor de geest halen, maar als het eenmaal zo ver is, komt dat vanzelf wel. En als ze er een paar moet verzinnen, heeft Rosalyn daar vast wel begrip voor.

Ze houdt ervan om naar Rosalyn te luisteren. Ze heeft een stem die klinkt als een klok, een stem die een zingende naklank heeft, zoals de dure kristallen glazen van haar moeder als die ze met haar lange nagel een tikje geeft. Ze verontschuldigt zich nooit als ze iets vertelt. Ze aarzelt nooit, noch is ze bereid haar mond te houden als er niemand wil luisteren. Ze is eraan gewend aandacht te krijgen. Ze heeft een air van zelfvertrouwen die om haar heen hangt zoals wolken rond een bergtop. Ze weet prachtige verhalen te vertellen met mooie, beschrijvende woorden. Het is alsof ze haar verhalen schetst met woorden en dan de schetsen omhooghoudt met een glimlach waar Catherine van smelt als boter op een warm broodje. Maar wat is ze nu toch een sufferd, dat ze erover dagdroomt alsof het zo goed als zeker is. Als je dat doet, gaat het meestal niet door. Met pure wilskracht zet ze de hele zaak uit haar hoofd. Voor straf moet ze van zichzelf nu eerst de andere kaarten openmaken en mag ze daarna pas het nieuws uit Amerika lezen. Haar vader schraapt zijn keel en als ze haar hoofd opheft ziet ze dat hij afwachtend naar haar zit te kijken.

Oma Stubbings heeft een gloednieuw briefje van tien shilling gestuurd in een wat kinderachtige kaart met een plaatje van Miss Muffet en een grote harige spin. Er zijn nog meer kaarten, eentje van haar peetmoeder, die haar nooit vergeet. Ze heeft jaren geleden een spaarrekening voor Catherine geopend en meldt elk jaar met haar verjaardag en met Kerstmis dat ze daar een pond op heeft gestort. Catherine vindt dat erg lief van haar, al is het een beetje jammer dat ze het geld pas kan opnemen als ze achttien is. Dat duurt nog zo lang. Haar peetvader in Wales heeft haar een boek gestuurd, en de juffrouw van de zondagsschool een kaart met een gebedje als wens. Nu mag ze eindelijk de envelop met de Amerikaanse postzegel openmaken. Oom Christopher, tante Amy, Rosalyn en Simon hebben haar een postwissel van een pond en tien shilling gestuurd. Tante Amy heeft iets geschreven op het deel van de kaart waar geen voorgedrukte tekst staat en als Catherine het leest, begint haar hart te bonken.

'Dertig shilling. Dat is een flink bedrag, zeg. Erg gul van Christopher en Amy, vind je ook niet, Dinah?'

'Mmm... ja, zeg dat wel. Dan moeten wij Simon en Rosalyn met hun verjaardag natuurlijk wel iets soortgelijks sturen,' zegt Catherine's moeder op een toon die allesbehalve blij klinkt. Ze fronst haar wenkbrauwen en de manier waarop ze aan haar haar begint te plukken, lijkt wat op die van apen.

'Wat schrijven ze, Catherine?' Haar vader neemt zijn pijp uit zijn mond om ruimte te maken voor de woorden, plugt hem er dan weer in en rookt tevreden door. Hij zal de pijp zo dadelijk moeten doven, maar waarom zou hij er niet van genieten zolang dit zeldzame respijt duurt?

'Dat ze nog niet weten of ze met Kerstmis komen. Dat oom Christopher misschien geen vrij kan nemen vanwege de vakantiedrukte.' Haar vader beweegt zijn hoofd heen en weer zoals hij doet wanneer hij ergens in berust. Maar Catherine zou het liefst gaan gillen en hem op haar blote knieën smeken zijn broer te dwingen te komen, hem op te bellen, nu meteen, om te zeggen dat ze moeten komen. Zelfs als daarvoor alle vluchten geannuleerd moeten worden, moet hij tegen oom Christopher zeggen. Want als ze niet komen, gaat ze dood. Dan kruipt ze in een hoekje om te sterven. Maar dat mag ze niet zeggen, ze mag niet laten merken hoe belangrijk dit voor haar is, omdat het dan allemaal voorbij zal zijn. Dan zal er geen enkel graankorreltje van hoop meer over zijn in de lege zak van haar leven. Ze weten nog niet of ze kunnen komen. Nog niet... Daar moet ze zich aan vastklampen. Dat ze het nog niet weten.

Met verbeten vastberadenheid slikt ze haar teleurstelling in. Ze zal zich gedragen zoals Elizabeth Taylor in *National Velvet*. Ze schuift het geld en de postwissels bij elkaar en maakt er een waaiertje van, waarmee ze wappert terwijl ze een glimlach tevoorschijn tovert. Ze is een beetje beduusd van haar plotselinge rijkdom, maar als haar vader ernaar vraagt, heeft ze geen idee waar ze het aan zal besteden. Zulk een onverwachte vrijgevigheid en zo veel spulletjes in de winkels om uit te kiezen. Van haar ouders heeft ze een van de nieuwe Sindy-poppen gekregen, met lang, blond haar en brutale blauwe ogen, gekleed in een donkerblauwe spijkerbroek en een rood, wit en blauw gestreepte trui. Er horen twee setjes kleding bij, een uitdagend roze jurkje voor als ze met haar vriendje uitgaat, en een verpleegstersuniform.

'Ben je er blij mee?' vraagt haar vader. Catherine knikt. Ze had liever een fiets gehad, maar glimlacht braaf. Keith Hoyle werpt een steelse blik op zijn vrouw en houdt dan het vlammetje van de paarlemoeren aansteker die hij altijd in zijn zak heeft bij de tabak in zijn gedoofde pijp. Hij zakt onderuit op zijn stoel alsof hij absoluut geen haast heeft. 'Trek haar dat chique jurkje dan maar eens aan,' zegt hij. Dus trekt Catherine Sindy met een blij verjaardagsgezicht haar uitgaansjurkje aan en laat haar tussen het serviesgoed wandelen.

'Laat die maar swingen!' zegt haar vader als Sindy uiteindelijk naast de suikerpot stopt met wiebelen. Catherine moet bijna om hem lachen. Ze blijft een poosje over hem nadenken. Ze kan zich niet voorstellen dat haar vader ooit zal swingen. Hij is zo mager als een lat en heeft een droevig, langgerekt, doorgroefd gezicht dat er gebruind uitziet, alsof hij vaak in de zon loopt. Dat is een nogal raadselachtige zaak, omdat hij nooit lang genoeg in de zon loopt om erdoor gebruind te worden. Zijn haar is erg dun, heeft de kleur van zilverberk en is bij zijn oren en in zijn nek kortgeknipt. Hij draagt het met een scheiding opzij, net als Catherine, en wrijft er altijd brillantine in voordat hij het kamt, waardoor het nog minder lijkt dan het is. Het heeft altijd een vreemde geur, als van een oude tweedjas. Haar vader zegt nooit veel, maar dat valt niet op omdat haar moeder genoeg praat voor twee.

Stephen, Catherine's oudere broer, heeft beloofd dat hij vanmiddag langs zal komen, na het feestje. Hij werkt in een garage niet ver bij hen vandaan. Omdat hij van de eigenaar in een van de kamers boven de zaak mag wonen, komt hij niet vaak thuis. Alleen om zijn wasgoed te brengen of mee te eten. Catherine vindt hem op James Dean lijken met zijn rode BSA Bantam-motorfiets. Hij is aan het sparen voor een Triumph Bonneville en als hij genoeg geld heeft om die te kopen, mag ze een keer bij hem achterop voor een rit helemaal naar Brighton. Vandaag heeft hij haar voor haar verjaardag alvast een ritje beloofd naar Bushy Park en terug, en dat vindt ze eerlijk gezegd veel spannender dan haar feestje, dat waarschijnlijk een saaie boel zal worden.

Later, als Catherine in de woonkamer naar de betegelde haard loopt om haar kaarten op de schoorsteenmantel te zetten, denkt ze aan haar oom Christopher. Hij is piloot, wat ze zo ongeveer het meest romantische beroep ter wereld vindt. Hij is knap en stoer en tante Amy is heel sierlijk, als een fotomodel, met golvend blond haar, een smetteloze huid en een kalme, lage stem. Rosalyn en Simon verschillen niet veel in leeftijd, in tegenstelling tot Stephen en zij. Rosalyn is tien en Simon twaalf, en ze praten gewoon met elkaar over dingen die ze allebei leuk vinden en zitten vaak samen op de bank als ze televisiekijken. Catherine is diep in haar hart een beetje bang voor Stephen. Hij is per slot van rekening al min of meer een volwassene en heeft altijd een vreemde geur om zich heen hangen, afgezien van die van leer en olie. Ze wordt daar erg verlegen van, in het bijzonder bij de zeldzame gelegenheden dat ze bij hem achterop zit met haar armen om zijn middel geslagen en het trillende, duizelingwekkende geronk van de motor tussen haar benen.

Als ze met haar cadeautjes naar boven gaat, verschijnt haar moeder op de drempel van de keukendeur met een sigaret tussen haar lippen en een aansteker in haar opgeheven hand. Ze kijkt naar haar dochter, neemt de sigaret tussen haar lippen vandaan en gebaart ermee in haar richting. 'Je houdt die jurk toch niet aan voor het feestje, hoop ik?' roept ze haar na. 'Ik heb gezegd dat je de lichtroze fluwelen jurk moet aantrekken. Hij hangt in de kast bij de strijkplank.'

Als Catherine de jurk uit de kast haalt en met afkeer naar het met kant afgezette halsje kijkt, probeert ze zich voor te stellen hoe het is om piloot te zijn. Haar vader werkt in de stad. Hij is een forens met een hoed, geen bolhoed maar evengoed een hoed, en een aktetas. Hij vertrekt naar zijn werk in een altijd wat gekreukeld kostuum en ziet er al moe uit voordat hij zelfs maar is vertrokken. Grauw en nog vermoeider komt hij terug, vaak als het allang donker is. Als hij zijn neus snuit, komt er soms zwart spul uit, wat Catherine smerig vindt, alsof hij niet alleen aan de buitenkant groezelig is, maar dat ook aan de binnenkant aan het worden is. Hij doet haar denken aan Tom, de schoorsteenveger in het boek *De Waterkinderen*, alsof hij eens goed geschrobd moet worden om het ingebedde vuil uit zijn poriën te krijgen. Oom Christopher draagt een gesteven uniform naar zijn werk, een uniform dat een generaal of een admiraal of een president niet zou misstaan. Ze blijft de hele dag aan hen denken, aan haar tante, haar oom, Simon, en vooral Rosalyn, ook al is ze vastbesloten het beste van haar verjaardagsfeestje te maken.

Kerstmis. Ze logeerden in het huis in Sussex met de Amerikaanse Hoyles en het was allemaal precies zo heerlijk als ze het zich had voorgesteld. Het huis was heel groot, bijna zo hoog als een kasteel, opgebouwd uit rode bakstenen, vierkant en stevig, met een heleboel ruiten die in het winterse zonnetje glommen als tientallen gouden ogen. De voordeur was knalrood en had een koperen klopper in de vorm van een gezicht met wilde, wapperende haren. Als je hem optilde en hard liet vallen, dreunde het binnen alsof er een kanon was afgeschoten. Boven waren er een heleboel slaapkamers waarvan er niet één zo pietepeuterig was als die van Catherine thuis. En er was een zolder met nog meer kamers. De keuken was gigantisch en in het midden stond een lichtblauwe Aga die elke ochtend vele kitten kolen verslond en bij vlagen een wolk glinsterend roet uitspuwde.

De woonkamer was tweemaal zo groot als die bij hen thuis en had vaste vloerbedekking in plaats van zeil met een vloerkleed. Er was een statige open haard waarin een laaiend vuur knapperend brandde. De huiselijke, kruidige geur waar de hele kamer van was doordrongen kwam van de blokken dennenhout die ze erin stookten, zei haar oom. Zelfs haar moeder zei, in een zeldzame vlaag van geestdrift die ongetwijfeld was opgewekt door de feestelijke sfeer, dat het gezellig was. Al voegde ze eraan toe dat een ingebouwde elektrische haard veel schoner en waarschijnlijk efficiënter was – goedkoper ook, als je de schandalige prijzen van brandstof in aanmerking nam.

Het statige huis droeg de naam Boszicht. De naam stond op een bordje aan het begin van de oprit. Zelfs Catherine's moeder moest toegeven dat het een geschikte naam was, omdat er achter het huis inderdaad een bos was waar je zicht op had. Dat was ook alweer zoiets fijns, een bos om te verkennen en avonturen in te beleven.

Toen ze ernaartoe reden in hun grijze Ford Anglia, langzaam over de bochtige, met bomen omzoomde oprit tuffend, had haar moeder een paar keer tegen haar vader gezegd dat ze het huis alleen maar huurden, dat iedereen zich een dergelijk huis voor een paar weken kon veroorloven.

Het huis had een grote tuin die er helemaal omheen liep zonder afscheiding tussen de voor- en achterkant. De tuin bestond uit grote gazons, veel struiken en een paar bomen. In een van de bomen, een stokoude eik met een bast die leek op een zwaar gerimpelde huid, maar dan harder, zat tussen de takken een magische boomhut geklemd, met een touwladder eraan. Er was ook nog een aparte garage met dubbele deuren die op zich bijna zo groot was als een huis, vond Catherine. Ze hadden een van de koffers meegebracht die ze altijd meenamen als ze op vakantie gingen en Catherine had slim wat spijkerbroeken en truien ingepakt tussen de jurken waar ze zo'n hekel aan had. Ze was op van de zenuwen geweest tegen de tijd dat ze aankwamen. Misselijk en met een kurkdroge mond was ze uit de auto gestapt en toen waren de Amerikaanse Hoyles op de veranda verschenen om hen te verwelkomen. Dat was het moment geweest waarop alles bedorven had kunnen worden, het moment waarop Rosalyn had kunnen verschijnen als een onwaarschijnlijk volwassen ogende jongedame die haar nichtje Catherine van top tot teen zou bekijken met haar kristalheldere blauwe ogen en zich teleurgesteld zou afwenden.

Maar zo was het niet gegaan. Catherine, die er met afhangende schouders bij had gestaan, zich tuttig voelend in haar corduroyrok en de bloes met het ronde kraagje, had zichzelf zo veel dingen toegewenst dat haar hoofd ervan had gebonkt. Dat ze langer en slanker was, dat ze zwart of blond haar had, dat ze modieus gekleed was, dat ze niet van die bolle wangen had, dat ze een andere stem had, en andere ouders, dat ze in een andere auto waren gekomen, kortom, dat ze heel iemand anders was en niet Catherine Hoyle, niet Catherine die altijd domme dingen deed, het meisje dat niet één interessante trek in haar solide karakter had.

Maar toen stond Rosalyn voor haar met een zelfverzekerde, ontspannen glimlach rond haar mond, de mond die nooit een trilling had gekend. Hun ouders omhelsden elkaar, stemmen rezen in de koele ochtendlucht op als geschrokken vogels. Simon bleef een beetje achteraf staan, hield zijn hoofd schuin en haalde zijn vingers door zijn dikke blonde haar, niet omdat hij verlegen was, maar om duidelijk te maken dat hij niets moest hebben van het kleffe gedoe. En Rosalyn, die, zoals Catherine in één oogopslag zag, langer was geworden en nóg mooier, hoe onmogelijk dat ook leek, had een stap naar voren gedaan, haar armen om haar heen geslagen en haar nichtje van pure blijdschap stijf tegen zich aan gedrukt.

'O, Catherine, wat ben ik blij je te zien! Ik heb je zo veel te vertellen. Dit wordt een geweldige kerstvakantie!'

Dat laatste was een verordening. Rosalyn accepteerde alleen perfectie. Catherine voelde zich als een Atlas die de zware wereldbol van zijn vermoeide schouders kon laten zakken na hem een eeuwigheid getorst te hebben. Als er iets fout mocht gaan, zou zij daar niet verantwoordelijk voor zijn. Ze zou zich niet schuldig hoeven te voelen en het niet nog maandenlang in gedachten steeds opnieuw hoeven te beleven. Ze hoefde niet eens nerveus te zijn, want Rosalyn zou overal voor zorgen. Het zou een geweldige kerstvakantie worden. Rosalyn was ook niet iemand die zich makkelijk liet beheksen, zoals Catherine. Als iemand het zou wagen een vloek over haar uit te spreken, zou ze de woorden kalmpjes tot een bal kneden en die keihard teruggooien, met een onverschrokken grijns en de trefzekerheid van een meisje dat in alle sporten de beste van haar klas was.

Een ogenblik later werd Catherine gevat in de armen van haar tante, die haar al net zo hartelijk en oprecht omhelsde en een parfum droeg dat niet weeïg zoet was zoals dat van haar moeder, maar de subtiele geur van dure zeep had. Daarna boog oom Christopher zijn lange lichaam om een zoen van haar in ontvangst te nemen, en zijn huid rook ook al zo lekker, fris en schoon, zonder de muffe geur van tabak, alsof hij zich had gebaad in het oneindige grijsblauw van het hemelgewelf. Voordat Catherine wist wat er gebeurde, greep Rosalyn haar hand en trok haar mee naar binnen.

'Kom gauw kijken waar we slapen,' riep ze opgewonden. 'Helemaal boven, op de zolder, en die hebben we helemaal voor ons alleen!' Catherine hoorde haar moeder achter zich roepen.

'Catherine. Niet meteen weghollen. Je vader en ik hebben hulp nodig met de koffers. Catherine!' Bij de trap bleef Catherine aarzelend staan en op haar voorhoofd verscheen de vertrouwde rimpel.

'Niks van aantrekken,' zei Rosalyn roekeloos. 'Ze redden zich best. Mijn vader kan ze helpen, en mijn moeder en zelfs Simon.' Ze stond op de derde tree, haar uitdagende blauwe ogen gericht op Catherine, haar hand om de hare geklemd.

'Maar...'

Ze gaf haar hand een rukje. 'Wie het eerste boven is.' Met twee treden tegelijk vloog ze de trap op. Catherine holde achter haar aan, buiten adem van het lachen. Toen ze hoger en hoger klommen, voelde ze zich alsof ze ergens aan ontsnapte, alsof de vrijheid haar tegemoetkwam.

'En? Wat vind je ervan?' vroeg Rosalyn toen ze op de zolderkamer waren aangekomen. Ze droeg een strakke spijkerbroek en een wijd, donkerblauw T-shirt met lange mouwen, dat haar slanke, jongensachtige postuur goed liet uitkomen, en stond met haar handen in haar zij.

Catherine was met stomheid geslagen toen ze de kamer betrad. Geen enkel woord was toereikend voor wat aan haar ogen werd geopenbaard. Een gigantisch bed met een ouderwets, gebeeldhouwd hoofdeinde en een dik matras dat bij uitstek geschikt leek om op te springen. Boven het bed een groot dakraam waardoor het heldere ochtendlicht naar binnen stroomde. Kleurige dekens op de vloer en een massa kussens tegen de muren.

'Dit is ons domein. Er mag niemand anders komen. Ik heb Simon al gewaarschuwd. Ik mocht van mama alle extra dekens en kussens hebben. 's Nachts kunnen we in bed naar de sterren kijken en elkaar verhalen vertellen over mensen die op andere planeten wonen, bedenken hoe ze eruitzien en namen voor hen verzinnen. Hoe vind je het?' Het bleef stil omdat Catherine nog steeds alleen maar kon staren. Haar blik ging van de vloer naar het bed, van het bed naar het dakraam, van het dakraam terug naar de vloer en van de vloer weer naar het bed. Ze moest bijna huilen van geluk, maar van zulke dingen moest Rosalyn niets hebben. 'Zeg eens iets, verlos me uit mijn lijden. Ik heb heel hard gewerkt om het perfect te maken.' Ze stootte Catherine met haar elleboog aan. Catherine draaide zich naar haar toe.

'Het is geweldig. Het is perfect, meer dan perfect,' zei ze plechtig en toen begonnen ze allebei te giechelen.

'Laten we het bed uitproberen,' stelde Rosalyn voor en ze schopte haar schoenen al uit. 'En het reclamespel doen.'

Het was een van hun favoriete spelletjes. Ze klommen op het bed, gingen rechtop staan, zich aan elkaar vastklampend als twee wankelende oude dametjes die een glaasje te veel op hadden, en begonnen te springen, half tegen elkaar aan vallend.

'Crispy Chips! Ze kraken zoals ze smaken!' riep Rosalyn. Haar haren dansten rond haar gezicht.

'Het is pas fijn als er bubbels zijn!' zong Catherine giechelend.

'Met melk meer mans!' riep Rosalyn in een denkbeeldige microfoon.

'Eenmaal per etmaal een eimaal!' Catherine hikte van het lachen.

'Het grote Glorix-toiletblok. Werkt langer en is nu nog frisser!' Rosalyn deed alsof ze de wc doortrok.

Rosalyn won het, maar dat vond Catherine niet erg. Ze had het lang volgehouden en zich goed geweerd.

'Jij wordt hier steeds beter in,' zei Rosalyn waarderend en helemaal niet uit de hoogte. Catherine bloosde om het compliment.

Uiteindelijk vielen ze neer, boven op elkaar, duizelig van het springen en zo hysterisch lachend dat Catherine er pijn in haar buik van kreeg. Toen ze probeerden tot bedaren te komen, maakte Rosalyn hen weer aan de gang door te gillen dat ze het in haar broek zou doen als ze niet ophielden. Uiteindelijk draaiden ze zich als een Siamese tweeling op hun rug en bleven in stervorm liggen, heup aan heup, Rosalyn met één arm over Catherine's borst en Catherine met één been over Rosalyns voeten. Gelijktijdig slaakten ze een diepe zucht. Catherine draaide haar hoofd opzij om haar nichtje te bekijken. Ze was nog hetzelfde maar toch anders. Ze was langer geworden en kreeg een steeds atletischer postuur met lange benen en brede schouders, terwijl haar gezicht de klassieke beenderstructuur van haar moeder had. Ze had haar haar korter laten knippen. Het had een blauwzwarte kleur die ze van haar vader had geërfd. Als het licht erop viel, kregen de donkere lokken een gloed waar paars, groen en goud in zaten. Het paste goed bij haar, gaf haar gezicht een schalkse, wilde uitstraling. En haar blauwe ogen waren nog mooier geworden, flonkerend, vrolijk en ondeugend.

's Middags arriveerde Stephen op zijn motorfiets. Met brullende motor reed hij als James Dean de oprit op. De kinderen holden meteen naar buiten. Een hele tijd hield hij hof, zittend op de motor die hij naar links en rechts liet wiegen en soms een halve meter naar voren en weer terug liet rijden. Simon was diep onder de indruk. Hij zakte op zijn hurken om het mechanisme te bekijken en stelde een heleboel vragen. Rosalyn en Catherine namen een hooghartige houding aan, doorgezakt op één been met hun hand op hun andere heup, en bekeken Stephen koeltjes tot hij vroeg of ze een ritje wilden maken tot aan de straat en terug. Meteen vergaten ze hun voorgewende zelfbeheersing en begonnen te springen alsof ze onder stroom waren gezet.

Zoals Rosalyn had bevolen, verliep alles vlekkeloos. Een wandeling door het bos, waar ze tassen vulden met takjes stekelige, donkergroene hulst met felrode besjes, knobbelige dennenappels en naar hars geurende sparrentakken om het huis mee te versieren. Rosalyns verhalen in de boomhut, die tot hun grote vreugde verlichting had. Hartige saucijzenbroodjes en zoete banketletters. Televisie – een dubbele aflevering van *Supercar*. Samen in bad waar ze met het badschuim pruiken en snorren maakten. Catherine schaamde zich niet eens voor haar flanellen pyjama met elastieken manchetten, omdat Rosalyn daar helemaal niet op lette toen ze samen in de sprookjesachtige duisternis in bed lagen en naar de sterren keken.

Rosalyn vertelde Catherine over Amerika, haar school en haar vriendinnen, over hoe afschuwelijk de moord op John Kennedy vorige maand in Dallas was geweest en hoe bedroefd iedereen erom was. Catherine slaagde erin voor de vuist weg een verhaaltje op te hangen over haar eigen school waarbij ze een vriendin verzon genaamd Karen, die een eigen paard had waar ze elk weekend op reed.

Zelfs de eerste kerstdag, in Catherine's ervaring berucht om kibbelpartijen omdat haar moeder zich altijd zo misbruikt voelde, verliep gesmeerd. Iedereen droeg vrolijk een steentje bij, terwijl de radio kerstliedjes liet horen. Op tweede kerstdag sneeuwde het en werd alles buiten wit, als een ouderwetse kerstkaart met glittertjes. Catherine wist niet zeker wie er op het idee kwam een eindje te gaan wandelen, misschien zelfs te gaan kijken of de vijver – die te groot was voor een vijver en te klein voor een meer – was bevroren. Ze verlieten het huis terwijl hun moeders druk babbelend in de keuken groenten schoonmaakten voor de lunch, hun vaders in de zitkamer een ernstig gesprek voerden over iets wat de Profumo-zaak werd genoemd en speculeerden of Labour volgend jaar de verkiezingen zou winnen, en Simon gefascineerd zat te kijken hoe Stephen in de garage aan zijn motorfiets sleutelde.

In het begin was het alsof ze zomaar wat wandelden. Het was een stuk kouder geworden en ze droegen allebei een dikke jas, handschoenen en een sjaal, en Rosalyn had een rode baret op die scherp contrasteerde met haar glanzende zwarte haar. Ze liepen tot het einde van de oprit en toen tot het einde van de laan terwijl ze af en toe stopten om elkaar met sneeuwballen te bekogelen. Ze namen zich voor die middag een sneeuwpop te maken, waarbij de jongens mooi konden helpen. Toen begon Rosalyn weer over de vijver en liepen ze weer verder, doelbewuster nu, dwars door het struikgewas dat de laan omzoomde, waardoor de verse sneeuw die erop was neergedaald naar alle kanten wegstoof. In het begin was het struikgewas vrij dicht. Droge bevroren takjes braken toen ze erdoorheen drongen. Een roodborstje bekeek hen nieuwsgierig toen Catherine struikelde omdat haar voet in een kuil zakte die door het zachte sneeuwkleed onzichtbaar was geworden. Ze had zich niet bezeerd en stelde Rosalyn snel gerust toen die vroeg of ze soms terug moesten gaan. De lucht had een gelige tint, wat betekende dat het misschien weer zou gaan sneeuwen. De laagstaande zon was nog niet door de dikke wolkenlaag heen gedrongen. De oneffen grond zag er met zijn bobbels en kuilen uit als een maanlandschap waarin hier en daar het skelet van een boom vertwijfeld zijn knokige takken omhoogstak.

Het was erg stil. De sneeuw leek als een geluiddemper te werken waardoor ze het ingesloten gevoel kregen dat Catherine had ervaren toen ze met Stephen naar een opnamestudio was geweest. Ze waren nu ver van de laan, ver van het huis dat op zich al zo afgelegen stond, ver van de hoofdweg, van auto's, van mensen. Catherine was zich vaag bewust van een verandering in hun stemming. De onbestemde wandeling was veranderd in een tocht met een doel, en het doel was de vijver. Het was nu ondenkbaar dat ze op hun schreden zouden terugkeren en hun missie zouden opgeven. Net zoals voor bergbeklimmers die de top van een uitdagende berg willen bereiken of Noordpoolonderzoekers die onder barre omstandigheden een geplande route volgen, was terugkeren geen optie. In hun gesprek vielen steeds langere pauzes tot het uiteindelijk helemaal stokte en ze geen van beiden de stilte wilden verstoren.

Kameraadschappelijk liepen ze naast elkaar, de een wegglijdend en zich snel herstellend, de ander om een gespleten boomstam heen lopend en zich bukkend om de sneeuw van de laarzen te vegen, waarna ze elkaar weer vonden. Dankzij de lichaamsbeweging hadden ze het niet koud. Ze zagen hoe hun adem in de kille lucht bleef hangen. De vijver was afgeschermd door een haag van jonge boompjes en struiken en toen ze daardoorheen waren gedrongen en de winterse oase zich voor hen openbaarde, waren ze stil van ontzag.

De cirkel van vegetatie stak donker af tegen de bleke lucht. De met een witte deken bedekte oever liep schuin af naar een ijzige spiegel van bevroren water, omlijst door bevroren rietstengels. Ze konden nog net donkere vormen onderscheiden die bewogen in de troebele diepte.

'Wat mooi,' zei Rosalyn, de loodgrijze glans indrinkend.

'Je hebt gelijk. De vijver is bevroren,' zei Catherine, volkomen overdonderd.

'Een ijsbaan helemaal voor ons alleen,' zei Rosalyn hebzuchtig. Hun ogen vonden elkaar, blauw en groen, beide paren flonkerend van ondeugd. 'Kun jij schaatsen?' vroeg Rosalyn. Ze zakte door haar knieën en begon naar beneden te glijden, op haar hurken, terwijl ze met haar handschoenen in de sneeuw naar stevige wortels en verborgen keien tastte.

'Natuurlijk,' zei Catherine, haar volgend. Dat was gelogen, maar zo moeilijk kon het toch niet zijn? Je schoof je voeten zijwaarts en voorwaarts over het ijs. Het moest gemakkelijker zijn dan proberen je evenwicht te bewaren op echte schaatsen, zoals de schaatsen met de zilveren ijzers die ze op televisie had gezien, die sissend sporen trokken in het ijs en het schraapsel achter zich opwierpen. Ze zakte achter Rosalyn aan naar beneden. Toen ze de plek bereikten waar het ijs begon, stopten ze. Ze keken elkaar aan. Catherine vond dat Rosalyn er nog nooit zo mooi had uitgezien als op dat moment. Haar huid was gaaf en wit, afgezien van haar wangen die een rode blos hadden van de kou. Haar mond leek te willen gaan glimlachen. De irissen van haar helderblauwe ogen hadden een rand van fluwelig indigo. Haar glanzende haar vormde een scherp contrast met de rode baret die erop rustte, en de diepe kleuren werden door elkaar geaccentueerd. Ja, ze was echt mooi, dacht Catherine. En op die gedachte volgde een andere: dat ze zich haar altijd zo zou willen herinneren, als een foto die ze eeuwig in haar hoofd kon bewaren. Opeens huiverde ze.

‘Heb je het koud?’ vroeg Rosalyn.

‘Nee... nee,’ antwoordde ze een tikje aarzelend, want nu ze stilstonden voelde ze hoe koude tentakels zich door de laagjes kleding naar haar huid wurmden.

‘Vooruit. Wie het laatste op het ijs staat, is een lelijk varken,’ zei Rosalyn plagend.

Ze duwde zich overeind en schuifelde naar voren tot ze op het bevroren platform stond. Ze deed glijdend een stap en stampte op het ijs om te controleren of het stevig genoeg was. Gerustgesteld maakte ze nog een paar glijdende passen. Catherine stond nu ook op het ijs. De bewegingen van haar nichtje nabootsend gleed ze met haar laarzen over het zilveren slakkenspoor dat Rosalyn had achtergelaten. Rosalyn kreeg steeds meer zelfvertrouwen en sloeg haar voeten uit alsof ze zich op een echte ijsbaan bevond. Ze bracht steeds haar gewicht op één voet terwijl ze de andere achter zich ophief. Catherine was hier lang niet zo goed in als haar nichtje. Rosalyn had in Amerika al op verschillende ijsbanen geschaatst, zoals ze over haar schouder riep. Het was helemaal niet moeilijk, zei ze. Het was natuurlijk mooier geweest als ze schaatsen hadden, maar aangezien ze hier over hun eigen ijsbaan beschikten, mochten ze niet klagen. Catherine volgde haar behoedzaam, maar de zolen van haar laarzen waren niet glad genoeg. Of ze was gewoon een hopeloos geval. Ze vermoedde het laatste.

Rosalyn koerste naar het midden van de vijver, zo lichtvoetig als een waterjuffer. Catherine, die op het nippertje had kunnen voorkomen dat ze zou vallen door net op tijd haar knieën te buigen en haar handen plat op het ijs te zetten, slaagde erin weer rechtop te gaan staan. Ze deed haar best, maar zag dat Rosalyn al erg ver was, dat ze bijna het midden van de vijver had bereikt. Zijzelf stond nog maar een paar meter van de kant. De rode baret danste voor haar ogen.

‘Met mijn handen op mijn rug kan ik het allang. Nu ga ik net doen alsof ik een bontmof heb. Ik breng mijn handen naar voren en stop ze zogenaamd in de mof. Dan ben ik net als de victoriaanse meisjes die schaatsten in een met bont afgezette jas.’

'Misschien kun je beter terugkomen, Rosalyn. Je weet niet of het ijs overal even dik is,' waarschuwde Catherine. Ze vond het vervelend dat ze een domper op haar enthousiasme zette, maar vond het nodig om het te zeggen.

Rosalyn maakte een pirouette, één been uitgestoken als een professionele schaatsster. Ze keek een beetje verbaasd. 'Je bent nog helemaal niet ver gekomen, Catherine. Wat is er? Moet ik je helpen? We kunnen hand in hand schaatsen als je wilt.'

'Ik had liever dat je terugkwam,' zei Catherine met een trillende stem.

'Wees niet zo'n bangerd. Het is volkomen veilig,' verzekerde Rosalyn haar met die luchtige glimlach van haar.

'Kom alsjeblieft terug,' zei Catherine die nu de smekende klank niet meer uit haar stem wist te weren. Ze stak een hand uit naar haar nichtje, moeizaam haar evenwicht bewarend terwijl ze haar arm zover mogelijk strekte.

'Moet ik je helpen?' vroeg Rosalyn. Ze hield haar hoofd schuin, niet begrijpend wat de oorzaak was van de plotselinge ommekeer van vreugde naar angst.

'Ja,' riep Catherine terug.

Rosalyn begon terug te schaatsen, een, twee, drie stappen. Het klonk niet erg luid toen het ijs brak. Het leek net alsof het doorzakte van vermoeidheid en dat ging gepaard met een reeks gedempte knallen. Het been waar Rosalyns gewicht op rustte, verdween zomaar in het stervormige gat en toen ze op het ijs neerviel, verschenen daar barsten in, zoals ook wel gebeurt met een ruit voordat die verbrijzelt. Ze sloeg haar andere been uit om houvast te krijgen, maar de oppervlaktespanning van het ijs was nu verzwakt. Ze voelde de zojuist nog stevige ijsvlakte onder zich wegzakken, als de korst van een taart die niet meer wordt ondersteund. Onder haar bovenlichaam brak een hele rand van het ijs af, waardoor haar heupen een paar centimeter onder water kwamen te zitten.

'O!' zei ze, eerder verbijsterd dan bang.

'Beweeg je niet. Blijf stil liggen, dan haal ik je eruit.' Catherine deed twee voorzichtige stappen in haar richting terwijl doodsangst aan haar gezonde verstand klauwde, en voelde toen haar eigen voeten door de bedrieglijk stabiel lijkende ijslaag heen gaan. Heel langzaam zakte ze terwijl het ijs rondom haar knalde en kraakte. Toen ze tot aan haar heupen in het water was gezonken, stuitte ze op iets stevigs. Boomwortels? De schuin aflopende oever? Misschien was de vijver niet erg diep.

'O!' zei Rosalyn weer. IJskoud water vormde een plas rond haar gebogen been toen het ijs als een zwak vlot doorboog.

'Maak je geen zorgen. Ik sta op de bodem. Ik kan eruit klimmen en... en... en je helpen,' beëindigde Catherine weinig overtuigend haar zin. Rosalyn was niet erg ver bij haar vandaan, hooguit vijf meter. Als ze uit het water kon komen, kon ze haar misschien met een boomtak naar zich toe trekken. Catherine probeerde onder water haar voeten op te tillen om een experimentele stap naar de oever te doen, maar ze was nu al door en door koud, haar laarzen stonden vol water en haar voeten waren half verdoofd. In haar kletsnatte broekspijpen voelde ze het bloed op een pijnlijke manier door haar benen stromen. Nogmaals probeerde ze een voet op te tillen. Alles wat ze deed, ging in slow motion, haar lichaam werkte niet mee, haar ademhaling werd bemoeilijkt door de schok van de plotselinge hevige kou. Haar voeten trapten maar wat in de diepte zonder dat ze vooruitkwam.

'Ik verga van de kou,' zei Rosalyn, en dat was in dit geval niet overdreven. Haar stem leek nog steeds een zweem van geamuseerdheid te bevatten, alsof hun penibele toestand een grap was. Haar andere been was nu ook onder water verdwenen, al werd het nog ondersteund door het natte vlot van gebarsten ijs. Ze luisterde echter niet naar Catherine's raadgevingen, want ze raakte nu in paniek en probeerde zich uit het water te hijsen, maar toen haar handen op het ijs drukten, voelde ze het doorzakken.

'Laat dat! Ik heb gezegd dat je je niet mag bewegen!' zei Catherine bars. Ze had nog nooit zo'n strenge schooljuffentoon aangeslagen tegen Rosalyn. Ze deed het ook liever niet, maar had het idee dat het noodzakelijk was om haar aandacht vast te houden. 'Ik zal je eruit halen, maar dan moet je wel naar me luisteren.' Tijd verstreek, misschien vijf seconden, misschien twee minuten, terwijl Catherine tevergeefs probeerde uit het water te komen.

'Ik heb het zo koud,' zei Rosalyn. Ze lag tot aan haar middel in het water en zag er met haar rode baret belachelijk komisch uit, als een cartoonfiguurtje. 'Ik voel mijn benen niet meer. Catherine, ik voel mijn benen niet meer.' Ze ondersteunde haar bovenlichaam met de zachte druk van haar gespreide vingers in de doorweekte handschoenen. Het begon tot haar door te dringen hoe moeilijk het zou zijn om deze precaire positie in stand te houden. Te veel druk en het ijs zou breken, te weinig en ze zou langzaam maar zeker zinken en onder het ijs glijden. Deze positie in stand houden was net zo moeilijk als zoeken naar het aangrijpingspunt van de koppeling en proberen die met een snel gevoelloos wordende voet in de juiste positie te houden. Er was bovenmenselijke kracht voor nodig, het soort kracht dat kou je binnen een paar minuten ontnam.

'Maak je geen zorgen,' zei Catherine nogmaals.

Lichte poedersneeuw daalde nu uit de lucht, zo zacht als talk. De lucht was donkerder geworden, onheilspellend en kwaadaardig, alsof ze hem niet meer door een gele maar een groene lens zagen. Het ingesloten gevoel dat daarstraks zo apart was geweest en hun uitje een clandestiene sfeer had gegeven, kreeg nu een heel ander karakter. Catherine voelde zich alsof ze zaten opgesloten in een albasten tombe. Ze zag een merel over de oever hippen. Hij hield zijn kopje schuin en richtte zijn glanzende ogen nieuwsgierig op de twee wezens die vastzaten in de bevroren vijver.

Toen de openbaring kwam, werd die niet voorafgegaan door trompetgeschal of een brede baan van verblindend Bijbels licht waaruit de sonore verkondiging van een god schalde. Het gebeurde heel stilletjes, een stemmetje in Catherine's oor, een profetische waarheid die haar zachtjes kietelde. Rosalyn zal hier sterven. En jij ook. Jullie zullen allebei geluidloos onder het ijs glijden, nog even spartelen en dan sterven. Zo eenvoudig was het, dacht ze. Het ene ogenblik liep ze met haar nichtje blijmoedig door de sneeuw en hadden ze een geweldige kerstvakantie, precies zoals Rosalyn had bepaald, het volgende moment zakten ze weg in ijskoud water en stonden ze op het punt te verdrinken.

In de kerk hadden ze het weleens over de innerlijke stem van de rust. Daar leek het precies op, de stem die ze hoorde. Ze vroeg zich af of iedereen die hoorde op het moment voordat de duisternis intrad, voordat het licht uitging. Ze was in staat zich erbij neer te leggen dat ze ging sterven. Niet dat ze wilde sterven. Helemaal niet. Het leven, hoe problematisch ook, had ze nog altijd liever dan de dood. Maar dat haar nichtje Rosalyn, die in zo veel opzichten zo'n lichtend voorbeeld was, die je in haar kring trok en je liet baden in haar gloed, en die Catherine nooit en te nimmer het gevoel had gegeven dat ze dankbaar moest zijn dat ze zich met haar bemoeide, dat zij ging sterven, was ondenkbaar. Misschien kwam het door de extreme kou – ze klappertandde nu onbedaarlijk – of misschien door de angst dat haar verbeelding op hol sloeg, maar dit was het moment waarop ze aan de overkant van de vijver de man met de capuchon gehurkt op de oever zag zitten. Ze wilde naar hem roepen, maar toen hij zijn hoofd ophief, zag ze in plaats van een gezicht alleen maar een wit vlak. Op hetzelfde moment zag ze hoe Rosalyns lichaam, zo stijf als een plank, uit het ijzige water werd gehesen. Haar natte haar plakte aan haar gezicht, haar mond was nog geopend voor een doodskreet, haar blauwe ogen waren die van een dode vis, glazig en levenloos, het wit uitstulpend en bloeddoorlopen. De baret, zwaar van het water, zakte van haar hoofd af. Ze dacht aan hoe het zou zijn als Rosalyn werd begraven, hoe ze in haar doodskist in de harde wintergrond neergelaten zou worden. Ze vroeg zich af of haar ouders haar in Engeland of in Amerika zouden willen begraven.

'Catherine, ik heb het zo verschrikkelijk koud en ik heb ook zo'n slaap. Ik wil slapen. Ik wil alleen nog maar mijn ogen dichtdoen om een poosje te slapen. Een paar minuutjes... Ik kan mijn ogen gewoon niet openhouden,' zei de klaaglijke stem van de ijskoningin die langzaam door de vijver werd opgeëist. En toen stelde ze de gevreesde vraag, alsof ze Catherine's gedachten had gelezen: 'Ga ik nu dood?'

Catherine sloot haar ogen. Er ging een steek van pijn door haar hoofd. Nee, dacht ze. Ze deed haar ogen weer open. 'Nee,' zei ze. Haar stem klonk ratelend. 'Luister goed, Rosalyn.' Het schooljuffentimbre was terug, zij het een beetje schor. 'Ik ga om hulp roepen.' De rode baret bewoog knikkend. En toen begon Catherine te roepen. Ze riep niet iets origineels. 'Help! Hallo! We zijn hier! Help ons! We zijn door het ijs gezakt! Help!' Wel bijzonder was hoeveel kracht haar stem had, alsof hij vele malen werd versterkt. Het was een hard, mannelijk gebrul dat uit het diepst van haar wezen kwam. In het begin was Catherine hoopvol. Elke keer dat ze zweeg om adem te halen, verwachtte ze iemand te horen antwoorden: 'Wees niet bang. We komen eraan.' Maar het enige antwoord was de majestueuze stilte. Ze had Rosalyn bedot, haar heel even laten geloven dat ze dit kon fiksen, dat ze de dood te slim af kon zijn. Maar terwijl ze haar gebrul liet horen, begon de glans in de blauwe ogen van haar nichtje te verflauwen en kwam er een afgrijselijke berusting voor in de plaats.

'Hou maar op,' fluisterde Rosalyn toen Catherine weer stopte om naar adem te happen. 'Er is hier niemand. Alleen wij.'

Catherine wilde haar een hart onder de riem steken, maar merkte dat ze moeite had droge snikken in te houden. En ze was zelf ook moe, zo moe dat overgave bijna welkom leek. En daardoor kwam het dat ze eerst dacht dat ze het zich verbeeldde toen er opeens een rond gezichtje verscheen aan de zijkant van de vijver. Ze dacht dat het niet echt waar was. Dat ze niet op haar ogen kon vertrouwen. Toen nam het hoofdje een vragende stand aan. En er kwam een stem uit.

'Wat doen jullie daar?' vroeg de stem.

Toen wist ze dat het roodharige jongetje echt was en dat ze geen seconde te verliezen hadden. Alhoewel Rosalyn had opgekeken bij het geluid, was ze in snel tempo aan het zinken. 'We zitten vast in het ijs. We zijn erdoorheen gezakt. Ga hulp halen. Gauw! Ga gauw! Er is geen tijd te verliezen!' De jongen aarzelde. 'Ga dan! Schiet op!' schreeuwde Catherine en toen schoot hij weg als een pijl uit een boog. Zodra hij was verdwenen daalden twijfels als een plaag op haar neer. Stel dat hij het vergat of werd afgeleid? Stel dat hij niet had begrepen hoe ernstig de situatie was? Stel dat hij uiteindelijk niet echt was geweest, dat ze de vreemde ontmoeting in dit witte wonderland alleen maar had gedroomd? Rosalyns hoofd hing naar voren, zodat alleen de rode baret nog zichtbaar was, als een dikke punt op het ijs. *Alstublieft*, bad Catherine in stilte. *Alstublieft*. Zonder dat ze iets hoefde te zeggen voelde ze dat Rosalyn haar wilskracht begon te verliezen. Ze moest haar aandacht vasthouden tot er hulp kwam. Dat was het minste wat ze kon doen.

'Ik voel nu mijn handen ook niet meer. Ik geloof dat ze wegglijden,' zei Rosalyn met een slaperige zucht.

'Helemaal niet!' zei Catherine fel. 'Praat niet zo raar! En denk niet aan zulke dingen! Er is hulp onderweg. Zo dadelijk komen ze ons eruit halen.'

'Ik weet niet of ik het nog zo lang kan volhouden –'

'Natuurlijk wel!' zei Catherine. Ze haalde trillend adem. De kou deed geen pijn meer. Dat was een veeg teken. 'Ik moet je nog een verhaal vertellen. Het is heel belangrijk dat je ernaar luistert, tot aan het einde. Jij hebt mij zo veel verhalen verteld, dat het niet eerlijk zou zijn als je nu niet naar mijn verhaal zou luisteren.'

'Goed...' zei Rosalyn zwakjes, met hevig klapperende tanden. 'Maar ik ben zo moe.'

Het verhaal dat Catherine haar vertelde had kop noch staart. Ze had geen talent voor het verzinnen van verhalen, zoals Rosalyn. De onduidelijke plot en de eigenaardige figuren die erin voorkwamen, werden haar ingegeven door pure paniek. Opeens voelde ze dat Rosalyn zich liet gaan, alsof haar nichtje in haar eigen lichaam zat, alsof ze met elkaar verbonden waren. Ze begon tegen haar te schreeuwen alsof ze verschrikkelijk kwaad op haar was.

'Als je niet naar het hele verhaal luistert, zal ik je dat nooit vergeven, Rosalyn Hoyle! Nooit! Ik heb het zelf verzonnen. Helemaal zelf. Hoor je dat? Voor jou is dat misschien makkelijk, maar voor mij niet. En misschien vind je het in het begin niet een erg goed verhaal, maar ik kan je nu al vertellen dat het erg spannend wordt. En als je er niet naar luistert, vind ik je hartstikke gemeen! Dan praat ik nooit meer met je! Nooit meer! Van mijn hele leven niet! Hoor je me?' Ze krijste net zoals haar moeder soms tegen haar vader krijste nadat ze naar bed waren gegaan. Ze krijste zo hard dat ze er pijn in haar keel van kreeg.

'Goed, ik zal het proberen,' zei Rosalyn met bevende stem. 'Ik zal mijn best doen.'

Toen Catherine het gezicht van Stephen in de bosjes zag, met haar vader en oom Christopher vlak achter hem, had ze van pure opluchting kunnen flauwvallen. Rosalyn vatte weer wat moed toen ze haar vader zag. Oom Christopher nam onmiddellijk de leiding. Hij had een rol touw bij zich. Uiteraard. Hij was piloot. Hij was altijd op allerlei noodtoestanden berekend. Hij maakte er snel een lasso van terwijl hij de hele tijd bleef praten. Hij sprak op een geruststellende, gezaghebbende toon, de toon die hij natuurlijk in de cockpit aansloeg als het vliegtuig turbulentie ondervond. Niets aan de hand, dames en heren. Maakt u zich geen zorgen. Ik verzoek u terug te keren naar uw plaatsen en uw veiligheidsriemen vast te maken. Deze hobbeltjes hebben we zo achter de rug.

'Meisjes, meisjes, wat moet dit nu toch voorstellen? Het is echt te koud om te gaan zwemmen, zelfs voor jou, Rosalyn.' Rosalyn probeerde met haar verlamde blauwe lippen te glimlachen. 'Ik weet dat je de schoolkampioen bent, maar dit lijkt me toch echt niet fijn. Goed meisje, luister. Ik gooi deze lasso naar je toe. De bedoeling is dat je die met één hand over je hoofd en schouders legt en hem tot aan je middel laat afzakken en dan op het laatste moment je andere hand er ook doorheen trekt.' Hij moest twee keer gooien en alles ging bijzonder traag. Rosalyns handen en armen waren verstijfd van de bittere kou. Maar haar vader bleef haar onophoudelijk aanmoedigen, op een opbeurende, bijna vrolijke toon. Zodra hij zag dat het touw goed en wel onder haar oksels zat, kwam hij in actie. Met gespreide benen en gebogen knieën leunde hij achterover en begon hij te trekken.

Inmiddels lag Stephen een klein stukje bij hem vandaan languit op het ijs terwijl zijn vader zijn enkels vasthield, wat misschien het eerste lichamelijke contact tussen hen was sinds hij een baby was. Hij greep Catherine's armen en begon te trekken. Hij zei niet veel maar zijn ogen waren welsprekender dan Catherine ze ooit had gezien. Het was niet eenvoudig om haar verstijfde lichaam op het ongebroken ijs te manoeuvreren, maar hij slaagde erin door haar heen en weer te rollen en steeds een stukje hogerop te trekken. Toen ze eenmaal plat op haar buik lag, niet meer gehinderd door de rand van het ijs, was het relatief eenvoudig om haar naar de veilige oever te trekken. En toen Stephen, haar houterige broer, zijn slungelige armen om haar heen sloeg, hief Catherine haar hoofd op om te zien hoe Rosalyn over de bevroren vijver werd getrokken. Ze leek op een zeehond in haar natte plunje, een zeehond die langzaam maar zeker door haar vader naar de kant werd gesleurd, met de rode baret nog steeds onder een schalkse hoek op haar hoofd.

Hierna was Catherine zich er nauwelijks van bewust dat haar jas werd uitgetrokken en dat ze door Stephen werd opgetild en naar de laan gedragen waar de auto stond geparkeerd. Rosalyn werd door haar vader gedragen. Catherine ving een glimp op van zijn gezicht dat nu niet meer schijnbaar opgewekt stond, maar diep bezorgd. Haar eigen vader verscheen zo nu en dan aan de rand van haar gezichtsveld, zijn armen vol met hun natte jassen. Hij leek belachelijk veel op de drager die ze op school op een foto in haar aardrijkskundeboek had gezien bij een hoofdstuk over de Himalaya. Hij zag eruit, vond Catherine, als een vreemdeling, een man die niet bij de familie hoorde maar zomaar was meegelopen, een buitenstaander die niets met de tragische gebeurtenissen te maken had.

De nichtjes werden naast elkaar op de achterbank van de auto gezet. Catherine staarde voor zich uit en maakte zich zorgen dat er vlekken op de bekleding zouden komen van het water dat van hen afstroomde. De rit naar Boszicht nam slechts een paar minuten in beslag, wat op beide meisjes nogal vreemd overkwam. Een paar minuten geleden hadden ze de dood in de ogen gekeken. Nu werden ze voorzichtig op stoelen neergezet in de warme keuken waar pannen op het fornuis stonden te borrelen en waar op de radio een discussie aan de gang was over Kenia en iemand die de Brandende Speer werd genoemd. In deze surreëele wereld kreeg Catherine van haar boze moeder een standje om haar domme gedrag voordat ze door Rosalyns moeder werden meegenomen om in bad te worden gedaan.

Catherine stond op het punt te zeggen dat ze niet vuil was, maar de uitdrukking op het gezicht van tante Amy maakte duidelijk dat protesteren geen zin had. Ook zedigheid leek geen rol meer te spelen in de surreëele situatie. Haar tante en oom waren allebei aanwezig in de overvolle badkamer, waar ze samen, zonder aanzien des persoons, de knopen en ritsen van de kletsnatte kleren van de meisjes losmaakten om ze van hen af te kunnen stropen. Catherine staarde naar Rosalyn, die terugstaarde. Hun lichamen waren erg wit, lijkwit, en hier en daar blauw getint. Nog vreemder was dat het water, dat volgens tante Amy lauw was, op Catherine's huid brandde alsof er een ketel kokend water over haar naakte lichaam werd gegoten.

'Au, au, au, het doet pijn. Het doet pijn!' jammerde ze en ze probeerde uit het bad te klimmen maar werd tegengehouden door haar oom.

'Dat komt omdat je in ijskoud water hebt gelegen. Het gaat zo over,' zei hij.

Rosalyn leed natuurlijk ook, maar gedroeg zich stoïcijnser dan Catherine en liet zwijgend toe dat haar lichaam stevig werd gewreven door haar vaders grote handen. Tante Amy deed hetzelfde met Catherine terwijl ze de hele tijd sussend tegen hen sprak. Toen waren ze klaar met het bad dat niets met zeep te maken had gehad en werden ze droog gewreven. Ze kregen pyjama's aan die nog warm waren van de strijkbout en werden in dekens gewikkeld met warme kruiken tussen de plooien. Weer werden ze gedragen, nu naar de woonkamer, waar ze allebei een beker warme, zoete chocolademelk kregen terwijl Catherine's vader het haardvuur opstookte. En toen kregen de ontberingen waarvan Catherine had gedacht dat ze achter de rug waren, nog een venijnig staartje. Haar hele lichaam begon pijnlijk te tintelen, alsof het langzaam weer tot leven kwam, alsof ze ontdooide als een stuk vlees dat haar moeder uit de diepvries had gehaald.

En ze kreeg gelijk: alles was veranderd. In Boszicht hing een onnodige rouwsfeer, ook al waren ze geen van beiden gestorven. Het volume van de radio werd laag gehouden, iedereen sprak op een gedempte toon, alsof ze in de wachtkamer van de dokter zaten, en tante Amy zei bijna helemaal niets, wat volslagen in strijd was met haar opgewekte karakter. Catherine zag dat haar ogen voortdurend heen en weer gingen, alert, op haar hoede, alsof er overal gevaar dreigde. De meisjes kregen geen toestemming om te gaan wandelen en zelfs een spelletje in de tuin en een kwartiertje in de boomhut werd alleen toegestaan onder strenge supervisie. Maar omdat Rosalyn toch niet veel zin had om iets te doen en liever ineengedoken op de bank of in hun slaapkamer zat, maakte het niet veel uit dat hun verlangen naar avonturen aan banden was gelegd.

De volgende ochtend en de dag daarna lag er geen hobbel onder de deken aan Rosalyns kant van het bed toen Catherine wakker werd, en zag ze geen zwarte lokken op het kussen. Toen ze haar op beide dagen uit de slaapkamer van haar ouders zag komen toen ze naar beneden ging, begreep Catherine dat ze midden in de nacht naar hen toe moest zijn gegaan. Zowel in huis als daarbuiten volgde Simon Rosalyn als een waakzame schaduw, waardoor er van de privacy die ze voorheen hadden gekend en waar Catherine zo van had genoten, niets meer over was. Aangezien ze zich opgelaten voelde als ze met Rosalyn sprak waar hij bij was, veranderden hun gesprekken in lange stiltes.

Toen vertrok Stephen op zijn motorfiets. Hij zei dat hij weer aan het werk moest, dat er auto's waren die begin januari gerepareerd en wel klaar moesten staan voor de eigenaars. Naast het feit dat Stephen onverwacht vertrok, deed Catherine's moeder nog stuurser dan anders tegen haar dochter en haar stem kreeg de schrille klank die ze over het algemeen alleen achter hun gesloten voordeur liet horen. Opeens vertrokken zij ook. De koffer en de tassen werden ingepakt en in de auto gezet. Ze waren van plan geweest tot en met oud en nieuw te blijven, om het nieuwe jaar te verwelkomen, zoals haar moeder raadselachtig had gezegd, alsof het nieuwe jaar een persoon was die je om middernacht binnenhaalde, maar nu zeiden ze dat haar vader was teruggeroepen naar Londen.

'Het spijt me, Amy, maar ze hebben hem dringend nodig. Dat heeft hij daarnet te horen gekregen toen hij opbelde. Hij wilde nagaan of een bepaald probleem was opgelost, maar het schijnt juist nog erger te zijn geworden. En nu zitten ze in een nieuwe crisissituatie. Aangezien het een vertrouwelijke kwestie betreft, kan ik je er niet meer over vertellen. We vinden het vreselijk jammer, maar het heeft helaas geen zin te proberen ons tegen te houden.'

Dat deed tante Amy ook niet. Ze haastte zich juist om broodjes te maken voor onderweg en hielp hun zo bereidwillig de bagage naar de auto te brengen dat Catherine haar ervan verdacht hen juist te willen zien gaan. En dat was dat. Ze gingen naar huis. Tante Amy had beloofd dat Rosalyn naar buiten zou komen om afscheid te nemen, maar dat deed ze niet. Catherine zag haar zelfs niet in de hal, toen ze langs de voordeur keek die openstond als een geschrokken mond.

'Niets aan te doen,' zei haar moeder kortaf, met moeite haar stem op een normaal niveau houdend toen ze het autoportier voor Catherine openhield.

Maar er was wel iets aan te doen. Catherine holde weer naar binnen en stoof de trappen op naar de zolderkamer, waar ze Rosalyn op de dekens op de vloer aantrof met haar duim in haar mond.

Ze haalde hem er meteen uit toen Catherine buiten adem binnenkwam en ging rechtop zitten toen haar nichtje naast haar knielde.

'Ik wilde net naar beneden gaan om je gedag te zeggen. Sorry, ik was – '

Catherine viel haar in de rede. 'Je zult je mij altijd herinneren als het nichtje met wie je bijna bent verdronken. Zo zul je nu altijd aan me denken. En dat zal je altijd een naar gevoel geven.' Ze had niet eens gemerkt dat ze huilde, dat haar wangen nat waren en dat ze op een heel hoge toon sprak. Ze hoorde haar moeder beneden ongeduldig roepen.

'Catherine! Kom je nog of hoe zit het?'

'Nee, nee, nee!' zei Rosalyn geruststellend. Ze legde haar handen op Catherine's schouders en keek haar diep in de ogen. De gebiedende stem van Dinah Hoyle steeg weer naar hen op.

'Dankzij jou...' Rosalyn kon niet doorgaan. Ze haalde diep adem en toen begon haar lip te trillen, de lip die nooit had getrild, en dat was nog erger dan al het andere. Door dat kinderlijke trillen van haar lip stroomden er nog meer tranen over Catherine's wangen.

'Catherine!' riep haar moeder woedend.

Haar nichtje zei verder niets meer. Ze keek alsof de inspanning van het uiten van die paar woorden haar volkomen had uitgeput. Toen omhelsde ze Catherine innig, met hun wangen tegen elkaar gedrukt. Die van Rosalyn was glad en koud, als marmer, die van Catherine heet en nat. Ze maakte zich van haar los, stond op, wierp nog een laatste lange blik op Rosalyn, op haar angstige, onzekere, blauwe ogen, en vertrok.

3

DE ZOMERZONNEWENDE. STONEHENGE, 1965. ZONSOPKOMST. IEdereen hield de adem in. Lange schaduwen op het ruige gras. Ze kwam hier sinds haar zeventiende. Dat was wat je deed als je een reiziger was. Je reisde achter het licht aan. Nu was ze vijfentwintig. Dat wilde zeggen dat ze al acht jaar zwierf, met verschillende groepen mensen. Altijd in beweging. Naomi Seddon de nomade. Ze vroeg zich af wat er zou gebeuren als ze bleef stilstaan, als ze het zwarte in haar binnenste de gelegenheid gaf om borrelend naar de oppervlakte te komen. Ik ben net als die Russische poppetjes, dacht ze. Als je de bovenste helft van mij af trekt, zie je een ander poppetje, een zwart poppetje, Mara. Ze staarde naar de mysterieuze stenen reuzen die hier midden in het open veld bij elkaar stonden, als gegroepeerde goden. Ze keek om zich heen. Sommige mensen waren aan het bidden, anderen zongen of neurieden. Dus concentreerde ze zich op de woorden die de priester tot haar had gesproken toen ze in het tehuis was aangekomen, de woorden waarmee hij haar een nieuwe naam had gegeven. Dat was het enige wat er van hem aan haar was blijven kleven.

'En zij sprak tot hen: "Noemt mij niet Naomi, noemt mij Mara, want de Almachtige heeft mij veel bitterheid aangedaan."'

Ze stak haar hand uit naar de torens van steen. Hun harde vlees was koud, ruw en bobbelig onder de kussentjes van haar vingers. Ze krabde eraan met haar afgebeten nagels en luisterde naar het geruststellende 'kras, kras' van hun antwoord. Nu werd ze zich bewust van de lange man die naast haar stond, zijn weerbarstige, bruine, halflange haar slordig bijeengebonden tot een staartje, de snorpunten doorlopend tot aan zijn mondhoeken, wat ze leuk ouderwets vond, als van romantische dichters. De volle, sensuele lippen die er gedeeltelijk door werden verborgen. De donkerblauwe ogen die altijd lachten om innerlijke grapjes, de irissen stralend in het licht van de opkomende zon. Dat alles samen vormde een gezicht dat vaag aan roofvogels deed denken. Hij sloeg zijn arm nonchalant om haar schouders alsof hij haar al heel lang kende, alsof ze daar samen naartoe waren gereisd, alsof ze een getrouwd stel waren. Toen draaide hij haar naar zich toe, boog zich om zijn lange lichaam naar het hare te plooien en kuste haar alsof ze geen getrouwd stel waren, alsof ze elkaar zojuist hadden ontmoet, alsof de dierlijke aantrekkingskracht woorden overbodig maakte.

Later, toen ze terugslenterden naar zijn Volkswagenbusje, toen ze de verschoten groen met gele gordijnen hadden dichtgetrokken, zich hadden ontdaan van hun door de dauw vochtig geworden kleren en zo verrukkelijk de liefde hadden bedreven dat ze erom had kunnen huilen, haalde hij diep adem en liet haar zijn stem horen. Hij rolde op zijn rug en trok haar boven op zich, op zijn kruis. Zijn vingertoppen raakten elkaar bijna toen hij met zijn grote handen haar smalle taille omvatte. En terwijl zijn penis, nog stijf en glanzend, haar geopende geslacht plaagde, sprak hij.

'Je hebt mooie ogen. Verschillende kleuren. Dat bevalt me.' Ze voelde dat zijn geslacht begon te bewegen, voelde hem een klein stukje in haar doordringen, niet ver, en zich weer terugtrekken, en nogmaals naar binnen dringen, tot haar dijen zich als vanzelf spanden en de begerige spieren hem verwelkomden. 'Ik ben Walt,' zei hij zachtjes. Zijn snor trilde. Ze keek naar zijn lichaam. Hij was goedgebouwd, het lichaam van een arbeider; de spieren – armen, buik (ze keek over haar schouders), dijen – waren hard, de vorm ervan duidelijk zichtbaar onder de nootbruine kleur van zijn huid. Er zat krullend haar op zijn borst en benen en in zijn kruis, waar het zich mengde met haar eigen zwarte schaamhaar. Hij was een Amerikaan en had een zware stem, welluidend en romig, een stem die je omvatte en maakte dat je je openstelde, die je met een aanminnige glimlach verslond tot je begon te kreunen.

'Ik ben Naomi.' Hij tilde haar op en drong iets verder in haar door, haar om zich heen passend. Er ontsnapte haar een geluid dat leek op miauwen, of op een zachte grom. Hij zoog zijn longen vol. Door haar wimpers zag ze zijn brede borst rijzen. Hem onbewust imiterend haalde ze diep adem, de geur van nicotine, olie en zweet en de muffe stank van schimmelsporen die opsteeg van de uitgerolde dekens, inhalerend.

'Na-o-mi,' zei hij, al zijn adem roekeloos verkwistend aan de drie kostbare lettergrepen. Hij drong diep in haar door en toen nog dieper. 'Ik voel het einde van je, Naomi,' zei hij en ze glimlachte omdat ze twijfelde aan de waarheid van die woorden terwijl ze de dierlijk zurige geur van zijn lichaam absorbeerde.

Nu, vier jaar later, drong hij nog steeds diep in haar door, ervan overtuigd dat hij haar diepten had verkend, dat hij de weg had gevonden naar de bron van haar rivieren, dat hij haar volkomen had bezeten. Waarom zou ze hem uit de droom helpen? Ze had met hem een goed leven, voorttrekkend van stad tot stad, tussen groene weiden, over stille wegen, in zijn Volkswagenbusje met de psychedelische bloemen die over de driekleurige lak kropen. Rood, wit en blauw, de kleuren van de Stars and Stripes. Ze hield van de weidse hemel, van de dialoog tussen de wind en de bomen. Ze hield van de geur van de regen, van hoe de druppels voelden op haar huid, in haar mond, in haar keel. De smaak van de regen had subtiele verschillen. Soms smaakte hij zoutig, soms vettig, soms rokerig, soms had hij de bittere metaalsmaak van machines uit de industrie, of van de walmen die de hoge, grijze schoorstenen uitspuwden. Ze hield ervan om uit haar kleren te stappen en de regen over haar lichaam te laten stromen tot die al haar verborgen plekjes had weten te vinden, een veel betere speurder dan Walt ooit zou zijn, gaf ze voor zichzelf toe.

Maar het meest hield ze van de zee, van het ruisen van de koude, lege, Britse zee – het enige tegengif dat ze had voor de verdorvenheid. Wekelijks zochten ze de zee op. Walt zei dat het zout ontsmettend werkte, dat het beter was dan een douche, beter dan proberen je voeten te wassen in de wasbak van een openbaar toilet en je oksels en kruis te reinigen met natte papieren handdoeken. Hij was ervan overtuigd dat het zelfs kon dienen als mondwater, dat je gebit en je tandvlees erdoor werden gezuiverd als je ermee spoelde. Maar wat zij wilde zuiveren, was haar onreine kern. Die kon alleen ontsmet worden door de beet van de Noordzee, de Ierse Zee, het Kanaal en hun aller grote broer, de Atlantische Oceaan. De zee kende haar zoals Walt haar nooit zou kennen. De zee begreep dat er geketend in haar lichaam een zwart monster zat.

Terwijl Walt zich wentelde als een nijlpaard of op zijn rug drijvend een fontein van zout water door zijn snor blies, terwijl zijn penis door de ijskoude streling van het water verschrompelde tot een rozenbottel, stelde zij zich open voor een veel bevredigender vorm van gemeenschap. Ze zwom, met opmerkelijk atletische slagen voor zo'n tengere vrouw, een eindje de zee in, haar armen door het water bewegend in mathematisch gevormde bogen. Dan spreidde ze haar benen zo wijd als ze kon en liet de zee naar binnen stromen om met zijn sensuele exploratie te bevestigen wat ze al wist: dat ze daar niet eindigde, maar juist begon.

Ze kon alle plaatsen opnoemen waar ze elkaar hadden getroffen, als een vrouw die de hotelkamers had onthouden waar ze met haar minnaar hun stormachtige, verboden liefde had beleefd. Durdle Door, Chesil Beach, Skegness, Saltburn-by-the-Sea, Fishguard, Tenby, Falmouth, Camber Sands, Eastbourne... Achter elkaar rolden ze van haar tong. Ongeacht hoe ver ze zwierven, uiteindelijk kwamen ze op dit grote eiland altijd weer uit bij de zee. Ze vertelde Walt niets over haar gevoelens. Ze hield de zeekoorts voor zichzelf. Na zo'n ontmoeting was haar huid rauw van de zoute frictie, haar lichaam blauw van de kou en zag ze alles wazig met rode, prikkende ogen. Maar het vuil was uit haar gefilterd en ze was geabsolveerd, een geheiligd vat. Na hun laatste zwempartij in Studland Bay had ze een zware griep gekregen, met zo'n hoge koorts dat ze van duizeligheid niet overeind had kunnen komen. Hij had gezegd dat ze alleen maar kou had gevat en dat ze zich wel beter zou voelen zodra ze op het festival waren. Maar ze had pertinent geweigerd.

Hij had de achterbanken van het Volkswagenbusje lang geleden al verwijderd. Ze sliepen in dekens gewikkeld op een stuk blauwbeige vloerbedekking die hij uit een vuilcontainer had gehaald. Nu was ze zo diep in de dekens weggekropen dat alleen haar lange zwarte haar nog zichtbaar was, uitgespreid als dat van een trol – heksenhaar noemde hij het weleens schertsend. Hij trok aan een lok, waarop ze reageerde met een gil die als een mes in haar rauwe keel sneed. Hij hief met een capitulerend gebaar zijn handen op en ging met een joint zitten mokken aan de rand van het weiland waar ze geparkeerd stonden. Daar trok hij de aandacht van een kudde Friese koeien die met hun wijde neusgaten het ongewone aroma opsnoven, terwijl hun klapperende oren de vliegen wegjoegen en hun brave ogen naar hem keken.

En zo ging het festival van 1969 aan hen voorbij. Ze vond het niet erg. Hij gaf meer om de muziek dan zij. Hij was degene die haar ermee had laten kennismaken. Toch vond ze het wel prettig dat de muziek, zoals de louterende zee, soms *haar* stem, die van Mara, onhoorbaar maakte. Maar afgezien van dat voordeel was het voor haar alleen maar achtergrondgeluid. Je rookte, je tripte, je vrijde of neukte als je daar zin in had, en de muziek drensde door, de lucht aan stukken scheurend. Ze nam het op de koop toe. Hij niet. Hij ging erin op als een monnik die de wereld vaarwel zegt om in een klooster te treden. Hij dompelde zich erin onder, werd bevrijd, herboren, gereïncarneerd zou hij zelf zeggen, door de eindeloze waterval van jankende noten en akkoorden, door de zoete, zure, zoute, bittere psalmen, door de penetrerende trillingen.

Na de verhalen over Woodstock was hij vastbesloten deel te nemen aan het festival van 1970 en om er zeker van te zijn dat zij die plannen niet in gevaar zou brengen, hield hij het busje op veilige afstand van de kust en de koude zee. Toen zeker was dat Leonard Cohen zou optreden, was er niets meer dat hem nog kon tegenhouden. Hij maakte zijn plannen met de hartstocht die een apostel aan de dag zou hebben gelegd om zijn herrezen meester te gaan zien.

Naomi probeerde in zijn opwinding te delen, maar haar bloed had zijn glans verloren. Dacht hij dat ze achterlijk was? Mara was een alziende, rancuneuze godheid. 'Walt begint genoeg van je te krijgen,' zei de stem van Mara, haar onzichtbare tweelingzus, het zwarte poppetje in haar binnenste. 'Hij komt elders aan zijn trekken. Hij riekt naar seks.' Ze krabde en peuterde aan de korstjes op Naomi's wonden tot die weer begonnen te bloeden. 'Hij is van plan je te verlaten. Heb je dat nog niet door? Hij zit erover te denken naar huis te gaan, terug naar Amerika, naar San Francisco. In zijn eentje. Hij gaat zich van je ontdoen. Hij heeft besloten je af te stoten, als afval.'

Omdat het busje mankementen vertoonde, zei Walt dat ze te voet naar het Isle of Wight moesten reizen. Ze lieten de wagen achter in een nabijgelegen zigeunerkamp en namen alleen rugzakken en een blauw tentje mee dat ze tweedehands hadden gekocht. Eerlijk gezegd was hun plezierbus al een tijdje op zijn retour, als een bejaarde oom die met zijn gezondheid sukkelt en dagelijks nieuw onheil veroorzaakt. De carburator was verstopt, een pakking had het begeven, de startmotor moest vervangen worden, de uitlaat hing los en de bodem was zo verroest dat je hier en daar de weg kon zien.

'Het ontbreekt er nog maar aan dat we onderweg ergens blijven steken,' zei Walt, zijn bezorgde ogen tot spleetjes geknepen en zijn wenkbrauwen gefronst om dat afschuwelijke vooruitzicht. Dat hij bezig zou moeten zijn met pogingen het busje weer aan de praat te krijgen terwijl een godheid vanaf zijn wolk – of eigenlijk per helikopter – neerdaalde op het Isle of Wight, was ondenkbaar. Na een hooglopende ruzie vertrokken ze op zaterdag. Ze konden pas met de veerboot van kwart voor vier uit Portsmouth vertrekken en arriveerden twee uur later op het festivalterrein in Afton Down.

'Joni Mitchell zijn we al misgelopen,' zei Walt verongelijkt. 'Heb ik niet gezegd dat we donderdag of uiterlijk vrijdag hadden moeten vertrekken?' Naomi, die in het hele festival geen zin had, gaf geen antwoord. Ze zetten hun tent op aan Desolation Row, waar ze uitzicht hadden op het podium.

'Ik voel me net een pionier,' zei Walt grinnikend. 'Een pionier die op de prairie een blokhut bouwt. Alleen is het een tent.' Hij keek of Naomi het grapje kon waarderen, maar ze lachte niet. 'We kunnen hier alles gratis zien, maar als we morgen zin hebben, kopen we kaartjes om op het terrein zelf de optredens van dichtbij mee te maken.'

Naomi knikte. Ze keek om zich heen. Mensen stroomden toe alsof er een dam was doorgebroken, een stroom van mensen die over de velden en heuvels vloeiden tot die tjokvol tenten stonden. Het zag eruit alsof er speelgoedblokjes over het gele gras waren uitgestrooid – blauwe, oranje, groene, rode en witte blokjes. Het podium was een bleke vlek in de verte. De feesttenten rond het terrein boden volslagen ontoereikende faciliteiten voor de honderdduizenden vermoeide, hongerige groupies, die worstelden met canvas en scheerlijnen. De lucht was gevuld met muziek en het geroezemoes van de krioelende, met kralen, bloemen, hoeden en sjaals getooide mensenmassa. De lucht was ook gevuld met de geur van wierook en hasj.

'Gaaf sfeertje, zeg! Helemaal te gek!' zei Walt, op een denkbeeldige elektrische gitaar spelend. 'Daar kun je op zich al op trippen. Wie heeft hier nog drugs nodig?' Maar in tegenspraak met zijn eigen woorden haalde hij een paar *purple hearts* tevoorschijn, gaf er een aan Naomi en nam er zelf een. Ze liet het amfetaminetablet stiekem in haar zak glijden. Ze slenterden door de tentenstraat en lieten de muziek over zich heen komen. Walt raakte aan de praat met een paar Amerikanen, twee mannen, Kelwin en Alan, en een jonge vrouw die zei dat ze Judy heette. Ze gingen in een rij staan, kochten bekers soep en gingen met gekruiste benen in een kring zitten om de soep te drinken. Behalve Naomi. Haar was de eetlust benomen.

Ze nam Judy op met haar bijzondere ogen. Met haar blauwe oog nam ze waar dat het een mooi meisje was, langer dan zijzelf. Ze bekeek haar kleding. Suède laarzen, een paarse panty, een lange jurk met een V-hals en wijde mouwen. De stof had een kleurig patroon van ovale vormen die haar aan kikkerdril deden denken. Met haar bruine oog bekeek ze Judy's haar, dat overwegend blond was, maar geschakeerd met een heleboel andere tinten die varieerden van bruin tot roodblond tot rood. Het waaierde uit over haar schouders en reikte tot halverwege haar rug. De sjaal die ze om haar hoofd had gebonden gaf haar het uiterlijk van een indiaan, een indiaanse squaw. Ze droeg een brede zilveren ring om de middelvinger van haar linkerhand en keek af en toe naar het horloge om haar pols.

Nu voelde Naomi Walts blik tussen hen heen en weer gaan. 'Hij vergelijkt jullie,' zei Mara. Ze keek neer op haar eigen jongensachtige broek met wijde pijpen en strakke T-shirt. 'Hij zit te denken dat jij te plat bent, terwijl Judy weelderige vrouwelijke vormen heeft. Hij zit te denken dat zij jong en onbedorven is en dat jij oud en gebruikt bent.'

Ze bleven bij elkaar, met hun vijven, al stonden hun tenten een eind bij elkaar vandaan. Ze wandelden door de bossen, klommen in een grote boom en hingen aan de takken alsof ze kerstballen waren. Met wat sprokkelhout maakten ze een kampvuur en zaten te praten. Ze rookten hasj en de kleinste van de mannen, Kelwin, die paardentanden en kroeshaar had, kwam met een fles rode wijn op de proppen en kleine witte pilletjes waarvan hij zwoer dat het goed spul was. Naomi deed net of ze er eentje nam, maar liet het in haar decolleté vallen. Toen de fles aan haar werd doorgegeven, deed ze alsof ze eruit dronk, maar ze maakte alleen haar lippen nat. De anderen waren al zover heen dat ze het niet merkten. Mara had waarschuwend gezegd dat ze haar hoofd erbij moest houden.

Toen het rondom hen langzaam donker begon te worden, bestudeerde Naomi Walt, zoals een kunstenaar een model bestudeert. Ze zag dat hij zijn arm om Judy heen sloeg en in haar oor fluisterde. Met haar verschillend gekleurde ogen zag ze hoe zijn handen strelend over de paarse panty gleden. Ze hief haar kin op toen ze hem de lijntjes van het geribbelde katoen zag volgen en toen hij de ritsen van haar laarzen bereikte en die ritmisch open en dicht begon te trekken, kon ze haar ogen er niet van afhouden. Ze zag hoe teder hij zijn hand rond Judy's gezicht legde. Toen hun lippen langs elkaar streken, schroeiden haar eigen lippen. Ze voelde de verdorvenheid van Mara opkomen toen Walt Judy achterover op het gras duwde en zijn hoofd op haar volle borsten legde.

'Ik hoor je hart,' zei hij. 'Boem, boem, boem.' In de verte speelde de muziek en zijn hoofd ging op en neer toen Judy giechelde. 'Je hebt de frisse, ongedragen geur van nieuwe kleren,' zei hij. Naomi staarde naar hen over het armetierige kampvuur heen. Walt legde zijn hand op een van Judy's borsten. 'Je tepels zijn vast zachtroze, als gesuikerde amandelen. Ze kussen zal zijn als zuigen op kleine, harde, gesuikerde amandelen,' zei hij lyrisch. Kelwin en Alan lachten hees en wisselden een wellustige blik. Alan liet zijn hand over Naomi's rug glijden en probeerde hem te laten rusten op de ronding van haar billen. Ze zat erbij als een ijssculptuur en behekste hem met haar wilde ogen. Hij stond op, wreef schutterig over zijn dijen alsof die besmeurd waren geraakt en liep toen weg om nog wat sprokkelhout te halen.

'Ik moet je beminnen, Judy,' zei Walt rustig. Judy strengelde haar vingers achter haar hoofd in elkaar en zuchtte tevreden. Toen klampten ze zich aan elkaar vast alsof ze midden in de oceaan dreven en elkaars reddingsboeien waren. Ze stonden op en kusten elkaar langdurig. Toen ze wegliepen naar Judy's tent, volgde Naomi hen. Ze wachtte en toen ze weer tevoorschijn kwamen, liep ze achter hen aan door Desolation Row. Ze ontdekten een losse plank in de omheining en wurmden zich er doorheen naar het terrein waar de bands optraden. Ze slaagden erin door te dringen tot het podium, waar The Doors optraden en toen The Who, vervolgens Sly and The Family Stone. Walt streelde haar kronkelende slangenlichaam. Hij speelde met haar, stoeide met haar. Een paar meter bij hen vandaan straalde de haat van Naomi af als statische elektriciteit. Toen ze terugkeerden naar Judy's tent, haastte ze zich achter hen aan, struikelend over mensen die haar vervloekten en naar haar trapten. Ze bleef buiten tot ze de sterren had geteld en glipte toen naar binnen. Ze hurkte in een hoek als een tuinkabouter en bleef wakker terwijl zij sliepen. De muziek dreunde in haar oren en Mara was een knikker die in haar hoofd heen en weer rolde en haar gedachten troebel maakte. Ze zat er nog, met wijd open ogen, toen Judy rechtop ging zitten, zich uitrekte en geeuwde. Walt deed er langer over om te ontwaken. Hij zag Judy naast zich, haar blonde haar een verwarde kluwen. Het volgende ogenblik schrok hij zich lam van de spookachtige verschijning van Naomi aan hun voeten. Het tentdoek was lichtgroen en in het gefilterde ochtendlicht was het net alsof ze allemaal onder water zaten.

'Hallo, Naomi,' zei Judy, alsof het helemaal niet vreemd was om wakker te worden en een vrouw gehurkt naar je te zien staren. 'Ik wil ter communie gaan. Het is zondag. Er is een tent waar een mis wordt opgedragen. Rooms-katholiek en anglicaans. Het stond aangekondigd.' Judy floot tussen haar gelijkmatige witte tanden in het waterige groen. Ze was naakt. Walt ook. Hij knipperde met zijn ogen en knikte naar haar. Naomi kroop achteruit de tent uit, als een hond, zodat ze zich uit hun slaapzak en in hun kleren konden wurmen. Ze kwamen hand in hand uit de tent en zagen dat ze er nog steeds stond. Ze keek niet wraakzuchtig, boos of jaloers, maar uitdrukkingsloos, een blanco pagina.

'Hallo,' zei Judy ontspannen en ze boog zich naar voren om Naomi een kus op haar wang te geven. Walt volgde haar voorbeeld.

'Naomi, ben je de hele nacht bij ons gebleven?' vroeg Walt haar. Ze knikte.

'Gaat het een beetje?' vroeg Judy zachtjes. Ze had haar sjaal in haar hand en begon hem te vouwen waarbij ze haar duim en wijsvinger over de rand van de stof liet gaan alsof ze papier vouwde om een waaier te maken. Ze wond hem rond haar hoofd. 'Wil je ter communie gaan? Kom maar met ons mee.' Ze pakte Naomi's hand en voelde de ruwe nagels in haar handpalmen krassen.

Toen ze er dichtbij waren, werden ze door de priesters – het waren er twee en ze spraken op welluidende, zangerige toon in een microfoon – naar voren gehaald. Judy trok een ernstig gezicht toen ze de zilveren kelk aanpakte. Ze keek naar haar spiegelbeeld in het zilver voordat ze een slokje nam. Walt deed haar na. Hij keek om naar Naomi en zag dat ze er als bevroren bij stond. Ze hield haar armen gekruist voor haar borst met haar handen in haar oksels en staarde met een gekweld gezicht naar een van de priesters. Hij droeg een satijnen gewaad van donkere stof met een patroon van grote, krullerige bloemen en wijde mouwen met brede witte manchetten. Het was een oudere man. Een zijscheiding kroop slordig door zijn dunne grijze haar. Een bril met een hoornen montuur stond op zijn grote neus die werd ontsierd door rode adertjes. Hij hield zijn hoofd gebogen en had zijn hand stijf opgeheven om de schaal met hosties te zegenen.

De andere priester, die langer was en minder opzichtig in zwart, schonk wijn in een tweede kelk. Plotseling draaide Naomi zich op haar hakken om, drong tussen de gelovigen door en vluchtte. Voor een tijdje liep ze doelloos rond. Ook voegde ze zich een poosje bij een groep mensen die als sprinkhanen opsprongen om een grote oranje ballon heen en weer te duwen, een ballon met de afmetingen van een luchtballon, maar zonder de veerkracht.

'Ludiek ding, hè?' riep een man met halflang haar dat uitwaaierde als hij sprong. 'Ik kan dit de hele dag blijven doen. Jij?'

Ze besefte tot haar schrik dat hij het tegen haar had. Ze stond op haar tenen en liet zich voorzichtig zakken. Ze gaf geen antwoord. Ze had genoeg van het zinloze spel. 'Ik heb gewonnen,' zei ze.

'*Far out!* Jij bent helemaal te gek!' Ze keek hem strak aan met haar aparte ogen en hij hield op met springen als meneer Zebulijn uit de *Minimolen*. 'Wauw, wat een bijzondere ogen heb jij. Als twee afzonderlijke vrouwen in één. Zullen we ergens naartoe gaan?' stelde hij plompverloren voor. Ze deed langzaam haar ogen dicht en weer open en liep weg.

Ze voegde zich bij een rij wachtenden, schuifelde mee, gedwee als een koe, en werd beloond met een schijf meloen, een hamburger, een beker melk. Ze at hongerig, dronk dorstig, likte de room van haar bovenlip. Met nieuwe energie stapte ze in een muur van schuim. Ze sprong in het rond, zich wijsmakend dat ze in een wolk zat. Het was wel grappig. Het gaf haar een sexy gevoel, het schuim op haar huid en de mensen die uit het wit opdoken. Ze zou met Walt willen vrijen met al die schuimvlokken om hen heen. Alsof ze het deden in zo'n bol waarin het sneeuwt als je hem schudt.

'Maar hij is vast bezig die schattige Judy te neuken,' mompelde ze binnensmonds.

Ze was opeens niet meer in de stemming om op de wolkentrampoline te springen en besteedde enige tijd aan staren naar een berg afval, die leek te groeien, zich te verdubbelen, zich als een kanker te verspreiden terwijl ze ernaar keek. De berg stonk en de lucht raakte doordrongen van de ranzige geur. Ze vroeg zich af of andere mensen de verbluffende schoonheid van dit levende monument van ontbinding en dood ook zagen. Toen was het avond. Ze dook op uit de massa en ging bij Walt en Judy op het gras zitten. Ze luisterden naar Donovan, Ralph McTell en de Moodies. Ze wist dat ze de Moodies nooit meer zou vergeten, de muziek van die ongelooflijke Mellotron die hen leek te omwikkelen, die overal en nergens vandaan kwam, tegen de heuvels weerkaatste, tegen de canvas piramides aan Desolation Row stuiterde. De immense duisternis was bezaaid met sterren, de lucht doordrongen met de geuren van wiet, hasj, dauw en mensen, en ook, zelfs hier, met de stank van het afval. Ze was een druppel in een zee van mensen en werd meegesleurd op stromingen van muziek.

'Judy, wij zijn altijd voor elkaar bestemd geweest,' verklaarde Walt. 'Ga je met me mee naar San Francisco?' Toen ze geen antwoord gaf, alleen glimlachte, vroeg hij haar om haar adres en telefoonnummer.

'Je bent lief, hoor,' zei ze alsof hij een jong hondje was dat ze niet wilde houden. Toen: 'Vaarwel.' Ze kuste hem op zijn wang en Naomi ook en zweefde weg, opgaand in de deinende massa. Walts gezicht brak als een walnoot die werd gekraakt. Hij was zich nauwelijks bewust van Naomi en de fles die ze hem aanreikte.

'Jimi Hendrix,' zei ze.

'Foxy Lady,' antwoordde hij. Hij nam een grote slok uit de fles en trok een vies gezicht. 'Wat is dit? Het smaakt naar luchtverfrisser.' Maar hij had zo'n dorst dat hij de hele fles leegdronk.

Een poosje later zei ze: 'Je bent moe.'

Alsof zij een hypnotiseur was en hij haar proefpersoon, knikte hij gehoorzaam. Opeens was hij totaal uitgeput. Hij moest slapen. Jimi Hendrix leek ver weg, een oranjeroze vlek met een zilveren flits om zijn nek. Hij wilde het einde horen maar kon niet wakker blijven. Naomi hielp hem naar de tent. 'Ik wil wel... Jet... Jethro, Jethro Tull... zien. En... Joan Baez. Naomi? Naomi?' Hij maaide met zijn arm door de lucht en struikelde. Vaag besefte hij dat hij zijn coördinatie en zijn evenwicht aan het verliezen was. 'Zat er iets... in dat flesje?'

'Doe niet zo mal.'

'N... Naomi?' lalde hij.

'Ja?' zei ze, haar stem een heldere klok die boven zijn versufte woorden klingelde.

'Zorg dat ik Leonard niet misloop. Zorg dat...' Hij stopte toen hij zich herinnerde dat hij moest ademhalen. 'Zorg dat ik Leonard Cohen niet misloop. Ik moet... Leonard horen.' Iemand draaide het volume van zijn stem steeds lager. Het kostte hem nu te veel moeite om zich verstaanbaar te maken. 'Zor... zor... N –'

'Ik hoor je wel,' zei Mara, de zwarte pop in haar binnenste. 'Maak je geen zorgen, Walt, ik zal me wel over je ontfermen.' Nu hielp ze hem in hun tent. Hij viel neer op zijn slaapzak. 'Kom, dan dek ik je toe.'

'Je... je... je bent...' Ze streelde zijn voorhoofd, liet haar hand over zijn gezicht glijden en sloot zijn oogleden, zoals men doet bij een dode. Zijn mond zakte open en zijn lichaam verslapte. Ze rolde haar slaapzak heel strak op en plaatste die toen op zijn mond en neus. Met al haar kracht drukte ze er minutenlang op, tot haar knokkels zo wit waren als reuzel en haar handen pijn deden. Ze nam de slaapzak pas weg toen ze er volkomen zeker van was dat hij dood was. Ze legde haar vingers in zijn hals om naar de halsslagader te voelen. Niets. Walts bloed was al gestagneerd. Zijn cellen stierven al af, waren al aan het verrotten, en weldra zou hij alleen nog maar geschikt zijn om in de afvalberg te worden begraven. Ze zakte achterover op haar hakken en bekeek haar werk nog een paar minuten. Ze knarsetandde, de stamper-en-vijzelbewegingen afgewisseld met korte tevreden grommen. Ze luisterde een poosje naar haar grafrede en dacht na over haar leven met Walt, het goede en het slechte ervan. Toen begon de tent inbreuk te maken op haar gedachten. Ze hield niet van de tent en hij had haar erin willen achterlaten om met Judy te vrijen.

Ze wou dat ze met het Volkswagenbusje waren gekomen. Ze voelde zich veiliger in het busje, verschanst. Ze kon de portieren op slot doen en dan kon er niemand binnenkomen. Niemand kon haar uit haar bed sleuren als ze zo diep sliep dat het op een trance leek, niemand kon haar kinderhand vastpakken, fijnknijpen tussen sterke volwassen vingers die eromheen sloten als een bankschroef en haar door een bos van bedden meeslepen naar de plek waar de Blinden sliepen. De Blinden verkozen blind te zijn. Voor hun ogen verschenen beelden, die dan verdwenen en nooit meer terugkwamen. Ze waren er altijd, altijd, en hun ogen gloeiden, maar ze waren van niets getuige. *Hebben jullie het gezien? Hebben jullie gezien wat er is gebeurd?* wilde Mara naar hen schreeuwen, naar hun nietszeggende puddinggezichten. Maar ze wist dat ze alleen maar hun lege ogen op haar zouden richten en hun hoofden schudden. Nee, ze hadden niet gezien dat pastoor Peter in de ondoordringbare duisternis als een kwaadaardig spook rondsloop, pastoor Peter die hun overdag dwong hun handen te vouwen en te bidden dat hun zonden werden vergeven. In de zonneschijn, met de zoute zeewind in hun neus, zei hij dat ze waardeloze zondaars waren, en dat ze geen greintje gezondheid in hun lichaam hadden. Maar midden in de nacht kwam hij om Mara uit het warme holletje van haar bed te halen. Hij nam haar mee naar zijn kamer, trok haar nachtpon over haar hoofd en zei dat hij haar moest onderzoeken, naar bewijzen van zonde moest speuren, haar op zondig gedrag moest testen. Als ze huilde, werd de grote hand op haar mond gedrukt tot ze, net zoals Walt, dacht dat ze zou stikken. En als het voorbij was zei de hese stem dat ze in de hel zou komen als ze het aan iemand zou vertellen, dat ze niet eenmaal maar tot in de eeuwigheid ten onder zou gaan in een put met verzengende vlammen.

Als ze terugkeerde naar haar bed, gekneusd, met kippenvel van walging, met zijn vochtige, muffe geur op haar huid en in haar lichaam, maakte ze zich in het donkere bos heel klein en luisterde ze naar de geluiden van de anderen, de Blinden. Het hoesten, zuchten en snuffen, het kraken van de houten bedden als ze zich bewogen, het rammelen van de ramen, het fluiten van de wind. Ze trok haar knieën op naar haar borst en stelde zich voor hoe het zou zijn om eeuwig in de hel te zitten en geroosterd te worden door de vlammen. Ze stelde zich voor hoe vlammen aan haar lichaam zouden likken, hoe haar organen en haar huid geschroeid zouden worden door de hitte tot er van haar nog maar één ding over was: het zwarte kooltje van haar verdorven hart.

Op de derde avond kroop ze na de verschrikkingen uit haar bed, op haar blote voeten, met het ruwe katoen van haar nachtpon tussen haar benen om het bloed op te vangen. Ze glipte als een schaduw de deur uit en bleef wankelend in het halfdonker staan. Ze liep over gras en grind, twijgen en zand. Ze zocht op de tast naar het steile pad naar het strand. Ze hoorde de zee haar namen murmelen. Naomi. Mara. Naomi. Mara stapte op de vlakte van koel, grijs zand en voelde haar voetzolen erin wegzinken.

‘En zij sprak tot hen: “Noemt mij niet Naomi, noemt mij Mara, want de Almachtige heeft mij veel bitterheid aangedaan.”’

Toen ze dicht bij de zee was, begroette die haar met gejuich. Ze hief haar hoofd op en zag iets waar het zwarte kooltje van haar hart van opsprong – de brede, blauwe glimlach werd zacht verlicht door het begin van de dageraad. Ze begon te rennen, het bebloede nachthemd over haar hoofd trekkend. Dol van verrukking holde ze het ijskoude water in.

4

DE ZESTIENJARIGE OWEN MOET VOOR SCHOOL EEN OPSTEL SCHRIJven over het onderwerp 'jeugdherinneringen'. Hij maakt daarvoor allereerst een lijst van de zintuiglijke gewaarwordingen die hij zich herinnert. Door een papieren rietje een klein flesje melk drinken die zo koud was dat er ijssplinters op zijn tong prikten en in zijn keel tintelden. Op een rieten schommelstoel zitten die kraakte als je je bewoog en die een patroon in je blote benen drukte. Boterhammen met jam eten die aan zijn verhemelte bleven plakken. Een tomaat in zijn hand fijnknijpen en het sap tussen zijn gesloten vingers voelen sijpelen, terwijl de zaadjes zich aan zijn kleverige handpalm hechtten. De geur van de met mest vermengde aarde in zijn vaders volkstuintje opsnuiven als hij de verduisterde rabarberschuur binnen ging. Hij noemt ook zijn eerste aanblik van de bloedrode rabarberstengels die wulps omhoogstaken uit het nest van slordige bruine bladeren.

Als hij het opstel af heeft, glipt hij Sarahs kamer binnen. Hij gaat op de rand van haar bed zitten en voelt zich alsof hij een tijdreis heeft gemaakt. Er is niets veranderd. De kamer, Sarahs kamer, is op sterk water gezet. Een klok is gestopt toen Sarah haar laatste adem uitblies. Zijn moeder doet hier nooit het raam open. Ze wil dat de lucht die haar dochter inademde, de lucht die de blaasjes van haar kleine longen deed uitzetten en zuurstof door haar vijfjarige lichaam liet circuleren voordat ze hem weer uitblies, voor altijd bewaard blijft in deze jampot. Daarom gaat ze altijd heel snel naar binnen en naar buiten en gooit ze de deur haastig dicht. Eenmaal in het afgesloten heiligdom ademt ze oppervlakkig en zoekt ze naar plekken waar de lucht wellicht nog niet gerecycled is, om die dan als een slak bij zich naar binnen te laten glijden. Kijk, hier, de lucht hier, in deze hoek, in de kast, achter in de onderste la, die is nog niet verstoord. Dat is maagdelijke lucht. Van Sarah. Ze kruipt op haar knieën door de kamer en steekt haar hoofd en schouders in een lege lade zodat ze eruitziet alsof ze haar hoofd in een oven steekt om zich te vergassen.

Bill en Owen zijn er allebei getuige van geweest en hebben de reden geraden waarom ze over de vloer kruipt, haar hoofd onder het voddenkleed steekt, of op haar tenen op een stoel staat, terwijl ze ademt in schildpadtempo. Wie er die dag op het strand niet bij was, wie niet de woorden 'Niet weggaan, Owen' heeft gehoord, wie niet heeft gezien hoe Sarah van de zeebodem werd gedregd, zo bleek als een vampier, met dichtgeplakte ogen, kan het niet weten. Wie er niet bij was en nu ziet hoe Ruth Abingdon, oppervlakkig ademend, zich tot een bal oprolt of zich juist als een giraffe strekt om aan het plafond te likken, zou zeggen: 'Die vrouw is niet goed bij haar hoofd. Ze moet in een gesticht worden opgenomen.' Maar Bill en zijn zoon Owen waren erbij en vinden haar gedrag niet erg bizar.

Owen kijkt om zich heen. Zijn blik blijft rusten op de kleine mahoniehouten boekenkast. Die bevat een rijtje boeken uit de Noddy-serie en sprookjesboeken met prachtige illustraties die Sarah met haar mollige vingertje altijd natrok als haar vader of moeder of haar grote broer eruit voorlas. Peinzend bekijkt hij de rest van de kamer. De witte lakverf van de kastjes is aan het vergelen. De roze bloemetjesgordijnen zijn verschoten. Het gehaakte voddenkleed dat zijn moeder voor haar dochter heeft gemaakt, is vaal geworden. Sarahs knuffels liggen op een kluitje op het kussen: een beertje van zonnebloemgeel met een zwarte dopneus en kale plekjes op zijn kop, een zacht konijn met lange oren die vanbinnen bekleed zijn met roze vilt en een lappenpop waarvan de vulling door een losgetornde naad van de voet naar buiten puilt. Haar oude knuffeldoek ligt opgevouwen in een gelakt juwelenkistje op het nachtkastje. Aan het voeteneinde van het bed staat een kist met speelgoed.

Hij weet uit zijn hoofd wat er in haar kast zit. Als het moet kan hij alle jurkjes, rokken, vesten, truien, bloezen en broeken, haar ochtendjas en de opgevouwen pyjama's nauwkeurig beschrijven. De sokken hebben een lade helemaal voor zich alleen. Daarin liggen ze genesteld als rijen witte muizen, sommige met een randje van kant of een strikje, andere met een motief van lammetjes of kuikentjes. De schoenen zijn gepoetst. Dat is een taak van zijn vader, die onder het kopje 'Zorgen voor Sarahs spulletjes' valt. Alles moet gereed zijn voor plotselinge inspecties, voor het geval ze op een ochtend, als ze om het hoekje van de deur kijken, Sarahs blonde krullen op het kussen zullen zien. Je ruikt de schoenpoets als je de kast opendoet en ziet de schoenen in het gelid staan als soldaten op het appel. Ze glanzen zoals de schoenen van zijn vader hadden geglansd op die dag op het strand, op de dag van haar dood. Ernaast staan pantoffeltjes en een paar flessengroene laarsjes. Sarahs geur hangt er nog, al vervaagt de haar kenmerkende citroenachtige warmte met de week, net zoals de kleur van de gordijnen en het vloerkleed.

Zijn moeder komt hier elke dag, alsof ze naar de mis gaat. Owen heeft haar ineengedoken op het bed zien liggen, met haar knieën opgetrokken naar haar borst, haar gezicht in het kussen gedrukt, tussen de knuffels, huilend met droge ogen. Ze heeft liever dat Owen niet in Sarahs kamer komt. Ze heeft het hem niet expliciet verboden, maar hij ziet het aan de rimpel tussen haar wenkbrauwen, aan haar neergetrokken mondhoeken, aan de tic in haar wang als hij de deur nadert. Dus probeert hij zich te verzetten tegen het verlangen tijd met Sarah door te brengen of het in elk geval op te schorten tot de behoefte zo groot is geworden dat hij er wel aan moet toegeven – zoals nu.

Sarahs laatste woorden zitten in zijn hoofd gebeiteld. 'Niet weggaan, Owen.' Ze rammelen als een zware ketting. 'Niet weggaan, Owen.' Ze trekken de huid van zijn schedel strak en laten zijn hersens bonken. Soms is het alleen als de prik van een naald waarmee je probeert een splinter uit je vinger te peuteren, of een zeurende pijn die hem prikkelbaar maakt maar te verdragen is. Maar soms is het een ijspriem waarmee in zijn schedel wordt gehakt, keer op keer op keer, tot de pijn niet meer te verdragen is. 'Niet weggaan, Owen! Niet weggaan, Owen! Niet weggaan, Owen!' Op zulke momenten is hij tot alles bereid om het te laten ophouden. Dan ziet hij in zijn verbeelding hoe de ijspriem in dat zinnetje hakt en de woorden uit elkaar laat spatten. Owen. Niet. Weggaan. Niet. Weggaan. Owen. Niet. Weggaan. Owen. Weggaan. Niet.

Hij drukt de muis van zijn handen tegen zijn oogkassen, maar dat heeft geen zin omdat de woorden zich weer aaneenrijgen zodra hij zijn handen weghaalt. De woordenslang kronkelt net zo lang tot de zin zijn vorm heeft teruggekregen en dan roept Sarah nog luider en duidelijker: 'Niet weggaan, Owen! Niet weggaan, Owen! Niet weggaan, Owen!' Het klinkt alsof ze pal naast hem zit. Hij voelt hoe ze haar armpjes knellend om hem heen slaat, hoe het engelenhaar over zijn borst strijkt en de zachte wimpers op zijn huid kriebelen.

Zijn aandacht wordt afgeleid door de appelgroene chenille sprei. De stof ziet er versleten uit, alsof de motten zich eraan te goed hebben gedaan. Toch zijn niet de motten verantwoordelijk voor de schade, maar zijn moeder. Haar nerveuze vingers hebben zo vaak aan de katoenen draadjes zitten plukken dat de sprei chronische schurft heeft gekregen. Owen sluit zijn ogen weer en ditmaal komt een beeld van hemzelf op hem af. Een slungelige jongen, zijn dikke blonde haar een kluwen van gouden draadjes in de kaarsenvlammen. Hij wiegt op de ballen van zijn voeten, wordt opeens duizelig, proeft een branderige geur in zijn keel. Verwonderd haalt hij diep adem, geboeid door de glanzende rode armen van de rabarberstengels, de omkranste kopjes van botergeel in het grasgroen, reikend naar het licht. De vlammen flakkeren als hij zijn adem uitblaast. Grijze vilten schaduwen bewegen over de ruwe wanden van de schuur, hoog en dan laag, laag en dan weer hoog. Hij ziet ze getekend op zijn oogleden, elkaar verdringend in hun gevecht aan de verstikkende houten baarmoeder te ontkomen. Hij inhaleert de zware, rokerige geur diep in zijn longen. Hij kijkt automatisch naar links, een tweelingbroer op zoek naar zijn andere helft. Maar Sarah is er niet. Tranen van staalwol krassen zijn ogen. Hij knippert ertegen en dan ziet hij het stralende Waterkind in haar plaats.

Owen wordt overvallen door een andere herinnering, die hij niet in zijn opstel heeft opgenomen, de herinnering aan een man die de bruine ogen van zijn moeder liet fonkelen als brandewijn. Zijn naam was Ken Bascombe. Hij was de broer van hun buurvrouw en kwam een zomer bij zijn zus, Eileen Pope, logeren. Hij had zijn huis in Surbiton verkocht omdat hij naar Amerika ging emigreren.

'Ik moet nog wat dingetjes afhandelen, wat losse eindjes afknopen en dan vertrek ik,' zegt hij tegen Bill. Zijn zware, welluidende stem golft over de schutting tussen hun tuinen.

Bill was aan het graven. Hij is altijd aan het graven, alsof hij denkt dat hij op een dag iets waardevols in de grond zal ontdekken. Er zitten klontjes aarde in zijn dunne haar en bruine vlekjes op de glazen van zijn ziekenfondsbril. Hij heeft een streep modder op zijn ene wang en een vlek op zijn andere. Het ziet eruit als camouflageverf. Hij is een primitieve inboorling die uit het oerwoud komt, met zijn tuinwapens volslagen ontoereikend uitgerust voor de ontmoeting met de lange, hoffelijke, geraffineerde, ontwikkelde man. Owen heeft zijn schooluniform aan, een grijze flanellen broek en een wit overhemd. Hij zit op de drempel van de keukendeur in de zon en doet alsof hij leest, maar in werkelijkheid observeert hij hen, zijn vader en Ken Bascombe.

'Echt,' zegt Ken. Hij trekt zijn das recht en strijkt zijn dikke, blonde manen naar achteren. 'Daarginds heb je veel meer mogelijkheden om rijk te worden, een zaak op te bouwen, dingen in beweging te zetten. Er zijn geen grenzen aan wat je kunt bereiken in die nieuwe wereld.' Bill leunt op zijn schop en knikt. Hij wrijft met de binnenkant van zijn pols over zijn wang en laat er nog een aardebruine penseelstreek op achter.

'Dat klinkt... eh... geweldig,' weet hij uit te brengen. Hij werkt met ontbloot bovenlichaam. Zijn huid ziet er ongezond uit, als die van een rauwe kip die wijdbeens op het hakbord in de keuken ligt te wachten tot hij zal worden gevierendeeld. Op zijn witte huid zijn de tepels opvallend roze. Ze zien eruit alsof ze niet bij hem horen, alsof iemand ze erop heeft geplakt en ze er ook weer kan afwippen, als doppen van melkflessen. Hij beweegt zijn schouders heen en weer, want hij voelt zich onzeker met zijn kippenhuid.

'Al die dingen waar je hier van droomt, Bill, die kun je daarginds, in de Big Apple, verwezenlijken. Ze moedigen het aan. Daar hoef je hier niet om te komen. Hier krijg je een tik op je vingers als je het waagt iets nieuws te proberen.' Al pratende beschrijft hij met zijn armen een grote cirkel. Owen ziet dat zijn handen mooi gevormd zijn, sierlijk, met lange vingers, zo expressief als die van een musicus, met schone, gevijlde nagels. Het is duidelijk dat hij nog nooit in de grond heeft zitten wroeten. Het lijkt alsof hij het hemelgewelf streelt, alsof hij zijn hand in de hemel kan steken als hij dat wil. Hij grinnikt en zijn magnetische ogen fonkelen. Bill lacht terug, maar het klinkt als een vreugdeloos, nerveus gehinnik, dat hij snel inslikt.

Owens blik gaat naar de pagina van het boek dat hij aan het lezen is, *Gejaagd door de wind*, en dan weer terug naar de man. Ken Bascombe draagt een kostuum. De schutting deelt hem in tweeën, maar het deel dat Owen kan zien, ziet er perfect uit. Een roomkleurig linnen pak, een gesteven overhemd, een glanzende blauwe stropdas die bij zijn stralende, ijsblauwe ogen kleurt. Hij is lang en knap en ziet er zelfs met zijn jasje aan minder verhit uit dan zijn halfnaakte vader. Nu steekt hij zijn hand in zijn binnenzak, haalt er een pakje sigaretten uit en een gouden aansteker die fonkelt in de zon. Hij biedt Bill een sigaret aan, maar Bill schudt zijn hoofd. Als hij begint te roken, loert Owen door zijn oogharen naar hem alsof hij naar Rhett Butler kijkt.

Zijn moeder komt de tuin in om het wasgoed van de lijn te halen. Ze loopt met de lege mand onder haar arm naar de schutting en maakt moeiteloos een praatje met Ken Bascombe. Ze praat zo zacht dat Owen niet kan verstaan wat ze zegt. Zijn vader staat er op een afstandje sukkelig naar te kijken. Na een paar minuten zet zijn moeder de mand neer, laat haar gewicht op één been rusten en buigt het andere bij de knie naar achteren. Ze leunt op de schutting en glimlacht schalks. Ze accepteert de aangeboden sigaret, ook al weet ze dat haar man het niet prettig vindt als ze rookt. En Ken Bascombe, die binnenkort op een schip de Atlantische Oceaan zal oversteken naar Amerika, neemt haar sigaret tussen zijn lippen, houdt het vurige puntje van zijn eigen sigaret ertegenaan, zuigt de brand erin en geeft hem dan aan haar. Owen, die zit na te denken over hoe hoog de prijs van de vrijheid was voor de plantageslaven, ziet dat zijn moeder haar haar heeft geborsteld en los heeft laten hangen, wat ze anders nooit doet. Ze heeft ook haar schort afgedaan, wat ongehoord is zolang ze bezig is met het huishouden. Dat wil zeggen, tot op dit moment. Haar katoenen jurk fladdert een beetje in het zachte briesje, waardoor haar zoon zich er voor het eerst van bewust wordt dat zijn moeder een lichaam heeft, een smalle taille, welgevormde heupen, volle ronde borsten. De rest van die dag zingt zijn moeder.

Weken later zingt ze nog steeds. Ze gaat nu steeds uit rijden met Ken Bascombe in zijn Humber Super Snipe. De auto kan een snelheid bereiken van bijna honderdtwintig kilometer per uur, vertelt ze aan haar zoon. De wagen heeft een diepbruine kleur, alsof er rode wijn over de lak is gegoten, en leren bekleding. Owen heeft de indringende dierlijke geur ervan geroken. Maar hij heeft de veelvuldige uitnodigingen van meneer Bascombe om ook eens een ritje te maken, steeds afgewezen. Zijn moeder gaat nu zo vaak met hem toeren dat Owen haar net een rondtollende ballerina vindt. Ze blijft maar rondgaan. Hij vraagt zich af of ze ooit nog zal stoppen.

Ze komt 's middags steeds later thuis, nog tollend, haar haar gevangen onder een paisley-hoofddoek, haar ogen verborgen achter de nieuwe zonnebril, haar wangen blozend als rijpe aardbeien. Er hangt een eigenaardige geur om haar heen, een zoutige vissengeur die Owen onaangenaam herinnert aan het onderwatervolk. En ze krijgt steeds kippenvel, alsof ze het koud heeft. Dromerig gaat ze op de trap zitten, neemt haar zonnebril af om haar bedauwde ogen te onthullen en maakt met trillende vingers de knoop van haar hoofddoek los.

Op een middag is zijn vader in de keuken bezig groenten schoon te maken voor het avondeten dat steeds later op tafel komt. Hij houdt zijn oren gespitst of hij de klik van de deur hoort, de voetstappen van zijn vrouw. Owen kijkt naar zijn handen, die de aardappels schillen, zo zorgvuldig dat de schil er ongebroken aan blijft hangen, als een modderige haarkrul aan een roomwitte schedel. Even later, als de pannen staan te sudderen op het fornuis, ziet Owen hem gedwee het wasgoed opvouwen en de kreukels in de verschillende soorten stof gladstrijken. Hij prikt met een vork in de aardappelen, merkt dat ze de tanden nog weerstaan en gaat in de weer met de stofzuiger, die hij duwt en trekt, heen en weer, alsof hij een danspas oefent. Owen, die als een bleke geest van de ene naar de andere kamer achter hem aan drentelt, ziet hoe zijn voorhoofd ontspant bij de eindeloos herhaalde bewegingen en hoe een floers over zijn ogen trekt als die het monotone gelik aan de vloerbedekking volgen, de rituele reiniging, zo grondig als een moederpoes haar jongen likt.

Als Owen de volgende dag uit school komt, zit zijn vader aan de keukentafel. Dikke, bruine tranen stromen over zijn wangen. Hij moet over zijn gezicht hebben gewreven, want de tranen zijn gemengd met aarde, beseft hij. Zijn vader huilt tranen van klei, uit zijn neus drupt bruin snot, zijn amechtige ademstoten ontdekken kruimeltjes aarde in zijn gespreide neusgaten en blazen die naar buiten.

'Papa,' zegt Owen.

Hij kijkt naar zijn zoon en knippert verbaasd met zijn bloeddoorlopen ogen, alsof hij zichzelf eraan moet herinneren dat Owen destijds niet eveneens in zee is verdronken. Hij grijpt een ui uit het zielige bergje groenten naast het hakbord en houdt hem snel bij zijn ogen.

'Ik zit uien te snijden,' mompelt hij dof. 'Let maar niet op mij. Ik ben er nog niet goed in. Je moeder kan het veel beter.' Hij haalt diep adem en houdt die vast, wanhopig, zoals Owen gewonde soldaten in oorlogsfilms heeft zien doen als ze probeerden niet te gaan huilen van de pijn.

Owens twijfelende ogen flitsen naar de dunne, koperen schil van de ongesneden ui. Hij wil vragen waar zijn moeder is, ook al weet hij dat best. Vluchtige beelden jagen door zijn hoofd. Zijn moeder op de voorbank van de Humber Super Snipe, met de raampjes naar beneden, de wind in haar haar, glanzende ogen, gillend van opwinding als de snelle auto een haarspeldbocht neemt. Dan dezelfde auto geparkeerd aan de Ridgeway, en zijn moeder en Ken Bascombe die een schuin pad op lopen, hand in hand. Tot slot, zijn moeder, onvoorstelbaar mooi, die op haar rug ligt te kijken naar het tafereel van voorbijtrekkende wolken. Wilde margrieten, ereprijs en steenanjers zijn gevlochten in haar haar, dat uitgespreid ligt op het groene, groene gras, als een geborduurd kussen. Nu komt ze half overeind en buigt zich over de man die naast haar ligt. Zo luchtig als de pluisjes van een paardenbloem die door de zachte wind worden meegenomen kust ze zijn blonde haar, de tere huid rond de sprankelende ogen, het ongerimpelde voorhoofd. Dan streelt ze zijn mond met haar lippen. De kus wordt inniger, zijn armen glijden om haar heen en twee gedaanten vervagen tot één. Owen wil vragen waar zijn moeder is, maar doet dat niet.

In plaats daarvan vraagt hij aan zijn vader: 'Hebt u hulp nodig?'

Zijn vader schudt zijn hoofd, waardoor de vlossige lokken van zijn grijze haar zachtjes wapperen en hij eruitziet als een waanzinnige professor die zich buigt over een verbluffende nieuwe uitvinding: de ui. Moeizaam trekt hij zijn schouders recht en hij laat een miniem glimlachje zien, een netwerk van dunne, bruine lijntjes die zijn lippen doen barsten.

Er komt die avond geen eten op tafel. Owen zit boven, in Sarahs kamer, op de kale, appelgroene sprei, terwijl de duisternis het kleine huis opslokt. Hij verzet zich tegen de opmars ervan door het lampje op het nachtkastje aan te doen. Hij weigert toe te geven aan de vermoeidheid en zijn ogen te sluiten. En alsof hij duizelig staat te wankelen op de rand van een wolkenkrabber, kijkt hij ook niet naar beneden. Hij hoeft niet te kijken om te weten dat ze er zijn, reptielen die zich kronkelen rond het bed. Hun schaduwen glijden als blauwgrijze vissen door de ruisende varens van het gebloemde behang. Midden in de nacht, of misschien is het al ochtend, hoort hij de Humber Super Snipe terugkeren. Hij hoort de motor stationair draaien onder het raam. Ook nu beweegt hij zich niet. Hij volgt alleen de onderwaterwezens die langs de aquariumwanden van Sarahs slaapkamer glijden. Later klinkt de klik van de voordeur erg luid in het verweesde huis en is het geronk van de melkwagen die erop volgt bijna oorverdovend.

Als hij uiteindelijk Sarahs kamer verlaat, zit zijn moeder op de trap met een koffer op haar schoot. Hij moet over haar heen stappen en dat is een lastige opgave in het schemerdonker. Op de onderste tree draait hij zich om en blijft wijdbeens tegenover haar staan. Lange tijd kijken ze elkaar aan. Hij vraagt zich af of ze net als hij denkt aan de dag waarop ze samen de sneeuwpop hebben gemaakt.

'Waar gaat u naar toe, mama?' vraagt hij met een klein stemmetje. Hij hoort een geluid, kijkt over zijn schouder en ziet zijn vader, zijn gezicht gerimpeld als een gebruikt theezakje, zijn wangen nog besmeurd met bruine strepen. Hij staat op de drempel van de woonkamer, met zijn handen in zijn zakken. 'Gaat u weg, mama?'

Zijn moeder geeft geen antwoord. Het moment dat daarop volgt is dat van de schoonspringer die op de rand van de hoogste duikplank staat, naar voren helt, het evenwichtspunt zoekt en roerloos blijft staan. Owen luistert naar het geluid van zijn eigen ademhaling, lichte wolkjes, en naar het pijnlijke drakengesnuif van zijn vader. Zijn moeder ademt onhoorbaar in en uit onder haar botergele zomerjas. De claxon van de Humber Super Snipe loeit, en Owen en zijn vader draaien zich er verwijtend naar om. Na een korte stilte loeit hij weer. Het geluid lijkt de tweede keer dringender, ongeduldiger.

Als Owen zich weer omdraait, is zijn moeder overeind gekomen met de koffer in haar hand. De manier waarop ze naar de voordeur staart, is alsof al het andere in het kleine halletje, het telefoontafeltje, de telefoon, de kapstok, de man en de jongen, niet echt zijn. Nog een keer loeit de claxon, ditmaal zo luid en aanhoudend dat hun oren er pijn van doen. Owen doet een stap opzij zodat ze erlangs kan. Ze daalt de trap af, loopt naar de voordeur en legt haar hand op de deurknop. Hij blijft staan staren naar de plek waar ze zat, en zo ziet hij niet dat ze omkijkt, niet naar zijn vader maar naar hem. Langzaam loopt ze terug en zeult de koffer weer naar boven. Buiten komt de motor die stationair had gedraaid, met een agressief gebrul tot leven. Daarna wordt het gebrul het spinnen van een tevreden kat. En uiteindelijk is het alleen nog maar een muis die trippelend verdwijnt, de claxon een piepje ergens in de verte.

Hij knippert met zijn ogen en een meerman is uit zijn nachtmerries geglibberd. Hij zit op de tree waar zijn moeder daarnet zat. Zijn geschubde staart slaat tegen de gestreepte loper waarop nu al plassen zout water liggen. Hij schudt zijn hoofd. Zijn haar van koperdraad stijgt op als de tentakels van een octopus en blijft plakken aan het witte plafond. De zoute stank van dode vissen vult de lucht. Owen krijgt er braakneigingen van. Hij draait zich om, rent naar de woonkamer, gooit de deur achter zich dicht en struikelt bijna over zijn vader. Bill kruipt op handen en knieën over de vloerbedekking om de verspreide groenten bij elkaar te rapen, langwerpige oranje wortelen, ronde koperkleurige uien, een saucijsjesstreng van grasgroene courgettes, komkommers die als naaktslakken op de wollen vezels liggen, en tientallen kerstomaatjes. Hij draagt nog steeds de met modder besmeurde tuinkleren van gisteren en Owen draagt nog steeds zijn schooluniform. Hij kruipt vastberaden door de moestuin op het tapijt, ontwortelt de groenten stuk voor stuk en legt ze met zorg op de zitting van de bank.

'Ik ben zo klaar,' mompelt hij met een snelle blik op zijn zoon. 'Ik moet alleen even deze troep opruimen. Als je moeder straks wakker wordt, mag het hier geen rommel zijn.' Hij gniffelt gedurfd en trekt zijn borstelige wenkbrauwen op als hij naar Owen kijkt, een hint dat ze allebei de wind van voren zullen krijgen als hij zijn taak niet naar behoren uitvoert. 'Ik zie dat je al klaar bent voor school. Heel goed. Zo mag ik het zien. Een momentje nog, dan breng ik je weg.'

Owen knikt. Hij drukt zijn rug met al zijn kracht tegen de deur van de woonkamer, zijn armen gespreid, zijn handen plat, omdat hij weet wat zich erachter bevindt. Hij denkt aan de Humber Super Snipe die kilometers vreet, op weg naar de kust en het wachtende schip. En hij denkt aan hun Hillman Husky met zijn verschoten grijze lak, een oude olifant vol aangekoekte modder. Hij denkt aan de korreltjes aarde die altijd door zijn gewicht worden losgemaakt uit de naden van de bekleding, aan hoe het voelt als ze aan zijn blote benen plakken, aan de stapels bloempotten die de ruimte voor zijn voeten in beslag nemen. Hij slaat zijn armen over elkaar en voelt zijn middenrif schokken in het ongelijke ritme van zijn fantoomtranen. En dan is het Waterkind er om zijn demonen te laten verdrinken in een zee van licht.

Owen krijgt een tien voor zijn opstel over de jeugdherinneringen. De familie Abingdon waar hij over schrijft is net zoals de familie Woodentop. De vader werkt op een kantoor, de moeder is de ganse dag blijmoedig bezig in de keuken en de zoon speelt in de tuin in de betrouwbare zonneschijn. De lerares, Miss Laye, verzoekt hem zijn opstel in de klas voor te lezen. Ze legt de andere leerlingen uit waarom het zo perfect is, zo levensecht en beschrijvend. 'Owens opstel is van een niveau waarvan ik hoop dat jullie het allemaal zullen bereiken,' zegt ze en ze glimlacht haar leerling goedkeurend toe. Hij vraagt zich af welk cijfer hij zou hebben gekregen als hij de waarheid had verteld. Wat zou ze dan tegen de wachtende klas hebben gezegd?

5

SEAN MADIGAN STAAT OP DE RICHMOND BRIDGE NAAR DE THEEMS te staren. Het is een mooie lenteavond. Bleke wolken etsen spookachtige karrensporen in de hyacintblauwe hemel. Het enige wat wijst op de naderende duisternis, is de brede, sterker gepigmenteerde streep aan de horizon. Het is nog druk op de rivier, een komen en gaan van roeibootjes en plezierboten. Er wandelen mensen over de kade, de terrasjes van de cafeetjes aan het water zitten vol, een moeder duwt een tweelingbuggy, een man laat zijn hond uit, een moedereend met kuikentjes deint op de mallemolen van het water.

Hij heeft over een klein uur met Catherine afgesproken. Het is hun derde afspraakje en hij heeft een tafeltje gereserveerd in een Italiaans restaurant op Richmond Hill. Hij heeft het vooral gekozen vanwege de locatie, het panoramische uitzicht op de rivier, al is hij het etablissement en de menukaart uiteraard eerst gaan bekijken. Hij weet dat het haar zal bevallen. Ze is snel tevreden, in tegenstelling tot de meisjes die alles aan je onder de loep nemen: hoe je je kleedt, hoe gierig of gul je bent en of je iets originelers weet te verzinnen dan avondjes in de pub. Catherine lijkt iemand te zijn die zich graag met de stroom laat meedrijven. Voor zover hij het kan beoordelen, en hij geeft toe dat het nog vroeg dag is, heeft ze een inschikkelijk, gereserveerd, begrijpend karakter. Ze lijkt het leuk te vinden om naar hem te luisteren, naar zijn kwinkslagen en grapjes. Als hij praat over zijn plannen om een groothandel in shampoo te beginnen, kijkt ze belangstellend. Volgens hem is ze ervan onder de indruk. Volgens hem heeft ze wel begrepen dat hij erg ambitieus is en dat het nu niet lang meer zal duren voordat hij zijn slag slaat. Ze kijkt verder dan haar neus lang is, dit Engelse meisje, en ziet zijn doelstellingen wel zitten. Ze ziet in hem niet de Ierse bouwvakker die als los werkman steeds ergens anders werkt, maar de man die hij zal worden. Hij is aan het sparen, hij legt elke week geld opzij en heeft tot in de kleinste details uitgewerkt wat hij nodig heeft om een eigen bedrijf te beginnen. Hij heeft een blauwdruk gemaakt en ze moedigt hem aan zijn plannen te verwezenlijken.

Hij heeft haar ontmoet in L'Auberge, waar ze als serveerster werkte. Ze beviel hem meteen. Halflang rood haar, tot een staartje gebonden met een fluwelen strikje, verlegen groene ogen die van hem wegkeken en steeds voorzichtig teruggelokt moesten worden. Hij voelde dat het tussen hen klikte en dat hij zich dat niet had verbeeld, bleek wel toen ze met een glimlach het stukje papier met zijn telefoonnummer aanpakte. Het duurde maar een week voordat ze hem opbelde. De eerste avond waren ze naar de bioscoop gegaan. Tijdens de voorstelling van *The Poseidon Adventure* had hij in het donker zijn arm beschermend op de rugleuning van haar stoel gelegd, maar meer niet. Om de een of andere reden wilde hij zich niet opdringen aan deze jonge vrouw die zich zo zedig kleedde en hem toestond te zijn wat hij wilde zijn.

Bij hun tweede afspraakje had hij voorgesteld te gaan schaatsen en hij had verbaasd opgekeken bij de blik van angst die in haar ogen was verschenen. Dus waren ze in plaats daarvan gaan winkelen in Kensington Market en hadden ze aansluitend geluncht bij Beefeaters. Catherine had ervan genoten en hem toegestaan een geborduurde Indiase jurk voor haar te kiezen en een halsketting van barnsteenkralen die mooi afstak bij haar bleke huid.

Haar stem is erg Engels, erg bekakt. Hij heeft haar ouders nog niet ontmoet maar vermoedt dat het intellectuelen zijn. Als zijn vermoeden correct is, wil dat zeggen dat hij in de juiste kringen is beland. Wie weet waar hun relatie toe zal leiden? Hij heeft haar nog maar één keer gekust, op haar lippen, maar heel zedig, want haar stevige mond bleef gesloten. Dat vindt hij niet erg. Het bevalt hem juist, op een masochistische manier. Het is een fatsoenlijk meisje en hij weet zeker dat ze nog maagd is. Ironisch genoeg zou zijn moeder precies zo'n meisje voor hem hebben gekozen, behalve dan dat ze een Engelse is. Hij kan wachten. Dan zal het dubbel zo bijzonder zijn als het eenmaal zover is. Hij zal haar de genoegens van de liefde bijbrengen. Maar eerst gaat hij haar heel voorzichtig, heel langzaam het hof maken. Ze begint iets voor hem te betekenen, dus is het van groot belang dat hij alles op de juiste manier doet. Als je een meisje ontmoet van Catherine's klasse, moet je haar niet afschrikken.

Het etentje op Richmond Hill is een succes. Hij neemt spaghetti en zij gegrilde forel met krieltjes. Er staat een rode roos in een vaasje van gedraaid glas op het tafeltje en lege chiantiflessen zijn slim benut als kaarsenhouders. De weerschijn van de vlammen op het groene glas wordt romantisch verveelvoudigd en het warme licht geeft het riet rond de basis van de flessen de gloed van rijp graan. Na het eten steken ze de weg over en ze gaan op een plekje zitten waar ze naar de bochtige rivier kunnen kijken. Het gele licht van de straatlantaarns maakt cirkels op de met gras begroeide oever en verandert het jaagpad in een glinsterende slang. De rivier ziet er onheilspellend uit, de sinistere aanblik slechts verzacht door de weerschijn van de lichtjes die voortdurend op het voorbijglijdende water wordt gebroken en weer gelijmd. Starend naar de Theems, met zijn arm luchtig rond Catherine's schouders, denkt hij aan die andere rivier die hem in haar macht had weten te krijgen, de betoverende Shannon.

Hij deed het altijd op zondagmiddag. Niet omdat de zondag er de beste dag voor was, niet omdat het een speciale dag was, maar omdat het alleen op die dag mogelijk was. 's Ochtends naar de kerk en 's middags *het*. Dat was het probleem met de boerderij. Die eiste alles wat je in je had voor zich op. Daarom zou Sean er ook niet blijven, daarom zou hij hem op een goede dag de rug toekeren.

Hij wilde niet op middelbare leeftijd tot de ontdekking komen dat hij versleten was, dat de boerderij hem helemaal had opgebruikt. Iedereen wist hoe schraal de grond aan de westkust was en dat niemand ooit rijk zou worden van de door de wind geteisterde landerijen. Je zag er altijd precies hoe stormen zich ontwikkelden boven de Atlantische Oceaan, hoe de wolken zwollen van de regen die ze opzogen uit de kolkende oceaan en dan afstormden op de kwetsbare, over de heuvels verspreid liggende boerenbedrijven. Je kon de verwoeste oogst, het gewonde vee, de schade aan de boerderijen, de stallen en de hooischuren van gegalvaniseerd plaatijzer vooraf berekenen. Je kon de uitkomst met een afschrikwekkende nauwkeurigheid voorspellen.

Toch was niet alles slecht. Er waren ook dingen waar Sean van hield. Door het nabijgelegen bos zwerven, bijvoorbeeld, knabbelen op de hazelnoten die hij verzamelde, naar de eekhoorns kijken die tot in de boomtoppen klommen en het gebladerte door de lucht deden zwiepen, een haas bespieden die zich met alert gespitste oren en trillende snorharen op zijn achterpoten oprichtte, naar het geritsel van een muis luisteren die in de dode bladeren wroette en de geur van de bosgrond liet vrijkomen. En de oude weg, die mocht hij vooral niet vergeten, de weg die langs de boerderij liep. Het was een hoog liggende weg van een meter of vier breed, met aan weerskanten diepe greppels, die nu helemaal overwoekerd waren. Hij wist precies hoe je daarin kon wegkruipen en als hij daar zat, was alles zo geheimzinnig en onwezenlijk dat het net leek alsof hij op een andere planeet zat. Gehurkt tussen de varens kneep hij zijn ogen dicht en zag hij in zijn verbeelding soldaten met stampende voeten over de weg marcheren.

Hij had in boeken op school plaatjes van soldaten gezien. De borstplaat van hun harnas glansde metaalblauw in de zon, de wind speelde met de pluim op hun helm. Ze hadden een schild en wapens die opwindend moesten hebben gekletterd als ze tegen elkaar sloegen. De Ierse heuvels van deze afgelegen landstreek moesten getrild hebben onder het dreunen van hun vastberaden voeten. Ze moesten erg dapper zijn geweest, deze mannen, die hadden geweten hoe je moest vechten, hoe je moest aanvallen en je verdedigen. Sean zou best soldaat willen worden. Of iets anders, zolang het niets te maken had met het boerenbedrijf. Hij was niet kieskeurig, zolang het maar iets was waar hij rijk van kon worden.

Een gemengd bedrijf, twintig koeien voor melk en vlees, en elk jaar een varken dat werd vetgemest voor eigen gebruik. Meer was de West Point Farm niet. Je raakte onwillekeurig gehecht aan het arme varken dat al die maanden luidruchtig in de modder wroette. En dan kwam onvermijdelijk de rituele slachting. Eerst werd de keel doorgesneden, dan werd de buik geopend om de dampende ingewanden te verwijderen, daarna werd het karkas aan de haak gehangen die speciaal daarvoor in een van de balken van de schuur was bevestigd, met zinken emmers eronder om het bloed op te vangen. Tot slot werd het beest in twaalf gelijke delen gesneden, die werden ingezouten opdat het gezin er het hele jaar van kon eten. Ze waren van niemand afhankelijk, zei zijn vader vaak trots. Ze verbouwden alles wat ze nodig hadden om in leven te blijven: aardappelen, groenten, graan dat ze naar de plaatselijke molen brachten om tot meel te laten malen. Ze benutten zelfs de stengels van de rogge voor reparaties aan het rieten dak van de boerderij.

'Wat wil een mens nog meer?' zei hij vaak, een weids gebaar makend met handen als kolenschoppen.

Elektrisch licht en stromend water, wilde Sean hem dan toebijten. Niets dan kaarsen en soms een olielamp verlichtten de duistere winterdagen en je kon bij de flakkerende vlammen zo moeilijk lezen. De lampen walmden ook en de stank van verbrande olie verpestte de lucht in alle kamers van het huis, niet alleen de kamer waar de lamp stond. Soms begonnen Seans ogen zo te tranen dat hij letters helemaal wazig zag. Hij zou waarschijnlijk al vroeg een bril nodig hebben als hij zijn ogen zo moest inspannen. En het water. Het was moordend werk om het uit de put onder aan de heuvel omhoog te takelen en de tonnen op de kar te laden. Het was waarschijnlijk ook voor het paard niet erg prettig om die zware vracht over de steile weg naar de boerderij te moeten trekken. De tonnen met regenwater waren bovendien niet onuitputtelijk en soms viel het deksel eraf en dronken de koeien eruit, waarna je het water alleen nog maar kon gebruiken voor de was.

Hij was ook niet gecharmeerd van het buitentoilet, vier planken die dienden als wc-bril en een schacht in de grond. Hij wist niet hoe vaak hij er 's avonds en 's nachts naartoe was gerend, maar dat getal liep volgens hem in de duizenden. Hij stelde het altijd uit tot de nood zo hoog werd dat hij halsoverkop de bedompte warmte van de keuken met de zachtjes snorrende turfhaard uit vloog, door de ijzige duisternis met de spoken en de enge wezens sprintte en op het nippertje de wc bereikte.

Nee, de boerderij was niet de toekomst. Dat was Sean allang duidelijk. Zijn jongere broer, Emmet, mocht hem hebben. Sean wilde een eigen auto, zoals de priester en de meester van de school. Hij wilde iets beters dan hun krakerige transistorradio. Hij wilde een televisie, een fornuis en een koelkast. En hij wilde een stad, met winkels, mensen en drukte. Hier was het zo verschrikkelijk saai, er gebeurde nooit iets. Het dichtstbijzijnde dorp, Labasheeda, was vijf kilometer verderop. En wat was het helemaal? Een pub en wat huizen. In Kildysart viel iets meer te beleven, maar dat lag veel verder weg. Waarom was zijn vader hier zo tevreden, met niets anders dan wat akkers op slechte grond en als enig gezelschap buren die bijna een kilometer bij hen vandaan woonden?

Hij ontdekte het boek op de vooravond van Kerstmis in het jaar dat zijn tante Regan, de schooljuffrouw uit Engeland, kwam logeren. Ze had een koffer vol boeken meegebracht. 'Het zijn maar oude boeken, hoor. Ze wilden ze weggooien, maar ik heb ze gered. Ik dacht dat de jongens er misschien wel blij mee zouden zijn,' zei ze terwijl zijn vader de koffer naar binnen droeg, wankelend onder het gewicht. Sean had onmiddellijk zijn oren gespitst. Boeken. Hij had altijd liever een boek gehad dan speelgoed. Boeken lieten hem andere plaatsen zien, vertelden hem verhalen over mensen die niet op een boerderij woonden en niet voor dag en dauw in de kou hun bed uit hoefden om de koeien te melken. Hij leerde ook veel van boeken. Hij wilde wedden dat er boeken waren waarin stond hoe je geld kon verdienen, niet door je op het land uit de naad te werken, maar door zaken te doen, goedkoop in te kopen en met winst te verkopen. Zodra de maaltijd voorbij was, ging hij stilletjes van tafel en sloop de kamer uit.

Hij hield van de kerst, zij het niet om de juiste redenen, redenen die zijn moeder zou goedkeuren, zoals naar de nachtmis gaan. Ook niet vanwege de cadeautjes, want hij kreeg nooit wat hij wilde. Hij hield ervan vanwege de kaarsen, de kerstkaarsen. Zijn moeder sneed elk jaar figuurtjes in uitgeholde rapen en gebruikte die als kaarsenhouders. Ze zette ze op alle vensterbanken van het huis. Het was sprookjesachtig mooi. Een weeklang hoefde hij niet behoedzaam zijn weg te zoeken als hij, grotendeels op de tast, door het huis liep terwijl hij zijn eigen kaars met het wapperende vlammetje angstvallig voor zich omhooghield. De boerderij was gebouwd in de vorm van een 'L' en met Kerstmis kon hij door een tunnel van licht rennen en zichzelf bijna wijsmaken dat het huis op het lichtnet was aangesloten.

Nu rende hij echter niet. Hij liep langzaam, bedaard, doelgericht op de koffer af die aan het voeteneinde van het bed van zijn tante stond. Hij liet de glanzende sluitingen openklikken en begon erin te snuffelen, op zoek naar het boek waarin werd uitgelegd hoe je rijk kon worden. Zijn hart begon sneller te kloppen en hij keek steeds over zijn schouder, bang dat hij betrapt zou worden. Hij wist dat ze de boeken morgen plechtig overhandigd zouden krijgen en hij wist ook dat zijn broer Emmet alleen maar voor de vorm zou zeggen dat hij er blij mee was en dat het hem niets kon schelen als Sean ze allemaal nam, maar hij kon niet wachten. Hij moest weten wat er allemaal in de koffer zat.

Op het eerste gezicht leek het een saaie verzameling: een aantal Bijbels, alsof ze daar niet al genoeg van hadden, een massa psalmenbundels, boeken over grammatica, een paar gedichtenbundels en toneelstukken van William Shakespeare en ene Richard

Brinsley Sheridan. Er zat niets bij over hoe je een eigen zaak moest beginnen. Hij stond op het punt de koffer weer dicht te doen toen hij een grijs driehoekje zag dat onder de stapel gedichtenbundels uitstak. Hij trok het eronder vandaan. Het was een klein boekje met een wat gerafelde, stoffen kaft. Hij zocht naar de titel en toen hij die nergens zag staan, bladerde hij in het boek. Het bevatte net zoveel tekeningen als pagina's met tekst. Het duurde even voordat hij begreep waar het over ging. Pentekeningen van een man die verschillende posities aannam. Hij was slechts gekleed in een zwembroek en badmuts. Je moest het boek steeds draaien om de tekeningen te kunnen bekijken. Het waren stapsgewijze schetsen over hoe zijn lichaam bewoog bij verschillende zwemslagen. De laatste hoofdstukken gingen over het redden van levens, over hoe je iemand kon redden die aan het verdrinken was. Sean voelde zich elke dag alsof hij verdronk en zou graag willen dat iemand hem kwam redden. Hij raakte zo in het boek verdiept dat hij geen erg had in de naderende voetstappen.

'Wat zit je daar te doen?' De vraag werd op een beschuldigende toon gesteld.

Hij draaide zich om en zag dat zijn broer, Emmet, naar hem keek.

'Ik wilde alleen maar zien wat voor boeken het zijn,' zei hij. Hij probeerde er kalm uit te zien. Als hij liet merken dat hij zich schuldig of angstig voelde, ging zijn broer het natuurlijk aan hun vader vertellen en dan zou hij een pak slaag krijgen, Kerstmis of geen Kerstmis.

'O,' zei Emmet met een zucht. Het klonk teleurgesteld. Hij bukte zich om in de koffer te kijken en wat hij zag, leek zijn vermoedens te bevestigen. 'Wat een saaie troep. Had ze niet iets anders voor ons kunnen meebrengen? Een voetbal of rolschaatsen of zoiets?' Hij haalde zijn schouders op en slofte chagrijnig naar de deur, waar hij bleef staan om te vragen of Sean kwam.

'Mama wil kerstliedjes zingen en heeft me gestuurd om je te halen,' zei hij somber. Sean onderdrukte een glimlach. Hij wist dat een paar uur uit volle borst kerstliedjes zingen niet iets was waar zijn achtjarige broertje nou echt op zat te wachten.

'Ik kom eraan. Even de koffer dichtdoen,' zei hij. Hij stond juist op het punt hem te verzoeken hier niets over aan hun ouders te vertellen, toen hij zag dat Emmet al weg was. Eigenlijk wist Sean ook wel dat hij het niet zou verklappen. Niet uit loyaliteit, nee, dat had er niets mee te maken. Emmet was altijd bereid hem te verklikken als hij er zelf beter van kon worden, maar aangezien in dit geval de mogelijke beloning slechts uit boeken bestond, saaie boeken, zou hij het waarschijnlijk niet doen.

Je zou niet zeggen dat ze broers waren, zo verschilden ze uiterlijk van elkaar. Emmet had zwart haar en een brede lichaamsbouw, net als hun vader, en grove gelaatstrekken: vlezige lippen, een vooruitstekende onderkaak, een grote neus, staalgrijze ogen die te dicht bij elkaar stonden, en een huidskleur die leek op getaand leer. Sean, daarentegen, had zacht, stroblond haar met een vleugje rood erin. Afhankelijk van het weer waren zijn lachende ogen zo blauw als de hemel of zo groen als de rivier. Zijn mond was mooi gevormd. Zijn neus was recht. Zijn blonde wimpers en wenkbrauwen gaven zijn gezicht een kwetsbare, naakte aanblik. Zijn huid was bleek, met sproetjes op de brug van zijn neus. Hij was langer en smaller dan zijn broer. Zelfs hun stemmen lagen een octaaf uit elkaar, die van Emmet rauw en stug, die van Sean zacht en zangerig. En Sean had de handen van een kunstenaar, niet van een arbeider. Als je hen samen zag, kon je nauwelijks geloven dat ze familie waren.

Hij keek naar de weerschijn van de kaarsenvlammen en de schaduwen die als geesten over het canvas van de witgeschilderde muren gleden. Ze gaven hem het gevoel dat hij zich in een kamer bevond die was gevuld met mensen in plaats van dat hij hier in zijn eentje geknield zat bij een koffer gevuld met woorden. Zijn hand, uitgestrekt om het boek weer onder de stapel gedichtenbundels te schuiven, bleef aarzelend hangen. Toen stak hij het boek onder zijn trui. Hij deed snel de koffer dicht en holde achter zijn broer aan.

Zijn tante had er helemaal geen erg in dat het boek ontbrak en de uitdeling verliep vlekkeloos. Emmet had geen enkele belangstelling voor de boeken, laat staan dat hij zijn broer zou verklikken. Het grijze boekje werd Seans constante metgezel en er ging geen dag voorbij dat hij er niet in zat te lezen. Hij had een gedurfd plan opgevat. Hij zou zichzelf leren zwemmen. Hij was tien, bijna elf. Hij wilde het leren. Er was in de wijde omgeving niemand die kon zwemmen. De boeren en hun gezinnen koesterden achterdocht ten opzichte van de zee en moesten zelfs niets hebben van de Shannon, de nabijgelegen getijdenrivier. Uit zee kwamen de stormen die de oogst verwoestten, vissersboten lieten vergaan en geharde mannen met sterke, gespierde lichamen de dood in sleurden.

De Shannon bevond zich op ongeveer een kilometer afstand van de boerderij. Een halfjaar geleden was een meisje uit Labasheeda, Iona O'Neill, erin verdronken. Het gezin was bezig geweest vee van een van de kleine eilanden in de rivier naar het vasteland over te brengen en het meisje was in het water gevallen. Sean had de mannen er op gedempte toon over horen praten bij de pub. Finn, de visboer met de spleten tussen zijn tanden, beweerde dat hij haar geest op het donkergroene water had zien dansen, naargeestig huilend, terwijl haar lange zwarte haar door de wind rond haar hoofd werd gezwiept. De mannen hadden met grote ogen geluisterd, over hun baard gestreken en gemompeld dat het een kwade zaak was, dat ze het arme kind bij het roofzuchtige water vandaan hadden moeten houden, omdat het nog nooit iemand enig geluk had gebracht, geen man, geen vrouw en geen kind.

Maar Sean wilde niet bij de Shannon vandaan blijven. Ondanks de onheilspellende waarschuwingen van zijn moeder wilde hij met haar kennismaken; zijn kleren uitdoen en het water, koud, strelend en fris, over zijn huid laten stromen. Hij wilde haar soepele lichaam pakken en naar zijn wensen buigen, hij wilde haar de baas zijn, hij wilde haar op zijn tong proeven. Hij was geduldig, hij wachtte tot de lange wintermaanden voorbij waren, tot de glijbaan die ze op de verhoogde weg hadden gemaakt, was gesmolten, de sneeuw in blubber veranderde en wegstroomde als modderige beekjes. Hij wachtte tot de vogels weer begonnen te zingen en de hardnekkige levensdrang van de natuur zich manifesteerde in lichtgroene sprietjes en knoppen. Hij wachtte op een lentedag, een zondag waarop de Kerry Mountains in mistflarden gehuld waren, want als je die haarscherp kon zien, kon je ervan op aan dat het zou gaan regenen. Hij propte een handdoek en zijn kostbare boek onder zijn jas. Met de klanken van de mis en de namen van alle parochianen die door de priester op de vingers waren getikt omdat ze op de sabbat hadden gewerkt, nog in zijn hoofd, fietste hij de heuvel af.

Hij reed naar een plek waar bomen beschutting boden tegen nieuwsgierige ogen en waar de zanderige, met steentjes en slib bedekte oever schuin afdaalde naar het groene wonder van de rivier. Hij keek om zich heen. De rivier was hier wel vijf kilometer breed. De schaduwen van de wolken haastten zich over de oppervlakte van het stromende water alsof het een wedstrijdje was. De rivier rekte zich loom uit, strekte haar glasachtige, met doorzichtig goudbruin geaderde ledematen. De zon kwam achter een waaier van vederwolken tevoorschijn en liet stralen vol goudklompjes neerdalen op de glanzende waterweg. Vogels maakten vanuit de donkere bomenrij op de oever duikvluchten waarbij ze hun snavel in het water dipten. Sean zag in de verte het silhouet van een aak geruisloos voorbijglijden met een lading goederen, vermoedelijk bestemd voor Limerick. Hij hoorde het zachte geronk van een watervliegtuig dat hoger op de rivier zou landen.

Om de tijd niet de gelegenheid te geven zijn besluit te ondermijnen, trok hij snel zijn kleren uit, vouwde ze netjes op en legde ze naast zijn fiets, die hij tegen een van de bomen had gezet. Hij keek nog een keer naar de eerste tekening in het boek en liep toen naakt naar de rand van het water. Hij stapte erin, zich vermannend tegen de schok van de kou. Het water was nog ijziger dan hij had verwacht. Hij liep door tot hij schatte dat het water ongeveer zestig centimeter diep was en ging toen snel zitten, verrast dat de daling in temperatuur en de plotselinge onderdompeling zijn zintuigen juist leken te verscherpen. Hij voelde de zanderige bodem onder zijn billen, een kiezelsteen, glad en plat, precies onder zijn stuitje, slib dat tussen zijn tenen door werd geperst. Hij zat te bibberen en haalde opeens bewust adem, alsof hij zichzelf eraan moest herinneren het te doen. Met een snelle beweging strekte hij zijn benen en ging languit liggen, zijn armen voor zich uitgestoken als stokjes, met zijn handen naar de bodem tastend. En de bodem was er. Betrouwbaar. Het zanderige vlees van zijn groene maîtresse voelde stevig aan.

Nu lag hij op zijn buik, met zijn kin nog net boven water, zijn benen achter zich gestrekt. Hij sloeg zijn benen uit. De zuigende kikkerslag en het plassende geluid bevielen hem. Hij werd al iets warmer. Voorzichtig begon hij zijn lichaam naar voren te trekken, met zijn armen onder water wandelend. Hij zag er vast uit als een reusachtige watersalamander en kreeg water naar binnen toen hij daarom moest lachen. Hij spuugde het uit, concentreerde zich weer en maakte iets meer vaart. Heen en weer kroop hij, als een krab, over een afstand van een meter of tien. Met de stroom mee was het uiteraard makkelijker dan ertegenin. Na een halfuur, toen hij wat zelfvertrouwen had gekregen, ging hij ietsje dieper en durfde zelfs beide handen van de bodem te tillen en er een paar slagen mee te maken. Hij ging meteen kopje-onder, maar omdat het water zo ondiep was, zonk hij niet ver en stond hij snel weer overeind.

Hij merkte aan de lengende schaduwen, niet aan de toenemende kou, dat het al laat werd, hoog tijd om naar huis te gaan. Hij had gemerkt dat zolang hij zijn benen bleef uitslaan en zich bleef voorttrekken, hij de indringende kou niet voelde. Maar toen hij noodgedwongen uit het water kwam, woei de avondwind als een scherp mes rond zijn natte lichaam. Hij droogde zich snel af en roste met de handdoek stevig over zijn haar. Hij moest voorkomen dat zijn broer iets in de gaten kreeg, want hij maakte zich geen illusies. In tegenstelling tot de boeken was deze onderneming allesbehalve saai. Als hij Emmet iets liet weten over dit gevaarlijke tijdverdrijf, zou hij streng gestraft worden.

Die zomer was leren zwemmen het enige waar Sean zich voor

interesseerde. 's Avonds boog hij zich bij kaarslicht over het inmiddels beduimelde boek om de tekeningen in zijn geheugen te prenten en hij oefende de bewegingen op het droge voordat hij ze in het water uitprobeerde. Er gebeurde nog iets, waar hij niet op had gerekend: de Shannon bleek zelf een lerares te zijn. Hij had dat niet verwacht, maar het was zo. Al bij zijn tweede les, toen hij al zijn moed bij elkaar raapte en zijn hoofd onder water stak, maakte ze hem duidelijk hoe lucht hem kon helpen in haar domein. Voordat hij zijn hoofd onder de oppervlakte had gestoken, had hij automatisch diep ademgehaald. Tot zijn grote verbazing merkte hij, met zijn longen zo vol lucht dat ze bijna op knappen stonden, dat zinken in die situatie onmogelijk was. Zijn longen waren net ballonnen, of de drijvers die watervliegtuigen in de gelegenheid stelden over de vloeibare landingsbaan te scheren.

Gewapend met deze informatie werd hij al snel nog moediger en zwom hij in water dat tot zijn middel kwam. Ja, het was echt waar, bedacht hij, blozend van trots om zijn prestatie. Hij zwom. Sean Madigan had zelfstandig leren zwemmen. Hij had de angst van zich afgezet, de angst die er bij hem was ingestampt door zijn ouders, zijn vrienden, en de hele bijgelovige boerengemeenschap. Hij had al twee slagen onder de knie, de borstcrawl en de schoolslag. Hij werd steeds sneller en waagde zich elke zondag een paar meter verder in de rivier. Begin augustus waagde hij het van de rotsen te springen en te duiken die in dieper water uitstaken. Het euforische gevoel dat hij ervoer als zijn lichaam door het heldere water schoot, was ongeëvenaard. De sensuele beloningen van het je verplaatsen in water waren eindeloos. Hij hield zijn ogen wijd open, zoals hij vanaf de allereerste keer had gedaan. Het water bevatte niet voldoende zout om zijn ogen te laten prikken en hij was verrukt van het waterige schijnsel rond alles wat hij in deze nieuwe omgeving zag. Het allermooiste was onder water opkijken naar de hemel erboven. Die onderging ook een metamorfose. Het licht was een glittering, een kroonluchter van trillende deeltjes, waardoor het net leek alsof de hemel ook een rivier was, een rivier van licht, een rivier die zich samenvoegde met zijn geliefde Shannon, erin opging, erin binnendrong, zoals een man, wist hij, in het zachte innerlijk van een vrouw drong.

En ze loog hem nooit voor. Als hij naar haar toe kroop en zich over haar spiegelende oppervlakte boog, was het beeld dat ze hem liet zien altijd de waarheid. Ze begreep dat hij een ras apart was, een verdwaald zaadje dat zich in de buik van zijn moeder had geplant en zich vanaf het moment van de bevruchting tegen de beperkingen van haar wereld had verzet. Dit werd bevestigd, al was het niet eens nodig, door de argwanende blikken waarmee zijn moeder naar hem keek. Zelden keken haar scherpe donkere ogen in het hunkerende blauwgroen van de zijne. Maar als dat gebeurde, kon hij zien dat ze zocht naar iets van zichzelf, naar haar genetische invloed op haar oudste zoon. Ze ontwarde zijn strengen in de hoop de herkenbare lijn te vinden die liep door jaren van hongersnood en twisten, de lijn die zichtbaar was op alle bruin geworden foto's in de lijstjes aan de witte muren.

Maar in alle jaren dat ze hem had zien opgroeien, had hij de pijn van haar teleurstelling gevoeld. Hij was zelfs voor zijn eigen moeder een vreemde, een koekoek in haar nest. En omdat ze hem niet begreep, was ze bang voor hem. De Shannon, daarentegen, bewaarde zijn beeltenis in het diepe groen van haar wezen. Ze had hem geadopteerd alsof hij haar eigen waterkind was.

In de laatste week van augustus werd hij betrapt. Het was Brandon Connolly, de nieuwsgierige eigenaar van de zuivelhandel, die hem vanaf zijn stenen duikplank in het water zag springen. Hij ging onmiddellijk naar zijn moeder om haar op de hoogte te stellen van de ondeugende streken van haar eigenaardige zoon. Zijn moeder vertelde het aan zijn vader en Sean kreeg ervan langs, niet één keer maar meerdere keren. De met koperen sierknopjes bezette riem die zijn vader gebruikte, veroorzaakte open wonden op zijn rug, billen en dijen, etterende wonden die pas na maanden waren genezen. Sean voelde zich alsof de littekens van de striemen op zijn ziel lagen.

Zijn moeder zei dat hij een ongehoorzaam kind was, dat het water de eerste de beste kans zou aangrijpen om hem te laten verdrinken, net zoals die arme Iona O'Neill, het meisje uit Labasheeda. Zijn vader zei dat als hij ooit nog ook maar één teen in de Shannon zou steken, hij de rivier de moeite zou besparen en hem eigenhandig de nek zou omdraaien. Hij eiste dat hij voor zijn onverantwoordelijke gedrag zijn excuses zou aanbieden aan zijn vader, die hem nodig had op de boerderij, aan zijn moeder die godbetert nog steeds om haar waardeloze zoon gaf, en aan zijn broertje, die hem zo'n slecht voorbeeld had zien geven. Emmet zat te gniffelen en vroeg of hij zijn wonden mocht aanraken toen die na de afranseling nog openlagen. Sean zag hoezeer de warme, kleverige etter tussen zijn stompe vingertoppen en de zoute geur van de pijn van zijn broer hem beviel.

Maar Sean bood geen excuses aan, omdat hij er geen spijt van had. Hij bleef opstandig. Hij hield van het water en van wat hij van de rivier had geleerd. Volgens de catechismus van Shannon was niets onmogelijk. Ze had haar pupil geleerd dat als hij de wil bezat om iets te doen, er een weg gevonden kon worden om dat te bereiken. Bij zonsondergang ging hij op de top van de heuvel zitten, waar hij over het land en de boerderij die hij zo haatte kon uitkijken naar de groene vlecht van de rivier waar hij zo van hield. Hij wist dat ze op hem wachtte, dat ze hem op een goede dag weer zou opnemen in haar sterke armen en dat het dan zou zijn alsof hij haar omhelzing nooit had verlaten.

Toen hij veertien was, kwam er een einde aan zijn schoolopleiding. Voor de parochieschool was geen geld. Bovendien was het tijd om een man te zijn, zijn rol te vervullen door met zijn vader op de boerderij te werken. Maar Sean had liever zijn boeken, de boeken die hem beloofden dat er een ander leven mogelijk was. Hij verrichtte zijn aandeel in de werkzaamheden niet. Hij verkwistte de uren aan lezen. Hij was inmiddels te groot voor lijfstraffen. Zijn vader gaf hem uitbranders en zijn moeder jammerde en smeekte, maar hij negeerde hen en luisterde liever naar de verleidelijke stem van de rivier. Uit wanhoop besloten ze dat hij dan maar bij zijn tante Regan in Engeland moest gaan wonen en ze zetten hem op een vliegtuig. In Engeland waren een heleboel rivieren, merkte hij. Hij ging naar Londen en zag de Theems traag en grijs onder de Waterloo Bridge door stromen, maar zijn hart behoorde toe aan de Shannon en hij bleef haar aantrekkingskracht voelen.

Hij heeft het beduimelde boekje nog steeds, bewaart het onder zijn kussen. 's Avonds, vlak voordat hij in slaap valt, hoort hij haar fluisteren dat alles mogelijk is, en dat ze, net als hij, wacht op het moment waarop ze herenigd zullen worden.

6

1975

CATHERINE DRAAGT ZO'N ZIEKENHUISHEMD DAT DE OPENING VAN achteren heeft. Ze heeft geprobeerd de panden van de dikke, witte, katoenen stof over elkaar heen te trekken, maar gelooft niet dat het is gelukt. Ze voelt zich alsof er een liniaal over haar huid glijdt, beginnend bij haar nek, over haar rug, via de spleet tussen haar bleke billen tot aan haar tegen elkaar geklemde dijen. Onder het hemd heeft ze niets aan. De stugge stof is het enige wat haar nog beschermt tegen de wereld. Gek genoeg zijn het vooral haar blote voeten die haar een kwetsbaar gevoel geven. Ze heeft kippenvel. Ze heeft het zo koud dat ze schokkerig zit te bibberen.

Ze bekijkt de kleine kamer. Vaalbruine tapijttegels. Een bedbank met een donkerblauw overtrek. 'Het knispert als je je beweegt,' mompelt ze voor zich uit. Ze had dat gemerkt toen ze er ineengedoken op was gaan zitten, nerveus velletjes van haar nagelriemen trekkend. Ze had het overtrek opgelicht en het dikke vel plastic gezien. Haastig had ze het overtrek weer rechtgetrokken, alsof ze aan het snuffelen was in iemands slaapkamer en die persoon elk moment kon binnenkomen en haar betrappen. Er staat ook een klerenkast, glanzend donkerbruin geschilderd, waar ze haar kleren in heeft opgehangen. Een Schotse rok, een trui, een wollen maillot, laarzen. Ze denkt aan het donkere interieur van de kast en aan haar kleren die daar moeten hangen tot ze terugkomt om ze weer aan te trekken en tot leven te laten komen. Ze denkt aan de andere witte ziekenhuishemden die wachten op andere vrouwen die hier zullen komen. En er is een zware houten stoel met een rode plastic zitting. Haar witte handtas ligt daarop, als een plastic kat. De kamer heeft plafondverlichting, een zwak peertje onder een kap van rookglas. Voor het raam hangen jaloezieën. Die waren gesloten toen ze binnenkwam. Ze heeft geprobeerd ze open te doen, maar kreeg er geen beweging in. Het maakt ook eigenlijk niet uit. Het is een koude, grijze novembermiddag, een dag waarop de lage winterzon nauwelijks de kracht lijkt te hebben om boven de horizon uit te stijgen alvorens weer af te dalen naar de ijskoude duisternis van de nacht.

Zo dadelijk komt ze haar halen, de verpleegster, al heeft ze gezegd dat het nog even kan duren, omdat een andere patiënte nogal laat was gekomen. 'Sommige van die jonge meiden trekken zich nergens iets van aan.' Ze had het op een cynische toon gezegd en haar blik was over Catherine heen gegleden, beoordelend, taxerend hoe ver ze heen was. 'Tijd is geld, ook voor de dokter.' Ze had afkeurend gesnoven, met gespreide neusgaten, waardoor ze Catherine aan een varken had doen denken. 'En zoiets heeft natuurlijk een domino-effect. Alles is nu uitgelopen, maar maak je geen zorgen, voor je het weet ben je aan de beurt. Neem je gemak ervan. Dat is mijn advies.'

Catherine vond het klinken alsof de dokter haar een beurt zou geven en voelde haar binnenste verkrampen alsof het zich schrap zette tegen de aanval. Het was begrijpelijk dat ze bang was. Toch was dat niet nodig. Het enige wat de verpleegster had gezegd, was dat er wat oponthoud was. Catherine was zo dadelijk aan de beurt, maar moest nog even wachten. Het probleem is dat ze al afkeer van de vrouw, juffrouw Janney, had gekregen toen ze haar twee dagen geleden voor het eerst had ontmoet. In haar ogen is ze een gespierd manwijf, met haar korte, vettige, zwarte haar, haar rimpelige huid die Catherine aan verschrompelde appels doet denken, haar sluwe, kleine, grijze ogen en haar korte armen. Catherine vermoedt dat juffrouw Janney helemaal geen verpleegster is, ondanks het groene pak dat ze draagt. Dat kan net zo goed de werkkleding van een schoonmaakster zijn. Had ze niet herhaaldelijk tegen Catherine gezegd, toen die hier voor het eerst was, hoe schoon en hygiënisch de dokter was? Ze vraagt zich af of ze daarmee bedoelt dat hij niet in zijn neus peutert of dat hij zijn handen met zeep wast als hij naar de wc is geweest. Maar toen had juffrouw Janney veelbetekenend haar wenkbrauwen opgetrokken en eraan toegevoegd dat hij zijn instrumenten steriliseerde, wat ze niet van iedereen kon zeggen. Geen risico op infecties hier. En weer, misschien omdat het allemaal een beetje onwerkelijk aanvoelde, waren Catherine's gedachten afgeleid, nu door het beeld van een dokter die geen medische instrumenten maar een muziekinstrument oppoetste.

Juffrouw Janney is waarschijnlijk nergens gediplomeerd in, behalve in geld aanpakken. Daar was ze erg goed in. Buitengewoon goed. 'We accepteren alleen contant geld en het hele bedrag moet vooruitbetaald worden. In kleine biljetten, zonder munten. Briefjes van vijf zijn het beste. Als u geen geld meebrengt, gaat de behandeling niet door. U bent gewaarschuwd,' had ze gezegd toen Catherine had opgebeld. De meelevende, geruststellende klanken van het eerste gesprek hadden plaatsgemaakt voor een bikkelharde muur van voorwaarden.

Catherine klemt haar dijen nu zo strak tegen elkaar dat de dokter ze zo dadelijk met een breekijzer van elkaar zal moet wrikken. Het ruikt vreemd in de kamer, naar hoesttabletten en slechte adem. Ze moet er bijna van kokhalzen. Ze haalt diep adem door haar mond en blaast de lucht in een lange, trage stroom uit. Onderhand probeert ze de gerafelde uiteinden van haar gedachten bij elkaar te pakken en te vlechten, wat haar redelijk goed lukt.

Ze is hier voor een abortus. Tegenwoordig is dat een heel gewone zaak, niets om je druk over te maken. Ze is een moderne vrouw en dit is wat moderne vrouwen doen als ze ontdekken dat ze zwanger zijn en geen baby willen. De verpleegster zei dat de meeste vrouwen vroeg of laat een abortus laten plegen. 'Soms komt het nu eenmaal niet goed uit. En je wilt het goed doen. Dat mag je jezelf best gunnen. Of niet soms?'

Je wilt het goed doen. Die zin was eruit gesprongen. Catherine heeft het namelijk niet goed gedaan, nooit. Alleen fout, verschrikkelijk fout. En voor haar gevoel doet ze met elke beslissing die ze neemt nóg een stap op dun ijs, loopt ze weer de verkeerde kant op in een doolhof. Ze is verdwaald. Hoe verder ze doorgaat, hoe kleiner de kans dat ze ooit nog de weg terug zal vinden.

'Het is niet prettig. Ik zal u niets op de mouw spelden. Maar zolang je er vroeg genoeg bij bent, is het niet erger dan een kies laten trekken.' Aangezien Catherine nog nooit een kies heeft laten trekken, loopt deze vergelijking, zelfs als die correct mocht zijn, voor haar een beetje mank. Toen juffrouw Janney het zei, wilde Catherine haar vragen of ze er persoonlijk ervaring mee had, of ze zelf ooit een abortus had laten plegen, maar de kortaangebonden houding van de vrouw had haar ervan weerhouden.

De stap op het dunne ijs die ertoe had geleid dat ze naar het altaar was gelopen en 'ja' had gezegd tegen Sean Madigan, was desastreus gebleken. Ze hield toen niet van hem en ze houdt ook nu niet van hem. Is ze niet goed bij haar hoofd? Waarom gaan mensen trouwen? Op die vraag weet ze het antwoord wel. Om te ontsnappen, om weg te komen bij de moeder die voortdurend aan de touwtjes van je leven trekt, tot je het gevoel hebt dat je er geen enkele controle over hebt. Een secretaresseopleiding in Twickenham? Wat moest ze daar? Ze wilde geen typiste worden. Ze wil geen aantekeningen uittypen van iemand anders, van een man. Ze wilde haar eigen aantekeningen, haar eigen leven.

Haar gedachten zweven terug naar de dag waarop ze elkaar hadden ontmoet, zij en Sean, zoals mensen sentimenteel praten over dat fatale moment. Als het een speling van het lot was geweest, was het wel een erg eigenaardige speling. Niet alleen was het lot hun beiden nooit goed gezind geweest, ze kwamen ook nog eens uit twee totaal verschillende werelden, gescheiden door de Ierse Zee. Daar komt bij dat er heel wat ontbreekt op het gebied van de hartstocht tussen de lakens. Er valt veel te zeggen voor seks voor het huwelijk, peinst ze. Ze had het moeten uitproberen. De lakmoesproef die uitwijst of je bij elkaar past en je jarenlange ellende bespaart als dat niet zo blijkt te zijn.

Ze werkte als serveerster in L'Auberge in Richmond om wat zakgeld te verdienen. Hij was er met vrienden. Hij was erg beleefd en zijn ogen... waren ze nou blauw of waren ze groen? Ze weet het nog steeds niet zeker. Maar ze keken vriendelijk. Hij had vriendelijke ogen. Bovendien hield ze van zijn zachte Ierse tongval, zijn ga-mee-naar-bed-stem, ook al was het een onaangename anticlimax toen het eenmaal zover was. Hij was oorstrelend, die stem. Hij kalmeerde haar, gaf haar een veilig gevoel.

Nu zit ze hier op de rand van het divanbed en hoort het plastic luidruchtig knisperen onder haar achterste. Ze neemt aan dat het plastic erop ligt vanwege het bloed. Anders zouden er vlekken op het matras komen. En een matras vol vlekken is smerig, een huiveringwekkende hint over wat je hier te wachten staat. Het zou vrouwen kunnen afschrikken, vrouwen die minder vastbesloten zijn dan zij. Nu kunnen ze het overtrek in de wasmachine doen, de beschermende plastic laag met wat desinfecterend middel aflappen en dan is alles weer zo goed als nieuw. Heel verstandig.

Sean weet niets, niet over de baby, niet over de abortus, maar ze gelooft dat hij de rest wel door heeft, het deel waarin de hartstocht ontbreekt. En zonder hartstocht werkt het niet. Met hartstocht werkt het soms ook niet, maar dan heb je tenminste nog een redelijke kans. Haar vader en moeder weten ook nergens van. Als die wisten waar ze op dit moment zat... Er was een moment van zwakte geweest toen ze had overwogen het aan haar broer, Stephen, te vertellen, maar ze had zich uiteindelijk bedacht. Ze had beseft dat ze allemaal zouden proberen haar ervan te weerhouden het te doen. Niet om harentwille, maar voor henzelf.

Haar moeder zou zich over een kleinkind ontfermen zoals ze zich niet over haar eigen dochter had kunnen ontfermen. Ze zou het indoctrineren tot het Catherine zou gaan zien met de ogen van Catherine's moeder. En dan zou ze door haar eigen kind veracht worden. Voor Sean zou het een soort wondermiddel zijn, beter dan brandewijn. In elk geval een poosje. Een baby zou alles in orde maken, hen met elkaar verbinden, ze zouden een gezin zijn en hij een vader zoals in kinderboeken. Haar broer zou zichzelf er vermoedelijk van overtuigen dat ze alleen maar bang was. Hij zou even komen om zich ermee te bemoeien en dan weer naar huis gaan en alles aan haar overlaten met het gevoel dat hij een geweldige vent was, een broer die zijn kleine zusje had geholpen. Zelfzuchtige motieven, stuk voor stuk.

Als ze de baby laat komen, zit ze vast aan dit rampzalige bestaan, aan Sean, de dromer, de drinker, de rokkenjager, de man met de grote plannen die in het niets verdwijnen bij het dagen van de nieuwe dag en het begin van de kater. Waren ze echt pas twee maanden getrouwd? Het leek een eeuwigheid. Ze sluit haar ogen en ziet zichzelf op de grote dag. Haar adem stokt in haar keel omdat ze er zo jong uitziet, als een meisje dat een kist met verkleedkleren heeft gekregen, een meisje dat een oude baljurk van haar moeder heeft aangetrokken. Ze ziet er niet uit als een stralende vrouw in haar trouwjapon. Ze was binnen een paar weken zo afgevallen dat alles haar te wijd was. Ze verdronk in de stroken satijn en de ruches van kant, verdwaalde in de besneeuwde doolhof van een winterdag waarin elke stap haar dichter bij het gevaarlijke ijs bracht. De wijde petticoat, het smalle lijfje, de pofmouwen, ontworpen om nadruk te leggen op vrouwelijke attributen zoals een smalle taille, welgevormde heupen en een verleidelijke boezem, slobberden om haar heen. Zelfs haar rode haar, optimistisch opgestoken tot een martelende toren van krullen, gedroeg zich rebels. Weerbarstige lokken ontsnapten zelfs aan de extra sterke haarlak waar haar moeder zo kwistig mee stond te spuiten dat Catherine bijna stikte en bang was dat ze van haar stokje zou gaan. Ze hingen als een rijtje kurkentrekkers op haar voorhoofd, wierpen een schaduw over haar ogen en gaven haar het aanzien van een poedel die was opgedoft voor een hondententoonstelling. Toen ze onderuitgezakt was gaan zitten op het ongemakkelijke kunstleren bankje, had haar moeder gezegd dat ze moest blijven staan om te voorkomen dat haar jurk zou kreuken, in elk geval tot haar vader haar kwam halen, maar ze had haar genegeerd.

'Het zou jammer zijn als je helemaal verkreukeld naar het altaar liep, lieverd.' Catherine gaf geen antwoord en hield haar ogen neergeslagen. Ze vocht tegen de tranen die dreigden haar make-up te laten uitlopen en daarmee het werk af te maken dat door het kapsel begonnen was. Kort daarna was haar moeder naar de kerk vertrokken. Haar vader belde op om haar te laten weten dat hij nu bij de garage van haar broer wegreed. Hij was op dit moment op weg naar het huis in Kingston, in de glanzend gepoetste, met linten versierde Austin Seven, met haar broer, Stephen, die vandaag de rol van de vrolijke chauffeur zou spelen. En ondanks het feit dat de wolk die haar omgaf, ondoordringbaar leek, scheen erachter toch de zon, dacht Catherine toen ze haar groene ogen ophief en in die van Rosalyn keek.

Ja, de Amerikaanse Hoyles waren voor de bruiloft gekomen. En niet alleen dat, Rosalyn was ook nog eens haar onofficiële bruidsmeisje – onofficieel omdat ze het haar niet wilde aandoen net als zij in een wanstaltige jurk te moeten lopen. Ze was slechts in naam bruidsmeisje. In haar lauriergroene zijden broekpak, met een sjaaltje in beige en paars sierlijk om haar hals gebonden, was Rosalyn een streling voor het netvlies. Haar gewillige, halflange, zwarte haar was in laagjes geknipt, met een korte pony die haar fotomodellengezicht een eigenzinnige, ondeugende uitstraling gaf. En ze had nog iets waar Catherine uitermate jaloers op was. Op haar schoot lag een fototoestel, een Rolleiflex. Rosalyn was freelancefotograaf en alhoewel ze nog maar aan het begin van haar carrière stond, beloofde die een succes te worden, want haar werk had nu al commentaar uitgelokt. Het trok de aandacht van de juiste mensen, omdat haar foto's precies zoals Rosalyn zelf waren – uniek en origineel. Vandaag stond ze echter voor de grootste uitdaging van haar ontluikende talent omdat ze moest proberen een wanhopige bruid er stralend te laten uitzien. Ze vernauwde haar ogen, keek in de zoeker, zag haar nichtje en stelde de lens op scherp. Catherine kromp ineen. Klik. Een vereeuwigde seconde. Foto nummer één. Angstige jonge bruid verzuipt in slecht passende bruidsjapon. Ze liet het fototoestel zakken.

'Catherine?' zei ze. 'Catherine?'

Catherine snufte. Het zachte, snuffelende geluid had iets meelijwekkends. Ze tuitte haar lippen toen die begonnen te trillen. Je mag nu niet huilen, zei ze tegen zichzelf. De stem van de rede gaf onmiddellijk antwoord: 'Als je nu niet huilt, Catherine, wanneer dan wel?' Ze weigerde te luisteren en zei: 'Mijn moeder zegt dat haar trouwdag de mooiste dag van haar leven was.' Ze sprak de zin uit met de voortvarendheid van een actrice uit een oude zwart-witfilm, erg precies en erg Engels. 'Ze zegt dat ze zich voelde als een prinses, dat iedereen haar als een prinses behandelde. Ze zegt dat ze zich de dag herinnert als een aaneenschakeling van dansen, champagne en cadeautjes.' Ze pulkte verdrietig aan een zaadpareltje dat op haar japon was genaaid. Rosalyn zei niets terug, want ze wist wanneer je beter kon zwijgen. Catherine haalde diep adem, alsof ze voor de volgende woorden behoefte had aan fysieke kracht, alsof ze, zoals een hardloper die wacht op het startschot, extra zuurstof nodig had om goed uit de startblokken te komen. 'De laatste keer dat ik je heb gezien, was bij oma's begrafenis.' Een amper merkbaar knikje van Rosalyn. Ze bleef zwijgen en streek met haar pink over de rand van de lens. De stilte werd geleidelijk ijler tot het begin van de volgende zin. 'Ik... eh... ik was op die dag gelukkiger dan ik nu ben.' Weer keken ze elkaar in de ogen.

'Het was me er een, oma Hoyle. Weet je nog hoe ze altijd het huis uit rende, zwaaiend met een theedoek om de spreeuwen bij het vogelhuisje weg te jagen? Zwart gif noemde ze de spreeuwen.' Rosalyn sprong overeind en imiteerde haar moeiteloos. 'Kssjt! Kssjt! Ellendige beesten. Vliegend vergif zijn jullie! Geen haar beter dan ratten. Als ik een geweer had, schoot ik jullie allemaal dood. Kssjt!' Ondanks alles moest Catharine lachen. Rosalyn maakte een buiging en ging weer zitten.

'Ze was een scherpschutter met die theedoeken. Altijd raak.

Weet je nog hoe ze opa ermee sloeg? "Weg uit mijn keuken! Loop me niet voor de voeten! Hoe kan ik koken als jij hier rondscharrelt?"' Haar imitatie was niet zo goed als die van Rosalyn, maar ze was nergens zo goed in als Rosalyn. 'Ik wil wedden... nee, laat maar zitten...'

'Wat?' Rosalyn leunde naar voren.

'Nee, het slaat nergens op.' Een ogenblik was ze alles vergeten en dat was fijn, maar nu kwam het weer terug.

'Zeg het nou,' vleide Rosalyn.

'Nou, ik... ik dacht alleen opeens dat ze het in de hemel waarschijnlijk nog steeds doet.'

'Hoe bedoel je?'

'Dat ze spreeuwen wegjaagt bij de hemelpoort.' Rosalyn proestte. 'Ik zei toch dat het nergens op sloeg?'

'Behalve,' zei Rosalyn, de gevolgtrekking negerend, 'dat ze nu waarschijnlijk haar eigen vleugels ervoor gebruikt.' Ze vervielen weer in stilzwijgen. Buiten liet iemand een motor loeien. 'Je vader komt zo.' De gouden klok op de schoorsteenmantel van nepnatuursteen was elektrisch. Hij tikte niet en had in plaats van een slinger een metalen wieltje dat je kon zien draaien onder de glazen stolp. Heen en weer ging het, heen en weer.

'Ik hou niet van hem,' mompelde Catherine met neergeslagen ogen. Het zaadpareltje hing aan het draadje. Ze keek weer op naar haar nichtje. 'Ik hou niet van Sean.'

'O, Catherine!' zei Rosalyn. Toen: 'Waarom dan?'

'Omdat...' Haar lippen waren gevoelloos geworden. Ze zweeg om moed te putten en begon opnieuw. 'Omdat ik zo'n hekel had aan de secretaresseopleiding. Omdat ik er zo'n hekel aan had om thuis te moeten wonen. Omdat het net een gevangenis was. Ik had niets over mijn eigen leven te zeggen. Ik dacht dat ik er op deze manier aan kon ontsnappen.'

Rosalyn hing het fototoestel om haar nek en stond op. Catherine staarde naar haar. Ze was lang en elegant, mooi, een vrouw vol hartstocht voor haar kunst. Ze was volwassen geworden terwijl Catherine het gevoel had dat ze halverwege haar ontwikkeling was blijven steken. 'Dan zeggen we gewoon dat het niet doorgaat,' verklaarde Rosalyn dapper, met blosjes van empathie op haar hoge jukbeenderen.

'Dat kan ik niet doen,' protesteerde Catherine zwakjes.

'Ik doe het wel voor je. Ik zal alles uitleggen. Maak je geen zorgen.'

'Nee, ik kan het niet doen.'

Ze kwam naast Catherine zitten, de grote zus die alles in orde zou maken. 'Doe het niet, Catherine. Je hebt je vergist, dat is alles. Er zijn zo veel vrouwen die zich vergissen. Waar het om gaat is dat we snel een einde aan deze farce maken.' Ze hoorden geluiden in de portiek. Catherine's hart miste een slag. 'Maak je geen zorgen. Blijf maar gewoon hier. Ik zal het allemaal uitleggen.'

Toen ze opstond greep Catherine haar hand. 'Denk je er nog weleens aan?' vroeg ze op een indringende fluistertoon.

Een gespannen stilte, toen het snelle antwoord: 'Ja.' Alsof de telepathie die lang geleden tussen hen was ontstaan, nog steeds bestond, waardoor het niet nodig was te vragen wat haar nichtje bedoelde.

De voordeur werd opengegooid. 'Catherine!' riep haar broer vanuit de hal. 'Mogen we de bruid al zien?'

'Een ogenblikje nog,' riep Rosalyn terug en ze ging op zachte toon door: 'Ik denk elke dag aan het ijs.' Ze grepen elkaars hand nog steviger vast.

'We zijn toen bijna doodgegaan,' fluisterde Catherine.

'Ik ben toen bijna doodgegaan,' verbeterde Rosalyn haar. Met haar andere hand streek ze de eigenwijze kurkentrekkerpony van haar nichtje opzij.

'Catherine!' De vader van de bruid begon haar nu op te jutten. 'Als het nog lang duurt, komen we zo laat dat het niet leuk meer is, lieverd.'

'Mag ik het alsjeblieft gaan zeggen?' smeekte Rosalyn.

Catherine's 'nee' was een simpele beweging van haar ogen. Ze stond op. 'Ik voel me in deze stomme jurk zo log als een drachtige koe,' mompelde ze. Bij beide meisjes zaten de tranen nu hoog; de moeite die het kostte om ze binnen te houden, werd niet gedeeld maar verdubbeld. 'Mijn sluier, alsjeblieft,' zei Catherine geforceerd. Haar stem beefde. De sluier lag op de lage tafel, uitgespreid over de randen en hoeken waardoor hij eruitzag als een slagroomtaart. Rosalyn pakte hem en bevestigde hem vaardig op Catherine's hoofd. Ze keek standvastig in haar bedroefde groene ogen.

'Het is nog niet te laat,' fluisterde ze.

'Binnen een seconde was het allemaal veranderd, binnen een seconde beseften we dat het geen spel was. Begraven onder ijsschotsen in het koude water.'

Rosalyn knikte. 'Catherine –'

'Nee. Hoe zie ik eruit?'

'Snoezig. Je ziet er snoezig uit.'

Catherine glimlachte vreugdeloos en instinctief keek Rosalyn in de zoeker van de objectieve lens. Klik. Foto nummer twee. Berusting onder een sluier. Toen werd de kin een tikje opgeheven. Ze was gereed. Rosalyn liep naar de deur om de mannen binnen te laten. Keith Hoyle's adem stokte van vaderlijke trots toen hij zijn dochter zag.

Voor Catherine was er maar één manier om dit te overleven. Ze werd het kind dat een trouwjurk uit de verkleedkist had gehaald en nu de rol moest spelen. Terwijl ze met zich liet sollen, vertelde ze zichzelf in gedachten het verhaal:

'In dit toneelstuk ben ik een vrouw die wanhopig probeert elke seconde van deze dag, haar grote dag, uit te buiten. Ik zit in een Austin Seven waarvan de glanzende motorkap is versierd met linten en rozetten, samen met mijn vader, mijn broer en mijn beste vriendin Rosalyn. Mensen op straat bukken zich om een glimp op te vangen van het mooie bruidje. Ik kom aan bij de St.-Andrewkerk in Ham, stap uit, loop door de overdekte poort en volg het pad. Het is zomer. De bladeren van de bomen glanzen alsof ze in groene verf zijn gedoopt. De grafstenen en tomben staan er rustig bij, netjes rechtop. Ik klem mijn hand om mijn boeketje witte rozen en vraag me af hoe lang het zal duren voordat de bloemen verwelken. Mijn chauffeur knipoogt naar me. Rosalyn loopt voor me uit en neemt foto's. Klik, filmpje doordraaien, klik.

'Als ik de kerk betreed, begint de muziek: de Bruidsmars van Mendelssohn. En ik denk, ben ik het? Ben ik echt de bruid? Is dit hoe een bruid zich voelt? Een zee van knikkende hoofden. Mijn blik gaat rond. Ik kijk naar de kostuums en vermommingen, dure japonnen, mooie pakken, baarden, snorren, brillen, blonde, bruine, rode en ook grijze pruiken. Erboven is de kerk een speelveld van gekleurde lichtbanen. Het ruikt naar stof en naar hout, er glinstert zilver, er flakkeren kaarsen. Ik zie mijn moeder. Ze bekijkt zichzelf in het spiegeltje van haar poederdoos, zoals altijd op zoek naar verboden grijze haren. Mijn hakken tikken op de stenen vloer. Er staan grote bloemstukken die de lucht vullen met hun geur en er hangen bloemen en linten aan de uiteinden van de banken.

'De priester staat met gespreide armen op me te wachten. En voor hem staat iemand in een duifgrijs pak. Ik zie zijn blonde haar pieken op de kraag. Ik vraag me af of hij zich zal omdraaien, deze bruidegom, of hij zich zal omdraaien om naar zijn bruid te kijken. Dat doet hij niet. Als ik naast hem sta, kijkt hij vluchtig opzij, met een zweem van een glimlach, en hij pakt mijn hand. Zijn hand beeft, maar de mijne niet. Ik besef dat hij zenuwachtig is en opeens vind ik dat om te gillen. Maar ik mag niet lachen. Het is nu net zo belangrijk niet te lachen als het daarstraks was om niet te huilen. Voor alle zekerheid knijp ik in mijn taille en dan merk ik dat die er niet is, dat ik alleen satijnen stof voel tussen mijn duim en wijsvinger.'

Dan opeens: 'Neem jij, Catherine Hoyle...' In de stilte die daarop volgde drong tot haar door dat de pastoor het tegen haar had en dat ze niet de hoofdrol speelde in een toneelstuk, maar in haar eigen rampzalige leven. Klik, zei het fototoestel. Foto nummer drie. Catherine die zich vertwijfeld afvraagt: *Moet ik echt met Sean Madigan trouwen?* Zijn vingers voelden bevroren en hard aan in haar hand, als het sluitende ijs.

'Ja,' zei ze. En toen waren ze man en vrouw.

Haar huwelijksbeloften waren een aanfluiting. Haar huwelijksnacht was een aanfluiting. Ze is zelf een aanfluiting. Ze wist uiteraard hoe het in zijn werk ging en wat er van hem en van haar werd verwacht, maar zoals Sean had vermoed, ging ze inderdaad als maagd het huwelijk in. Sean was attent en geduldig, maar dat hielp niet. Toen het vlies scheurde, slaakte ze een kreet van pijn, woede en vernedering – maar niet van genot. Ze houdt niet van hem. Ze houdt niet van deze Ierse man. Ze vindt hem niet eens aantrekkelijk. Ook niet afstotend, dat niet. Ze voelt voor hem wat je voelt voor iemand met wie je toevallig in een vastgelopen lift zit. Je kunt niet bij hem vandaan komen en zolang je er zit, moet je er het beste van zien te maken. Maar dat is alles. Ze is met hem in het huwelijk getreden, maar ze houdt niet van hem.

Ze keert in gedachten terug naar de nacht van haar ontmaagding, bespiedt het pasgetrouwde stel. Daar had je haar, de bruid, Catherine, in elk geval waren daar haar gespreide benen, haar gestrekte armen, haar handen die de lakens vastgrepen. Als ze nog lang in deze houding moest blijven liggen, had ze morgen een stijve nek. Daar had je de bruidegom, Sean, in haar stotend, amechtig hijgend, zijn gezicht vertrokken van de inspanning. Haar lichtgroene ogen waren nog net zichtbaar. Alsof ze zich in een meditatieve staat bevond, hield ze haar blik gericht op de oneffenheden aan het plafond, op de futiele bewegingen van een vederlichte nachtvlinder die steeds tegen de saliegroene lamp botste, op de vertekende schaduwen op het pleisterwerk. Uiteindelijk kwam hij klaar en rolde van haar af, verzadigd. Hij ging zitten en zwaaide zijn benen over de rand van het bed.

'Alles in orde, Catherine?' vroeg hij aan zijn bruid. Hij sloeg een beleefde toon aan – het *Goedemorgen, hoe maakt u het?* dat je bezigt tegen relatief onbekenden. Aangezien ze zich voelde zoals ze aannam dat slachtoffers van een verkrachting zich voelen, vond ze het klinken als het toppunt van vals pathos.

'Ja, dank je,' was haar antwoord, in dezelfde toonaard. Als dit een klucht was, dacht ze, zouden de mensen zich slap lachen.

'Het was voor jou niet erg fijn.' Een understatement dat het publiek van hun stoelen zou laten rollen van het lachen. 'Het spijt me. Het wordt wel beter, hoor. Je gaat het vanzelf wel fijn vinden. O, nee!'

Zijn stem schoot plotseling uit van schrik.

'Wat is er?'

'Ik geloof dat het stomme ding gescheurd is.' Had hij het over haar? Ze voelde zich in elk geval alsof ze met een bijl in tweeën was gehakt, alsof haar bloederige binnenste was blootgelegd, alsof alleen hechtingen, een heleboel hechtingen, haar weer heel konden maken. Maar toen kwam de verduidelijking: 'Het condoom. Verdomme! O, jezus!' Hij stond op en ze zag zijn bleke lichaam in de badkamer verdwijnen. 'Maar maak je geen zorgen, Catherine. Je eerste keer. Het bestaat niet dat het de eerste keer meteen gebeurt, schat,' riep hij op de gemaakte, zorgeloze toon die in een klucht altijd de voorloper is van onafwendbaar onheil. 'Dat weet ik zeker. Van nu af aan zullen we voorzichtiger zijn, goed?'

Haar hart implodeerde. Ze zou dit vaker moeten doen, zou dit vaker moeten ondergaan. Dat was wat ze uit zijn woorden distilleerde. Ze hoorde iets echoën in haar hoofd. *Niet de eerste keer*. Wat bedoelde hij daarmee, peinsde Catherine, versuft van vermoeidheid. Ze trok de dekens over zich heen om haar naaktheid te bedekken. Toen was het alsof er een lamp aanging in haar hoofd. Hij had het over zwanger worden. Alsof alles wat ze had moeten doorstaan nog niet erg genoeg was, bestond het gevaar dat ze zwanger was geworden omdat het condoom was gescheurd. Het leek wel alsof ze zich in een nachtmerrie van bodemloze horrors bevond, de ene nog erger dan de andere. Hij kwam weer binnen en ging aan zijn kant op het bed zitten, met zijn rug naar haar toe. Hij pakte het heupflesje dat op het nachtkastje stond. Dit requisiet kende ze niet, maar het was voorbestemd om zo alomtegenwoordig te worden in de scènes van haar huwelijksleven dat ze het uiteindelijk niet eens meer zou zien. Hij leunde achterover en bood haar, hoffelijk als altijd, het eerste slokje.

'Nee, dank je.'
'Weet je het zeker?'
'Heel zeker.'
Hij nam zelf een paar slokjes en ontblootte zijn tanden om het naargeestige decor. 'Het gebeurt echt niet meteen de eerste keer, schat, dat kun je van mij aannemen,' zei hij geruststellend, alsof hij God was en de macht bezat haar wel of niet zwanger te laten zijn. Maar ze was evengoed de klos. Ze had geen reageerbuisje nodig om daar een bevestiging van te krijgen. Ze kon niet uit deze val ontsnappen. Hij dronk het flesje leeg, kroop in bed, gaf haar een kusje op haar voorhoofd en deed het licht uit. Ze maakte zich zo klein mogelijk en huilde geluidloos.

Ik zit nog steeds vast in het ijs, denkt ze nu, terwijl het plastic onder haar billen dreigend kraakt. Hete tranen rollen over haar wangen. Ze maken haar lippen nat. Ze likt ze naar binnen en proeft het warme zout. Ze heeft al die jaren gedacht dat Rosalyn degene was die onherstelbaar was beschadigd door hun lotgevallen in het bevroren meer, dat het Rosalyn was die nooit volledig zou herstellen van die angstige belevenis, dat het Rosalyn was die niet minder zou blijven boeten voor die worsteling met de dood dan wanneer ze aan die winterdag afzichtelijke littekens had overgehouden. Maar nee, zij is het zelf, *zij* is het beschadigde nichtje. Rosalyn heeft zich volledig hersteld. Ze is een succesvol fotografe, ze staat aan het roer van haar leven, voert het bevel over haar schip, navigeert het door veilige wateren, terwijl Catherine's schip is vastgelopen en langzaam maar zeker wordt verslonden door de ijzige tanden die haar nog steeds in hun greep hebben. De baby is een anker dat haar naar de diepte trekt, en als ze zich er niet van lossnijdt, zal ze verdrinken.

Ze hoort voetstappen op de gang en vraagt zich af of het juffrouw Janney is, die haar komt halen. Opeens moet ze heel nodig naar de wc, net als vroeger wanneer ze zenuwachtig was. Een deur in de kamer blijkt toegang te geven tot een kleine ruimte met een toilet en een wastafel. Ze gaat er snel naar binnen terwijl de voetstappen op de gang doorlopen. Als ze haar handen wast met het ijskoude water dat uit beide kranen stroomt, dwalen haar gedachten terug naar haar negende verjaardag.

In het begin was alles goed gegaan. De zon was blijven schijnen en dus konden ze spelletjes doen in de tuin. En ze had alle negen kaarsjes op de taart in één keer uitgeblazen. Weet ze nog wat ze gewenst had? Natuurlijk. Ze had gewenst dat ze zich niet meer zo *nietserig* zou voelen. Meer dan ooit tevoren had ze zich op die dag gevoeld als een van die magische kleurboeken die ze bij de boekhandel verkochten. En ze wacht nog steeds op iemand die haar tot leven zal brengen, die haar kleur zal geven, iemand als Rosalyn. Na de cake en limonade hadden ze een voor een geprobeerd zo lang mogelijk op haar springstok te springen. Daarna hadden ze zich geamuseerd met Magic 8-Ball dat iemand had meegebracht. Ze waren naar binnen gegaan, in de zitkamer in een kring op de vloer gaan zitten en hadden de bal om beurten een vraag gesteld. Haar moeder had de gordijnen dichtgetrokken waardoor er grote blokken schaduw en smalle lichtbanen op de vloer te zien waren.

Toen het haar beurt was, ging alles mis. Haar kaken zaten op elkaar geklemd en haar ribben deden zo'n pijn dat ze moeite had adem te halen. Iedereen staarde naar haar en plotseling had ze het warm en koud tegelijk en kreeg ze kippenvel over haar hele lichaam. Toen voelde ze het bloed naar haar wangen stijgen en was het alsof de vlammen uitsloegen. Ze wist dat het belachelijk was, maar ze vond het nooit prettig als iedereen naar haar keek. Ze werd er verlegen van. Bijvoorbeeld als de juf op school haar verzocht op te staan en de hele klas naar haar keek. Ze kreeg een vieze smaak in haar mond. Ze wist dat ze zich heel goed moest beheersen om niet te gaan overgeven. Uiteindelijk slaagde ze erin haar keel te schrapen en met een klein stemmetje te vragen: 'Is het mogelijk dat mijn oom en tante en mijn neef en nichtje met Kerstmis hierheen komen en dat we dan samen naar het grote huis in Sussex gaan?'

Ze had met opzet Rosalyn niet met name genoemd, zich scherp bewust van haar moeders slinkse groene ogen die achter haar knipperden. Ze stond naast de deur tegen de muur geleund met haar armen kritisch over elkaar geslagen. Ze wist zeker dat als haar moeder erachter kwam hoezeer ze ernaar verlangde haar nichtje te zien, ze de plannen met opzet zou dwarsbomen. Ze haalde langzaam adem, trok haar schouders naar achteren en herhaalde de vraag op iets luidere toon.

'Is het mogelijk dat de Amerikaanse Hoyles met Kerstmis naar Engeland komen?' Ze schudde de bal alsof het een grote dobbelsteen was, hield hem ondersteboven en wreef met haar duim stevig over de onderkant. Ze hield haar ogen gericht op de donkere plek, in afwachting van het antwoord dat moest verschijnen, en dat hield ze nog vele seconden vol, in de hoop dat er een vergissing in het spel was, dat de spichtige grijze woorden zouden vervagen en veranderen. Maar dat gebeurde niet.

'Mijn... mijn antwoord is... nee,' stamelde ze, met een toonloze stem van teleurstelling toen ze door haar vriendinnen werd opgejut.

Er klonk troostend gemompel, maar dat hielp niet. Het was een ramp, omdat Catherine wist dat ze zou gaan huilen, dat ze er heel hard om zou gaan huilen. Ze kreeg een pijnlijk brok in haar keel, haar neus begon te jeuken en haar lippen zwollen op. Daarna was de verjaardag ingezakt zoals het Moskovisch gebak van haar moeder soms in het midden inzakte wanneer ze het uit de oven haalde. Catherine wou dat ze allemaal weggingen zodat ze naar boven kon gaan en in bed kruipen. Het ergste wat je kon overkomen, was haar conclusie als negenjarige toen ze moeizaam haar tranen bleef inslikken, was als je wilde huilen en dat niet kon doen. Ze was zo bang geweest dat iemand in haar binnenste zou kijken en het verdriet los zou maken. En toen dat gebeurde, wist ze dat het niet hetzelfde was als een kast leegmaken tot er niets meer op de planken stond, maar dat het verdriet tot in de eeuwigheid naar buiten zou blijven stromen.

Tegen de tijd dat ze allemaal vertrokken en Stephen kwam aanrijden en voor de deur zijn motor liet loeien, had Catherine geen zin meer in het ritje. Wat hij ook zei, hij kon geen enthousiasme in haar opwekken. Omdat haar vader vond dat het toch al te donker was, haalde haar broer zijn brede schouders op en vertrok meteen.

'Zo, daar zijn we voor een jaar weer vanaf,' zei haar moeder stug toen ze haar dochter goedenacht kwam wensen. 'Ben je blij met Sindy?'

'Ja, dank u wel,' antwoordde Catherine effen en ze keek naar Sindy die op dat moment in spagaat op haar kussen zat. 'Ze is erg mooi.'

'Papa zei dat je een fiets wilde, maar ik heb tegen hem gezegd dat ik dat onzin vond. Je kunt best nog een jaartje doen met je oude fiets.'

Catherine schaamde zich voor haar fiets, die indertijd tweedehands was gekocht. Haar moeder had het altijd over de massieve banden, die niet lek konden worden, alsof ze een verkooppraatje hield. Het probleem was echter dat Catherine elke hobbel en kuil in al haar botten voelde. Bovendien was de fiets zwart en wit geschilderd, met allemaal rare vlekken en vegen waardoor Catherine ervan overtuigd was dat een kind het had gedaan. Ze wilde dolgraag een fiets die rood of blauw was, of zelfs paars; een Raleigh zou fijn zijn geweest. Haar moeder stond op, legde haar hand op haar hoofd, zuchtte en liep de kamer uit. Later, toen haar ouders dachten dat ze sliep, hoorde ze hen praten.

'Nou, dat is redelijk goed gegaan,' zei haar moeder met een zucht. 'Al keek Catherine niet echt vrolijk. Soms vraag ik me af waarom ik eigenlijk zo veel moeite doe.'

'Volgens mij vond ze het best wel leuk,' suste haar vader welgemoed. 'Ze is net zoals ik, ze heeft moeite haar gevoelens te tonen.'

'Ze is in elk geval niet zoals ik!' verklaarde haar moeder op een toon die steeg van verontwaardiging. 'God, dat ik dit allemaal nu nog moet doen. Waarom ben je ook zo onvoorzichtig geweest, Keith. Ze was een ongelukje.'

'Een ongelukje waar we nu niet meer buiten kunnen, Dinah,' zei haar vader met klem, maar haar moeder gaf daarop geen antwoord.

Catherine dacht daar een poosje over na. Een ongelukje. Een ongelukje was als je viel. Of een botsing, of een elektrische schok, of als je groenten schoonmaakte en het mes wegglipte en je daarom in je vinger sneed. Een ongeluk leidde vaak tot veel bloed en pijn, soms zelfs een operatie met hechtingen. Zelfs aan kleine ongelukjes kon je een litteken overhouden, en bij grote ongelukken kon je invalide worden of verlamd raken. Je kon heel erge brandwonden oplopen, of uitglijden op glasscherven, of door een paard worden verpletterd. Hoe je het ook wendde of keerde, het waren geen prettige dingen, ze waren nooit welkom, het waren dingen waarvan je liever had dat ze niet waren gebeurd. Het was geen aangename gedachte om mee in slaap te vallen, herinnert Catherine zich. In plaats daarvan had ze aan Rosalyns gezicht gedacht, aan die ongelooflijk blauwe ogen, de lippen die nooit hadden geleerd te trillen, de neus die klein en recht was, een neus die nooit in nare dingen was gewreven.

Omdat ze inmiddels ijskoude handen heeft gekregen, doet ze de kraan dicht, droogt ze haar handen af en keert ze terug naar haar plek op het hoekje van de bedbank. Ze vraagt zich af welk antwoord Magic 8-Ball zou hebben gegeven over haar besluit met Sean Madigan te gaan trouwen. Welk wijs orakel zou uit het troebele interieur naar boven zijn gekomen? Wellicht: *Dat kan ik beter nu niet zeggen* of *Het ziet er niet zo goed uit* of *Erg twijfelachtig*. En als ze ook maar één traan had geplengd van de stortbui waar haar branderige ogen haar voor hadden gewaarschuwd, zouden de tranen zijn blijven vloeien. Als het eenmaal begon, zou ze nooit in staat zijn de kast van haar misère te legen. Het is inderdaad het ergste wat er bestaat, willen huilen maar dat niet kunnen. Als negenjarige was ze op die ellendige verjaardag tot die conclusie gekomen en als eenentwintigjarige kon ze op deze winterse dag die stelling uit haar prille jeugd bevestigen.

Ze schrikt op uit haar gedachten als de deur opengaat. 'U kunt nu meekomen, mevrouw Madigan,' zegt juffrouw Janney. Haar uitgedroogde gezicht plooit zich tot een vluchtige glimlach. Ze komt binnen, doet een stap opzij en houdt de deur open om Catherine erdoor te laten. Catherine duwt zich van het bed af en komt op benen te staan die zijn gesmolten. Ze zet ze met pure wilskracht opnieuw in elkaar, breit vastberaden de pezen en spieren aaneen. Ze laat deze abortus privé doen omdat ze het geheim moet houden. Ze geeft toe dat het waarschijnlijk beter zou zijn om naar een ziekenhuis te gaan, maar dan zou ze te maken krijgen met al die vragen. Is dit niet iets wat ze moet bespreken met haar man? Ze is verplicht hem op de hoogte te brengen, hij heeft er recht op in het besluit te worden gekend. Als ze getrouwd is, wat is dan het probleem? Vrouwen zijn vaak een beetje ontmoedigd wanneer ze tot de ontdekking komen dat ze in verwachting zijn, maar over het algemeen verdwijnen die negatieve gevoelens snel en komt er blijdschap voor in de plaats. In gedachten doorloopt ze keer op keer de ingebeelde opmerkingen. Nee, ze kon beter niet naar een ziekenhuis gaan, maar moest dit probleem wel snel en efficiënt laten wegwerken voordat ze definitief in de val zat.

Angstig loopt ze achter de verpleegster aan. Ze hoopt dat het snel voorbij zal zijn en zou willen dat ze het tussenstuk kon overslaan. Achteraf zal ze zich de details slechts vaag herinneren. Felle lampen gericht op een operatietafel, die is bedekt met een papieren laken dat haar doet denken aan de wegwerptafelkleden die haar moeder gebruikte voor de verjaardagsfeestjes omdat er altijd zo werd geknoeid. Een snelle blik op een blad met instrumenten die eruitzien als bestek. Zwarte gordijnen die in dikke rouwkamerachtige plooien voor de ramen hangen en ieder straaltje licht tegenhouden. Een gedraaide slang, bevestigd aan een container. Stijgbeugels in de lucht zodat je ondersteboven kunt paardrijden. En de dokter met een witte jas vol bloedspatten, zijn haren weggestopt onder een kapje, zijn handen gestoken in plastic handschoenen. Zijn mondmasker hangt aan één oor zodat ze zijn mond kan zien.

'Dag, mevrouw Madigan. Het spijt me dat ik u moest laten wachten. Neemt u plaats, dan zullen we er snel voor zorgen dat u zich ontspannen voelt.'

Misschien komt het door de vergelijking van de verpleegster van daarstraks, dat een abortus net zoiets is als een kies laten trekken, maar ze ziet plotseling nog maar één ding, hoe absurd dat ook is: zijn twee voortanden, verder niets, alleen die twee grote, puntige voortanden, rattentanden. Wat haar het meeste stoort is dat ze niet gecentreerd staan, waardoor de symmetrie die ze automatisch zoekt door in gedachten een lijn te trekken vanaf zijn bedekte voorhoofd, over het beentje van zijn forse neus, via het neusgootje naar zijn mond, daar verloren raakt in het vergelende tandglazuur. Het is net alsof er een fout in zijn gezicht zit.

'Is er iets, mevrouw Madigan? Bent u onwel? U hoeft nergens bang voor te zijn, hoor.'

Wat moet ze daar nu op zeggen? *Ik ben bang omdat u scheef bent, dokter. Omdat er een fout in u zit.* Dat kan ze niet maken. Dus zegt ze niets. Ze keert haastig op haar schreden terug, grijpt haar kleren en holt naar de voordeur. In het trappenhuis van het gebouw kleedt ze zich aan, met de laatste woorden van juffrouw Janney in haar oren.

'U krijgt uw geld niet terug. Dat heb ik u gezegd. Als u het niet wilt doen, moet u dat zelf weten, maar we geven geen geld terug.'

En dan? Dan slaat ze de deur keihard dicht, met een denderende klap die dwars door haar heen lijkt te gaan zodat ze intuïtief haar ogen dichtknijpt. Als ze ze weer opent, krimpt ze ineen omdat een nieuwe scheur zigzaggend door de ijsvloer kruipt.

7

1976

ZOMER. GROOT-BRITTANNIË BEVINDT ZICH IN DE GREEP VAN EEN hittegolf. Er heerst grote droogte. Bezorgde boeren laten hun blik over akkers met verwelkende gewassen gaan. De stralen van de witte zon, versterkt door het strakblauwe glas van de hemel, branden even genadeloos op de steden als op de landerijen. Auto's veranderen in gemotoriseerde ovens. Mensen hangen als hijgende tongen uit open ramen. Ze vullen de koele zalen van bioscopen waar *The Omen* en *The Man Who Fell to Earth* worden vertoond. Bossen lijken uit zichzelf te ontbranden. De droge takken van de bomen beginnen spontaan te smeulen. De heuvels worden ontsierd door grote zwarte vlakken geschroeide hei. Dorstig zuigen de geslonken rivieren beekjes naar zich toe. Er is een stormloop op de diamanten flonkering van water, iedereen hunkert plotseling naar zijn vele facetten. Koortsachtig verdringen de burgers zich rond standpijpen om flessen en emmers tot de rand te vullen. In de steden mengen stof, vuil, uitlaatgassen, zweet en verrotting zich in de zinderende hitte. In gapende reservoirs blijft het waterpeil zakken. Kalme karakters verdampen en dikken in tot een collectieve smurrie van onderdrukte razernij. De naden van de maatschappij worden door vlagen van onbeheerste woede op de proef gesteld tot ze bijna barsten.

Een keldermarkt in het centrum van Londen. De tl-buizen aan het plafond verspreiden een naargeestig, flikkerend licht. Het is hier zo mogelijk nog warmer dan bovengronds. Muziek schettert uit luidsprekers, het ritme van de bassen klinkt als de bonkende hartslag van het commerciële doolhof. De koopwaar – borden en bekers met souvenirplaatjes van Londen, goedkope sieraden, horloges, kleding, tassen, riemen en ceintuurs – flonkert als de schatkist in de grot van Aladdin. De kooplui, bezweet, groezelig en oud voor hun tijd, wuiven zich met plakkerige handen koelte toe en staan narrig te mopperen. Tegen het middaguur wint de vermoeidheid het. Ze zijn op, ze geven zich gewonnen. De verkooppraatjes klonteren in hun oververhitte hersenen en blijven steken in hun droge keel. Ze gieten flesjes mineraalwater over hun hoofd om af te koelen. De slachtoffers, toeristen in felgekleurde kleding die te strak om hun uitstulpende, zweterige vlees zit, worden rebels van de drukkende hitte. Ze rommelen in de uitgestalde artikelen, wijzen fronsend op de slordige afwerking, mopperen onder elkaar over de exorbitante prijzen. Er wordt aan droge lippen gelikt. Getoupeerd haar zakt in, make-up smelt en kleuren lopen door elkaar. Zweetdruppeltjes liggen als sproeten op hun voorhoofd, neus en bovenlip. Dikke, in korte rokjes gestoken dijen wrijven tegen elkaar tot de huid rood en branderig wordt. Verlepte bankbiljetten blijven diep weggestopt in warme portefeuilles en weigeren zich van elkaar te laten pellen. Londen houdt zijn adem in. Als er niet snel verlossing komt, als het niet gauw gaat regenen, hoe lang zal het dan nog duren voordat markten, straten, verkeer, gebouwen, mensen, alles en iedereen zal bezwijken aan de hitte?

Owen is nog geen tien minuten geleden teruggekeerd van de toiletten, met een nat gezicht, druipend haar, zijn handen gewassen en goddank weer eventjes schoon, maar zijn gloeiende huid snakt nu alweer naar een nieuwe onderdompeling. Hij werkt in de kraam van de Ier, Sean Madigan. Hij is hier pas drie weken, maar het lijkt wel drie jaar. Hij is naar Londen gekomen om eens iets heel anders te gaan doen. Hij heeft besloten zijn persoonlijkheid te enten op die van Rhett Butler, een man die zich nergens iets van aantrekt, niet van het heden, niet van de toekomst en vooral niet van het verleden. Dat hij er jong uitziet voor zijn leeftijd – hij is drieëntwintig

– is daarvoor niet voordelig. Aan blond haar, timide blauwe ogen en een vrijwel baardloze kin heb je niets als je wilt overkomen als een geharde vent, maar hij is vastbesloten die staat te bereiken, de emotionele lobotomie waar hij naar hunkert. Dat hij lang is, brede schouders en een van nature gespierde bouw heeft, is wél een voordeel. Hij bekijkt zichzelf in de spiegelende toonbank van de kraam en legt zich erbij neer dat hij er eerder uitziet als een Romeo dan als een Tybalt.

Naomi Seddon, Seans vriendin – niet te verwarren met Seans vrouw – die samen met hem de kraam beheert, is even weg om ijsthee voor hen te kopen. Ze heeft hem muntthee met extra suiker beloofd, omdat dat volgens haar verkoelend werkt. Owen kampt met zware hoofdpijn. Het voelt alsof zijn hersenen afwisselend uitzetten en inkrimpen. Hij sluit zijn ogen en glijdt terug in de tijd. Hoe is een jongen uit een woningwetwoning in Wantage midden in de drukte van een Londense markt terechtgekomen in de heetste zomer die het land heeft gekend sinds men is begonnen de temperatuur te meten? In gedachten telt hij de jaren af.

Eindexamens, universiteit, afgebroken studie, thuis lanterfanten, uren in Sarahs kamer zitten, wachtend of er iets zou gebeuren. De advertentie in de krant die zijn aandacht had getrokken. *Gevraagd: acteurs voor de Punchinello Children's Theatre Company, een kleine innoverende theatergroep die opvoedkundig theater naar scholen brengt.* De onverwachte en hooggespannen geestdrift toen hij de rol oefende waarmee hij auditie zou doen: Jimmy Porter uit John Osborne's *Look Back in Anger*. De opwinding toen hij werd aangenomen en de felbegeerde Equity-kaart ontving. De plotselinge ontdekking dat er iets bestond waar hij goed in was, een kunst die hij, zonder het zelf te beseffen, zijn hele leven al had beoefend – de kunst van het doen alsof. En het idee, dat geleidelijk steeds meer vorm kreeg, dat acteren hem een kans bood om weg te komen uit de graftombe van hun huis, waar Sarahs geest zo veel ruimte in beslag nam dat er voor hem niets overbleef.

Het papiertje met het telefoonnummer van Sean Madigan dat

een collega-acteur hem had gegeven toen hij hoorde dat hij van plan was naar Londen te gaan. Een telefoonnummer en het vooruitzicht op een parttimebaan en geld in zijn zak gedurende de vervelende periodes waar alle acteurs mee kampen als ze 'rust houden', een eufemisme dat ze gebruiken als ze geen werk hebben. Hij had het nummer gedraaid in een telefooncel in Twickenham, waar hij tijdelijk bij een oude schoolvriend onderdak had gevonden. Het gesprek had geresulteerd in een aanbod voor een tijdelijke baan op een Londense markt. Hij zou er werken gedurende het drukke toeristenseizoen. Vrije dagen om naar audities te gaan? Geen probleem. Zijn nieuwe werkgever was de mening toegedaan dat flexibiliteit van twee kanten moest komen.

Zo was het gegaan. Dankzij een aaneenschakeling van losstaande gebeurtenissen was hij vanuit Wantage in Londen terechtgekomen en stond hij hier nu op de warmste dag die ze tot nu toe hadden gehad. Het adres van Seans flat in Covent Garden was sinds gisteren, donderdag 10 juni, officieel het zijne. Owen was op zoek geweest naar een kamer op een centrale plek, een basis niet al te ver van de markt, van waaruit hij makkelijk naar audities en gesprekken met theateragenten kon gaan. Het was logisch geredeneerd, vooral als je bedacht hoeveel het openbaar vervoer kostte. Toen hij Sean over zijn probleem had verteld, had die hem onmiddellijk een oplossing geboden. Hij zou huisgenoot worden van Naomi, een symbolisch bedrag aan huur betalen en haar gezelschap houden als Sean er niet was. Dat laatste vond hij helemaal niet erg, dat wist hij nu al.

Hij mag Naomi graag. Het opvallendste aan haar uiterlijk zijn haar unieke ogen. Haar rechteroog heeft een bleke, poederblauwe kleur, haar linkeroog is donkerbruin. Haar korte blonde haar, dat volgens hem geverfd is, staat alle kanten op, alsof ze voortdurend in de wind loopt. Ze heeft een hartvormig gezicht met een klein neusje en een brede, sensuele mond. Ze is vrij mager en vrij klein, en hij gelooft dat ze een flink aantal jaren ouder is dan hij. Het valt moeilijk te zeggen vanwege de zware make-up die ze op haar gezicht aanbrengt, maar hij schat haar zeker midden dertig. Haar onmiskenbare wereldwijsheid, haar zelfverzekerde geflirt en haar openlijke seksualiteit fascineren hem. Bij haar voelt hij zich levenslustig en mannelijk. Hij heeft een paar vriendinnetjes gehad, maar geen van de relaties was een succes. Hij vindt het moeilijk om met jonge vrouwen te praten. Ze nemen geen genoegen met zijn moeizame, oppervlakkige gesprekken. Ze komen zonder uitzondering tot de conclusie dat het nodig is 'hem uit zijn schulp te halen', maar als ze dan op deuren stuiten die zelfs tegen Houdini bestand zouden zijn, verliezen ze hun belangstelling. Maar Naomi heeft hem tot nu toe niet uitgehoord. Hij weet best dat zij veel minder belangstelling voor hem heeft dan hij voor haar, maar het vooruitzicht haar op sommige avonden helemaal voor zichzelf te hebben, die betoverende ogen enkel en alleen op hem gericht te weten, doet zijn jonge mannelijke ego veel goed.

Als je Sean mag geloven, is de flat een soort penthouse, een uitgelezen woonruimte in een uitgelezen buurt. Owen was danig onder de indruk geweest, tot hij de flat zag. Die was op de derde verdieping van een bouwvallig gebouw en had de afmetingen van een grote kast. Een halletje waar je je kont niet kon keren, twee piepkleine slaapkamers, een badkamer met lekkende kranen, een kleine zitkamer die tevens als eetkamer diende en een smalle keuken. Hij probeert het tevergeefs in overeenstemming te brengen met Seans beschrijving. Blijkbaar is zijn werkgever ook een expert in doen alsof. Toch mag hij hem wel. Hij is aardig, de Ierse charme straalt van hem af en hij is net zoals veel van zijn landgenoten goed van de tongriem gesneden. Hij is van middelmatige lengte en mager, maar niet fit, voor zover Owen het kan beoordelen. Hij schat dat hij, net als Naomi, midden dertig is. Alhoewel zijn rokershoest nog in het beginstadium zit, is zijn huidskleur wat vaal en staan zijn ogen met het gelige wit altijd wat nerveus, de tol die hij voor zijn levensstijl moet betalen. In het begin dacht Owen dat Sean blond was, net als hijzelf, maar in de zon heeft hij een flinke hoeveelheid lichtrood in zijn haardos bespeurd.

Een opmerkelijk detail is dat hij in zijn hals een plekje heeft waar de huid ruw, rood en schilferig is. Het heeft ongeveer de afmeting van een duimafdruk. Als hij zijn boord dichtgeknoopt heeft, zie je het niet, maar de zon maakt alles los, ook boorden, waardoor voorheen verborgen gebreken aan het licht komen. Het is Owen opgevallen dat hij er vaak aan krabt en hij heeft gezien dat de daaruit resulterende verlichting slechts tijdelijk is en dat de jeuk, wanneer die terugkeert, juist heviger is geworden.

Acteurs moeten oplettend zijn en eigenaardige gewoonten van andere mensen onthouden om later te kunnen gebruiken voor een karakterrol. Dat heeft hij gelezen. De markt is een ideale bron voor een aankomend acteur als hij. Hij is nu al een soort detective aan het worden. Hij verzamelt inlichtingen en slaat feiten op. Terwijl het kwik in alle thermometers in de hoofdstad stijgt en de stank van ongewassen lichamen claustrofobisch om hem heen hangt, concentreert hij zich op het in elkaar leggen van de puzzel. Hij kiest een detail, pakt het vast als een puzzelstukje, bekijkt de kleur, de textuur, de vorm, beoordeelt waar het zou kunnen passen. Langzaam begint het plaatje zich te openbaren. Soms denkt hij dat hij weet wat het zal worden. Maar dan bekijkt hij het vanuit een andere hoek en komt hij tot de ontdekking dat hij geen stap dichter bij de oplossing is gekomen.

Niettemin meent hij dat hij bij benadering weet hoe het zit. Sean heeft voor zijn maîtresse, Naomi, een flat gehuurd. Hij slaapt daar drie of vier nachten in de week, zo vaak als hij kan wegkomen. Waarvan moet hij wegkomen? Van zijn vrouw, Catherine, en een pasgeboren baby, heeft hij gehoord, een dochtertje dat een paar dagen voordat Owen hier kwam te werken, is geboren. Hij weet hoe ze heten. Hij heeft de namen opgevangen: Catherine en Bria. Eigenlijk had hij dat liever niet geweten, want in zijn gedachten zijn ze nu mensen van vlees en bloed, een moeder en een kind die in een liefdeloze situatie het hoofd boven water moeten houden, een situatie die hem niet vreemd is. Ze geven zijn leven datgene waar hij juist aan probeert te ontvluchten: de klanken en kleuren van de werkelijkheid.

Aan het einde van zijn eerste week vroegen Naomi en Sean of hij bij hen kwam eten. Hij voelde zich gevleid. Dat ze die extra moeite voor hem wilden doen, een welkomstdinertje aanrichten. Maar toen het eenmaal zover was, werd de avond hem ontstolen door een ander, een nieuwe complicatie, waardoor hij het plaatje weer moest bijstellen. Zover hij het kon beoordelen was Enrico niet officieel uitgenodigd. Hij was een brutale indringer, die onderuitgezakt biertjes dronk en wellustig naar Naomi keek. Hij is de Italiaan van het stalletje dat je als eerste ziet wanneer je de trap naar de markt afdaalt. Seans bijnaam voor hem, 'ordinaire spaghettivreter', voorspelde geen harmonieuze avond. Algauw werd Owen duidelijk dat hij niet alleen geen eregast was, maar dat hij net zo onzichtbaar was als thuis.

Ze aten pasta, dronken wijn die zijn hoofd deed tollen en zijn maag salto's liet maken, en rookten hasj die als een scalpel in zijn keel sneed en zijn ledematen in was veranderde. In de zitkamer waar ze zaten was het zo warm dat het voelde alsof de funderingen van de stad overdag in een oven waren gebakken en de nacht in een sauna veranderden. Hij bekeek de anderen door de nevel waarin hij was weggezakt. Hij zag Sean cognacjes achteroverslaan alsof het vruchtensap was, terwijl zijn bleke huid bedekt raakte met klam zweet en zijn bloeddoorlopen ogen afwisselend wellustig naar Naomi keken en zich met moordlustige blikken op Enrico richtten.

'Vertel eens over het verdronken dorp,' zei Naomi toen er een galmende stilte viel. 'Vertel nog eens over het dorp dat op de bodem van het meer ligt.' Ze ging voor hem op haar hurken zitten en legde haar handen met de afgekloven nagels op zijn gespreide knieën. Hun ogen, de zijne grijs en ondoorgrondelijk als graniet, de hare met de twee verschillende kleuren, boorden zich in elkaar. De stilte steeg nog een aantal decibellen tot hij oorverdovend werd. Owen was bang. Hij voelde een adertje kloppen op zijn slaap. Dit was een onderwerp waar hij niets over wilde horen. Onwillekeurig beeldde hij zich nu al in dat ze met z'n allen op de bodem van dat denkbeeldige meer zaten, waarin kokers troebel groen licht vanaf de oppervlakte door het water filterden naar het schemerdonker dat hen omgaf. In zijn door hasj gevoede fantasie zag hij geesten van verdronken mensen langsdrijven en in de verzonken huizen verdwijnen. De geest van Sarah, nog steeds in haar gespikkelde zwempak, haar blonde krullen deinend in het water, was er ook bij. Naomi maakte haar lippen nat met de geslepen punt van haar tong. 'Vertel ons over Teodora. Vertel ons over de vrouw die haar lange donkere haar borstelde en in het vuur staarde, terwijl haar man doodvroor op de berg.' Owen besefte met beklemd gemoed dat ze zo hardnekkig was als een klein meisje dat voor het slapengaan per se haar lievelingsverhaaltje wil horen.

Zonder haar blik los te laten speelde Enrico een paar akkoorden op de gitaar die op zijn schoot lag. Ze deelden een glimlach en ze trommelde met haar vingers op zijn knieën terwijl de betokkelde kattendarmen vibreerden in de holle houten buik. Owen bekeek de lange Italiaan: zijn magere benen, zijn olijfkleurige huid en zijn eigenaardige, pluizige, oranje sikje. Vergeleken bij al die pronkzuchtige mannelijkheid zag Naomi er klein en vrouwelijk uit. Owen, die naast de musicus met de blote borst zat, voelde zich zo opgelaten als een schooljongen die bij de directeur was ontboden. Als hij niet klem had gezeten achter de hals van het muziekinstrument, zou hij in de verleiding zijn gekomen om heel onbeleefd te verdwijnen in de duisternis van de nacht.

Sean zat nors in de versleten pauwenstoel en wilde net zo min als Owen dat Enrico de hoofdrol ging spelen. Zijn troon was een armoedig geval met bekleding van verschoten groen fluweel. Hij staarde somber naar zijn glas cognac, alsof hij gehypnotiseerd was door iets wat hij daarin zag. Zijn gezicht stond strak, zijn zeekleurige ogen hadden rode randjes en donkere wallen. Ondanks de hitte had hij zijn zwaardvisgrijze broek aangehouden. Zijn jasje had hij echter over de rugleuning gehangen, waardoor het schreeuwende paars van de voering zichtbaar was. Hij zweette als een otter. De natte plekken op zijn witte overhemd breidden zich in snel tempo uit, als een oceaan die het land weer voor zich opeiste, dacht Owen somber. Hij had zijn stropdas, die een duizelingwekkend patroon van in elkaar grijpende ruitjes had in kleuren die pijn deden aan je ogen, een stukje losgetrokken. Hij had ook zijn boordenknoopje losgemaakt, waardoor het schilferige rode plekje te zien was. Owen vond hem eruitzien als een ter dood veroordeelde met de strop al om zijn nek, wachtend tot de beul de hendel zou omzetten.

'Vertel ons over het verdronken dorp, Enrico,' drong Naomi aan op een vleiende, zijdezachte toon.

'Jezus, niet weer dat gezeik,' mompelde Sean chagrijnig boven zijn glas. 'Het is laat. We kunnen beter naar bed gaan. Sommigen van ons moeten morgen werken.' Zijn zachte Ierse accent klonk alsof het was toegetakeld in een vuistgevecht. Enrico leek zich niets aan te trekken van de slecht bedekte kritiek die meer weg had van een goedgerichte slag met een knuppel. Hij strekte zijn nek, tastte naar zijn gouden medaillon en zwijmelde boven zijn gitaar. Owen voelde een beklemmende druk op zijn middenrif. Naomi duwde zich overeind, waarbij ze de stevige knieën van de Italiaan als steuntje gebruikte en liep naar het keukentje, waar ze nog een fles Mateus Rosé ontkurkte. Ze schonk haar eigen glas en dat van Enrico weer vol, maar niet dat van Owen. Hij had zijn hand erop gelegd en schudde zijn hoofd. Hij was geen alcohol gewend. Hij zag de posters van Hendrix en Dylan, de lavalamp en de opblaasbare plastic stoel nu al helemaal wazig en alles draaide om hem heen. Elke keer dat zijn maag naar boven dreigde te komen, wenste hij in alle ernst dat alles zat vastgeklonken, inclusief hijzelf. Naomi klonk met Enrico, nam een slokje en liep naar de platenspeler die op een plank in de hoek stond. Ze bukte zich naar een metalen rek op de vloer, koos een singletje, haalde het uit de hoes en blies met een fluitend geluid het stof eraf.

'"Suzanne" van Leonard Cohen. Mijn nummer. Hij zingt het voor mij, zie je. Omdat ik de vrouwe van het meer ben, de vrouwe van de zee,' zei ze neuriënd en wiegend. Ze sloot haar ogen. 'Mmm... vrouwe van het meer... vrouwe van de zee.' Haar oogleden trilden, maar het duurde een paar seconden voordat ze loskwamen en opengingen. Ze legde het plaatje op de draaitafel en maakte een pirouette. Toen stak ze haar handen uit naar Enrico. 'Dans met me,' zei ze vleiend, heupwiegend. 'Dans met me, Enrico.' Gehoorzaam maakte hij zich los van zijn gitaar, zo behoedzaam, vond Owen, als iemand die uit bed stapte en probeerde zijn slapende geliefde niet te storen. Het nummer begon. Hij liep naar voren. Ze grepen elkaar vast.

Sean keek dreigend toe, over de rand van zijn glas turend. Zijn blik bleef op Naomi rusten, op haar kronkelende armen, haar draaiende billen, de huid die zichtbaar was tussen haar heupbroek en de mouwloze bloes die ze onder haar kleine borsten had vastgeknoopt. Hij dronk zijn glas leeg en stond abrupt op. Ruw drong hij langs het dansende stel heen naar de keuken. Daar schonk hij zijn glas weer vol.

Alhoewel de gitaar, die nu rechtop tegen het bankje stond, hem niet meer belemmerde te ontsnappen, bleef Owen zitten. Hij voelde zich zo stijf als een kartonnen pop. Heimelijk keek hij naar de overblijfselen van het etentje, borden besmeurd met rode saus, broodkruimels, restantjes wijn, smeltende boter. En een heleboel vuil bestek, alsof hier een moord was gepleegd of dat er een moord gepleegd ging worden. De flat was veel kleiner en sjofeler dan Sean hem had laten geloven. Op de avond dat hij hem voor het eerst had gezien, was hij geschrokken van het enorme verschil tussen de beschrijving die zijn werkgever ervan had gegeven en de werkelijkheid die aan hem werd geopenbaard. Hij was opeens over zijn vermoeidheid heen en voelde in plaats daarvan iets jeuken, zoals een wondje dat begint te helen.

Terug in zijn stoel, met zijn glas in zijn hand, richtte Sean zijn chagrijnige blik weer op het dansende stel. Naomi's lippen waren uiteengeweken en haar tong tastte de ribbelige randjes van haar tanden af. Owen hoorde boven de dreinende muziek uit het kraken van het leren vestje van Enrico. Zijn ogen volgden de golvende beweging van de getatoeëerde draak toen hij zijn biceps spande, en de zwaai van de donkere paardenstaart toen hij zijn hoofd omdraaide.

Sean was uitermate ongedurig. Nu sprong hij alweer overeind. De houten vloer kraakte onder zijn voeten. Het lege glas viel uit zijn hand en rolde over de vloer. Owen was de enige die het merkte. Hij ging wat rechter zitten. Het nummer was afgelopen. De plaat bleef draaien op de pick-up. De naald kraste ritmisch. Zonder haast of gêne weken de samengesmolten lichamen van elkaar.

Naomi richtte haar onvaste blik op Enrico's medaillon van Christoffel, de beschermheilige van reizigers, dat glanzend op zijn donkere, vochtige, krullende borsthaar lag. Ze boog zich naar voren en kuste het sieraad. 'Ik ben jouw vrouwe van het meer,' prevelde ze en toen deed ze twee stappen achteruit. Ze legde haar handpalmen tegen elkaar alsof ze bad, boog haar hoofd, hief haar ogen weer op naar die van Enrico en giechelde. Hij knipoogde naar haar en liet zich weer op de bank vallen. Naomi wrong zich tussen hem en Owen in en zei, als een déjà vu: 'Vertel ons over Italië, over het dorp op de bodem van het meer. Vertel ons over jullie dorp, Vagli Sotto, dat uitzicht had op het reservoir. Vertel ons over de vrouw die in haar huis is verdronken toen ze de vallei vol water lieten lopen.' En daarmee vervloog Owens hoop dat het onderwerp waarop voor hem een taboe rustte, vergeten zou worden.

Enrico ging op zijn gemak zitten en kreeg een verre blik in zijn grijze ogen. 'Teodora was erg jong en mooi. Grote donkere ogen. Dik zwart haar. Ze was verliefd op een jongen uit een nabijgelegen dorp. Maar hij was arm.' Hij haalde zijn schouders op en glimlachte flauwtjes. 'Haar vader keurde haar keuze niet goed en dwong haar met Anselmo in het huwelijk te treden. Die was oud en lelijk,' vertelde hij, zijn verhaal illustrerend met een brutale grijns en een sluw knikje in de richting van zijn nukkige Ierse gastheer. 'Maar rijk.' Sean zuchtte geïrriteerd om de duidelijke insinuatie. Naomi luisterde als gebiologeerd. Owen leed in stilte. 'Op een ijskoude winterdag ging Anselmo eropuit om op de heuvel hout te sprokkelen voor het haardvuur. Hij dwaalde af en lette niet op de tijd. Opeens gleed hij uit op de bevroren rotsen, viel en brak zijn been. Hij wist dat hij 's nachts zou doodvriezen als men niet naar hem zou gaan zoeken, maar troostte zich met de gedachte dat zijn bezorgde vrouw vast en zeker alarm zou slaan en dat hij snel gered zou worden.'

Naomi stak haar hand uit en sloeg speels tegen de kralen die in Enrico's sikje waren gevlochten. Ze tikten tegen elkaar en vingen het licht op. Naomi volgde de metronoombogen van de reflectie en vroeg fluisterend: 'En toen?' Ze had van spanning kippenvel op haar blote armen. Owen zag Sean zijn vuisten ballen en vermoedde dat hij veel zin had om Enrico's tanden uit zijn mond te slaan. Alsof hij telepathisch was, ontblootte degene die hem zo kwaad maakte zijn grote, parelwitte tanden – intact, stuk voor stuk.

'Teodora zat bij de haard en dacht terug aan haar huwelijksnacht. De herinnering vulde haar met walging. Terwijl de uren verstreken, keek ze af en toe op de klok die op de schoorsteenmantel stond, maar ze bleef zitten, lekker warm bij het vuur, tot de nieuwe dag aanbrak. Toen pas sloeg ze alarm. Tegen het einde van de middag kwam men terug met het bevroren lichaam, dat werd opgebaard in de kerk. Toen Teodora kwam, keek iedereen angstig naar haar en noemden ze haar een heks en een moordenares.'

Naomi sprong overeind. 'Ieder ander zou precies hetzelfde hebben gedaan.'

Enrico trok spottend zijn donkere wenkbrauwen op. 'Ze heeft hen allemaal vervloekt. En toen de rivier de Edron werd afgedamd en de vallei onder water gezet, is ze volgens de overlevering in haar huis gebleven en samen met het dorp Fabbriche di Careggine verdronken. Het dorp is er nog steeds. In tijden van droogte steekt de kerktoren boven de oppervlakte van het water uit. En ze zeggen dat je Teodora als een zeemeermin kunt zien zwemmen als je lang genoeg in het water tuurt.'

'Wat een bullshit!' zei Sean fel en hij sprong voor de derde keer overeind. 'Ik ga naar bed.' Met bonkende stappen liep hij de kamer uit, raakte een ogenblik verstrikt in het kralengordijn in de deuropening en sloeg het nijdig opzij. Het leek alsof de hele flat trilde.

Enrico stond lui op, gaapte langdurig, rekte zich uit en pakte zijn gitaar. 'Misschien kan ik maar beter gaan,' zei hij, een opmerking die in de plotselinge stilte neerplofte als een te laat ingeleverd bibliotheekboek. Hij boog zich over Naomi en fluisterde in haar warrige haar: 'Zou je ernaartoe willen? Zou je de vrouw in het meer zelf willen zien?' Een ogenblik bleven ze elkaar aankijken. Toen gleed haar blik langs hem heen. Met de aarzelende manier waarop ze soms met haar ogen knipperde, iets waar Owen al aan gewend begon te raken, werd de betovering verbroken. Ze stond op, duwde hem van zich af en stuurde hem de warme nacht in.

'Het lijkt wel alsof we in Afrika zitten,' mopperde ze, zich koelte toewuivend met de hoes van een grammofoonplaat. Haar opmerkelijke ogen bleven rusten op Owen. 'Sorry. Ik heb jou helemaal verwaarloosd.' Als een verschrikt konijn keek hij op. Ze raakte zijn arm aan en pakte toen zijn hand. 'Wat is er?' vroeg ze.

'Niks. Ik... ik ben alleen maar moe. Het is al laat.'

'Je hebt gelijk.' Ze trok hem overeind. 'Kom, dan zal ik je wijzen waar je bed is. Ik heb het al voor je opgemaakt.'

'Dank je wel,' zei hij, al had hij niet naar haar geluisterd. Hij was kilometers ver weg, hoog in de bergen van Toscane, waar een dood dorp op de bodem van een meer lag. Het was niet Naomi maar Teodora die hem voorging. En ze bracht hem niet naar zijn bed, maar naar zijn watergraf.

Sindsdien denkt hij veel te vaak aan het meer en het daarin verdwenen dorp. Nu ziet hij Naomi de trap afdalen in een baan zonlicht en wordt hij eraan herinnerd wat een dorst hij heeft. Ze blijft even staan om met Enrico te flirten, is het flauwe gedoe opeens zat en loopt door naar Owen. Sean is er niet. Die maakt optimaal gebruik van het flexibele tweerichtingsverkeer. Hij is er vaak niet en vertelt nooit waar hij naartoe gaat of waar hij is geweest. Een dikke, kalende man rommelt met zijn worstvingers in een bak met grote gespen. Owen houdt hem scherp in de gaten, laat hem merken dat hij precies weet hoe winkeldieven te werk gaan, maar blijft op het krukje zitten, ten prooi aan apathie. Waarom zou hij moeite doen? Die vent koopt toch niks, dat ziet je aan zijn zuinige mond. Nadat hij een poosje in de bak heeft gerommeld, zal hij zeggen dat hij de gespen niet mooi vindt. En inderdaad, even later haalt de dikke vent ongeduldig zijn schouders op en waggelt hij weg.

Owen kijkt naar de grote kartonnen bekers met ijsthee in Naomi's handen en stelt zich voor hoe haar afgekloven nagels in de koude condens dringen. Zijn keel is kurkdroog. Hij probeert te slikken maar dat lukt niet. Zweet stroomt uit zijn oksels, over zijn ruggengraat, verzamelt zich in zijn knieholten. Zijn wangen gloeien en zijn ogen branden. Ze komt naast hem staan.

'Waarom kijk je zo somber?' vraagt ze lachend.

Zijn schouders zakken. 'Alleen maar vanwege de hitte,' zegt hij amechtig. Er verschijnen rimpeltjes in de hoeken van haar wonderbaarlijke ogen. Hij ziet de zwelling van haar borsten boven haar witte vestje als ze inademt en uitademt. Ze zet de bekers op de toonbank en woelt even door zijn haar. Het gebaar verrast hem, het is zo intiem. Haar vingers, nog koel van hun contact met de bekers, voelen als druppels eau de cologne op zijn hoofdhuid en zijn haarwortels beginnen ervan te tintelen. Nu haalt ze het dekseltje van zijn beker en vist er een ijsklontje uit. Ze houdt het tussen duim en wijsvinger vast en wrijft ermee over zijn gezicht, vanaf zijn voorhoofd over de brug van zijn neus naar het puntje en dan naar zijn geopende lippen. Hij voelt het brandende spoor van het ijs. Het ijsklontje begint al te smelten. Hij zuigt het koude vocht naar binnen en voelt hoe een ijzige druppel wordt opgenomen in zijn kartonnen keel, die samenknijpt van dorstig verlangen. Als vanzelf ziet hij de grote kom van het Vaglimeer voor zich, met slangen die in het maanlicht over de trillende oppervlakte kronkelen. Zijn handen beven. Hij hoort niet het nummer van Abba, maar het eigenaardige, betoverende lied van Teodora dat hem naar de ijskoude, gemarmerde diepte lokt. Haar ogen boren zich in de zijne.

'Beter zo?' vraagt ze.

Hij knikt. Ze steekt het smeltende ijsblokje in haar eigen mond en kauwt het fijn.

8

DE HUILENDE BABY HOUDT NAOMI UIT HAAR SLAAP, DE BABY EN DE hitte, de gruwelijke hitte. Het hoge, ijle gekrijs boort zich als een schroevendraaier in haar hoofd. Ze wou dat Sean er iets aan deed. Het is toch zijn baby? Bria? Nee, het is Bria niet. Dit is de baby die in *haar* groeit, de klomp cellen die zich steeds blijft delen en elke dag groter wordt. Hij ligt genesteld in de rode deken van haar baarmoeder en kan vanwege de hitte net zomin slapen als zij, en is nu al begonnen aan zijn onophoudelijke geblèr. Ze wendt zich tot Sean, maar Sean is dronken. Weggezonken in vergetelheid. Hij haalt zo oppervlakkig adem dat het lijkt alsof hij dood is. Ze zal zelf voor het kind moeten zorgen, er een moeder voor moeten zijn, het in slaap wiegen. Want dat is wat moeders doen, ze troosten hun huilende baby's, ze troosten hen als ze verdriet hebben.

Haar eigen moeder was gestorven, en dat was erg onattent van haar, want dat betekende dat er niemand was om haar te troosten als ze verdriet had. Als ze huilde, was er niemand om haar te wiegen. Straks is ze zelf moeder. Ze vraagt zich af of ze zal weten wat ze moet doen, hoe ze de tranen moet drogen. Deze baby is van haar, van haar en van Sean. Of is hij van haar en Enrico? Enrico's baby? Ze weet het niet en het kan haar ook niet schelen. Ze wil alleen maar dat hij ophoudt met huilen. Ze is tot alles bereid voor stilte, alles. Ze knijpt haar ogen dicht en wenst zichzelf naar elders, een stille plek, een plek waar ze alleen kan zijn. Maar als ze haar ogen weer opent, heeft de tijd zijn bekende trucje uitgehaald. Hij heeft haar door de sluier van de jaren heen getrokken, de vrouw ongedaan gemaakt, haar weer in een meisje veranderd, een ongewenst kind, een van de velen, zielig, verstoten, verweesd, klaarwakker in de eindeloze nacht. Het gaat maar door en gaat maar door, het huilen van de baby in het ledikantje naast haar bed. Het kind weet allang niet meer waarom het huilt, het weet alleen dat het behoeften heeft, behoeften die niemand zal bevredigen. Waarom komt de huismoeder niet om het te laten ophouden met huilen? Waarom zorgt ze er niet voor dat de baby stil wordt? Ze zal haar geen rust gunnen, die krijsende baby.

Ze schopt het laken van zich af, maar heeft het nog steeds te warm. Ze drijft van het zweet, dus trekt ze haar nachtpon over haar hoofd en begint in het flauwe, grijze maanlicht met wapperende handen haar lichaam koelte toe te wuiven. Als de Blinden de baby horen krijsen, als ze door de spleetjes tussen hun oogleden gluren en haar naast haar bed zien staan, hebben ze ervoor gekozen tevens doof en stom te zijn. De twee schuiframen zitten potdicht. Met al haar kracht slaagt ze erin er eentje een paar centimeter omhoog te duwen. Ze brengt haar gezicht dicht bij de warme luchtstroom en haalt diep adem. In het andere raam is geen beweging te krijgen. Ze heeft het tegen juffrouw Elstob gezegd, dat de ramen vastzitten, dat ze tegen meneer Plinge moet zeggen dat hij moet komen om er iets aan te doen, maar dat is niet gebeurd. Er wordt hier nooit iets gerepareerd. De baby huilt nog steeds, ze huilt en huilt in het verstikkende schemerdonker. Ze loopt geruisloos naar het ledikantje en ziet Baby, het ziekelijke scharminkel, stram en paars met uitpuilende ogen, haar gezicht nat van tranen en snot, haar stinkende nachthemd helemaal doorweekt. Ze ruikt pies, pies en kots. Ze legt haar hand op het voorhoofd van de baby. Ze heeft koorts. Juffrouw Elstob zou haar in bad moeten doen, een koel bad om de koorts te laten zakken.

Iemand zou de arme, oververhitte baby in een bad met lauw water moeten zetten om alle hitte van haar af te wassen. Ze pakt een van haar zwaaiende armpjes, grijpt het magere onderarmpje zo strak vast dat het kind nog harder begint te gillen. Het gilt zo dat haar trommelvliezen ervan jeuken. Meteen wordt de deur opengegooid, alsof de huismoeder erachter stond te wachten. Het licht gaat aan. Daar is ze, juffrouw Elstob, in een ochtendjas vol vlekken, haar wijd uit elkaar staande, donkere ogen half toegeknepen, haar stugge haar naar alle kanten piekend, de grote, zwarte moedervlek op haar knobbelige neus trillend bij iedere verontwaardigde ademhaling.

'Mara! Wat doe je daar? Waarom sta je daar in je blootje? Schaam je je niet? Een hoer ben je, net als je dode moeder. Uitschot. Ik heb gezegd dat je niet aan de baby mocht komen. Dat je nooit meer aan haar mocht komen. Jouw taak is de schoenen te poetsen en de bedden op te maken.' Ze spreekt op een toon die griezelig vriendelijk en zoetsappig klinkt. 'Weet je nog wat ik heb gezegd? Dat ik je zou moeten straffen als ik je nog een keer bij de baby in de buurt zag.' De Blinden trekken hun nek tussen hun schildpadschouders en grijpen met hun vuisten de lakens nog steviger vast. Ze drukken hun blinde gezichten tegen hun matrassen. 'Je zult moeten leren je niet als een wilde te gedragen.'

Ze komt naar voren. Mara blijft staan waar ze staat. Ze recht haar rug zodat ze zich ondanks haar geringe lengte voelt alsof ze zo groot wordt als een reus. Misschien ziet juffrouw Elstob de reus ook eventjes, want ze blijft staan en laat haar blik over Naomi's naakte lichaam gaan. 'De baby... huilt zo.' Naomi ziet tussen de houten spijlen van het ledikant dat er schuimende belletjes uit de mond van de baby komen. Het scharminkel hapt naar adem en maakt naargeestige, rochelende geluiden. 'En ik heb mijn nachtpon alleen maar uitgetrokken omdat ik het zo warm heb. De ramen kunnen niet open. Dat heb ik u al verteld. Ik heb het zo warm, zo verschrikkelijk warm.' De baby krijgt opeens weer lucht. Een seconde van stilte en dan een gekrijs waar Mara's bloed van stolt.

Met één stap is juffrouw Elstob bij haar. Ze begint haar te slaan, in haar gezicht, op haar borst, ze stompt haar in haar buik en schopt haar benen onder haar vandaan. Daarbij houdt ze Mara's pols stevig omklemd en elke keer dat Mara van de klappen achteruit deinst, trekt ze haar weer naar zich toe. Uiteindelijk sleept ze haar gillend en schreeuwend de trap af. In het voorbijgaan grijpt ze haar stok, die in een hoek van de kamer staat. Nu zijn ze in de keuken, het gezellige vertrek met de grote tafel waaraan de kinderen altijd eten. Ze grijpt een handvol van Mara's lange zwarte haar terwijl ze de stok laat zwiepen. Mara hoort hem door de lucht fluiten, voelt hem hongerig in haar billen bijten. Maar ze huilt niet. Ze huilt nooit. Bossen haar worden met wortel en al uit haar schedel getrokken, haar prachtige zwarte haar, maar ze maakt geen enkel geluid.

Nu dringen haar nagels in haar schouders, zo diep dat het voelt alsof er spijkers in haar botten worden geslagen. Ze wordt meegesleept, door de keuken, naar de deur, door de gang. Ze ruikt de stinkende adem van juffrouw Elstob, zo smerig als het riool, en dan ruikt ze de giftige, stoffige geur van kolen. Ze wordt in het kolenhok gesmeten, met zo'n kracht dat haar hoofd keihard tegen de muur bonkt en ze bang is dat haar schedel als een ei is opengebarsten. De deur wordt dichtgegooid en gaat op slot. 'Nee,' jammert ze zachtjes. 'Nee... juffrouw Elstob.' Een seconde later verdwijnt de lichtstreep, de streep van hoop onder de deur, en blijft ze in het pikkedonker achter.

Ze ligt languit op een berg kolen. Ze voelt de punten van de scherpe kooltjes in haar mishandelde lichaam prikken. Ze proeft de smaak van zout metaal op haar lippen. Ze likt eraan en weet dat het haar eigen bloed is. De hitte in de doodskistachtige ruimte is zo intens dat het lijkt alsof ze levend wordt gekookt. Maar ook nu huilt ze niet. Niet omdat ze dapper is, daar gaat het nu niet om. Ze zou de hele nacht kunnen schreeuwen en met haar vuisten op de deur kunnen bonken tot ze in bloedige stompjes veranderen. Ze huilt of schreeuwt niet omdat het, zoals ook de baby binnenkort zal ontdekken, geen enkele zin heeft. Niemand zal haar komen redden.

Ze ademt het roet in. Het verstikt haar longen en vult haar porien. Bij iedere pijnlijke beweging krijgen de kolen meer van haar in hun bezit door haar blanke huid zwart te maken en haar neusgaten en mond te vullen met bijtend stof. Morgenochtend zal ze eruitzien als een schoorsteenveger. Het roet zal zo diep in haar lichaam ingebed zijn dat ze het niet meer weg zal kunnen schrobben. Ze zal erdoor gebrandmerkt zijn. De korst van angst in haar buik is een levend ding, een zwarte spin met honderd krioelende poten die in haar binnenste wollige balletjes spinnen. Haar blaas is vol en ze voelt de prikkende warmte van haar urine als hij leegloopt. Als ze op dit moment zou sterven, zou ze dat helemaal niet erg vinden. Ze laat haar hoofd op de berg zakken, staat de kooltjes toe haar wang te schenden met hun ruwe aanraking.

Het zwart is alleen maar een zaadje achter haar ogen wanneer het wordt geboren – een stip, een vlekje, meer niet. Maar het plant zich voort. Een glanzend pikzwart kraaltje dat een miljoen inktstralen uitzendt om iedere cel van haar lichaam zwart te maken. Samen met dit zwarte besef komt woede, een moordlustige, koppige, onafwendbare vloedgolf die over haar heen slaat. Ze werkt zich op haar knieën, krimpend van de pijn omdat de scherpe kolen als speren in haar botten dringen. Ze klemt haar kiezen op elkaar en tast naar de deur. Ze weet dat die is beschilderd met hemelsblauwe glansverf. Met de zwarte wind in haar rug kerft ze haar naam erin. Ze gebruikt al haar vingers, al haar nagels, om in de verf te krassen, ze graaft ermee tot diep in het hout. In de stilte klinkt het krabben erg luid, oorverdovend. Ze krijgt een splinter onder een nagel, en nog een en nog een. Ze pauzeert, luistert naar het "huf, huf" van haar hijgende ademhaling, tast in het donker naar de naalden van hout en trekt ze voorzichtig onder haar nagels vandaan. Wanneer ze weer doorgaat met kerven zijn haar vingertoppen bebloed. Ze kan niet zien, zal morgen pas zien, dat haar bloed het bleke hout heeft bevlekt en de geëtste letters ingekleurd. 'Mara' staat er in rood. Ze spreekt met de weinige adem die ze over heeft. 'Ik ben Mara,' fluistert ze. 'Ik ben Mara.' Dan zakt ze terug op haar bed van kolen. In haar oververhitte dromen wordt ze een zeemeermin en als ze door de genezende koelte van het water schiet, lost het zwart op en wordt de glans van haar platina schubben zichtbaar.

Owens tweede avond in de flat. Ze delen een salade. Het is eigenlijk te warm om te eten. Ze drinken gekoelde witte wijn. Naomi draait platen, Bob Dylan, The Eagles, en later, als ze alle drie loom zijn, Johnny Cash. Ze weet veel van muziek en Owen vraagt zich af hoe dat komt. Hij en Naomi hebben amper iets gegeten en Sean helemaal niets, maar die drinkt alsof hij onlesbare dorst heeft. Owen ziet het niveau in de cognacfles dalen en verbaast zich erover dat Sean er zo nuchter blijft uitzien en zo duidelijk blijft praten. Zijn hand beeft zelfs niet. Hij gaat als eerste naar bed, onder het mom dat hij moe is, bang dat hij hen in de weg zit. Hij gaat op het bed liggen te midden van de torens kartonnen dozen met koopwaar voor de marktkraam. Hij wordt voor de verandering niet gestoord door het onderwatervolk en ook niet door Sarah. Dat vat hij op als een goed teken. Hij valt in slaap, maar wordt een poosje later wakker van de geluiden van het liefdesspel van Sean en Naomi. Hij luistert ingespannen, durft nauwelijks adem te halen, ook al voelt hij zich een soort voyeur. Met alleen een dunne muur tussen hen in deelt hij hun toenemende opwinding, het ritmische gebonk, het stijgende volume van hun gekreun en gehijg, de siddering van Seans bevrediging, het kreetje bij Naomi's orgasme. Daarna wordt hij zich bewust van het gespetter van de lekkende kranen in de badkamer. Sean heeft beloofd dat hij de leertjes zal vervangen, maar voorlopig klinkt het als een permanent koor dat schor kreunt. Het is net alsof de kranen een gesprek voeren, alsof geesten opgesloten zitten in de leidingen.

'Haaa...'

'Ahhh...'

Soms stotteren ze of hoor je ze hees hoesten. Luisterend naar hun spookachtige dialoog dommelt hij weer in. De volgende keer dat hij zijn ogen opent, is het stil, afgezien van de kranen, dus vraagt hij zich af wat hem heeft gestoord. Dan hoort hij iets krassen, of is het krabbelen? Hij gaat rechtop zitten en spitst zijn oren. Loopt er iemand rond? Daar heb je dat krassende geluid weer. Hij doet het licht aan, stapt uit bed, loopt stilletjes naar de deur en opent die op een kier. De rest van de flat is in donker gehuld. Hij haalt zijn hand over zijn bezwete voorhoofd. Hij slaapt in zijn onderbroek en heeft geen ochtendjas. Hij overweegt zijn spijkerbroek aan te trekken, maar vindt dat eigenlijk overdreven. Het is waarschijnlijk niks, nachtelijke onzin, het kraken en kreunen van een oud gebouw dat door de hitte uitzet. En als het Sean of Naomi mocht zijn, dan geeft het niks dat hij in zijn ondergoed loopt.

Hij doet het licht op de gang niet aan. Hij wil geen aandacht op zichzelf vestigen. Ze zullen het misschien vreemd vinden dat hun nieuwe huisgenoot rondsluipt omdat hij gestoord werd door krassende geluiden. Geruisloos passeert hij de badkamer waar de leidingen loeien als de wind, scheidt het kralengordijn en gaat de zitkamer binnen. De ramen staan nog open en een warme bries, verzadigd van de stank van uitlaatgassen, strijkt langs zijn neus. Het licht van de maan en de straatlantaarns schijnt door de ramen. Ergens ver weg slaat een deur dicht. Hij ziet de onduidelijke vormen van het meubilair dat hij nog niet goed genoeg kent. Hij kijkt naar rechts, waar de keuken is. Niemand te zien. Hij wil net teruggaan, terug naar zijn bed, als hij het geluid weer hoort, veel luider nu en heel dichtbij, hier in de kamer. Meteen begint zijn hart sneller te kloppen. Misschien hebben ze muizen, zegt de stem van de rede. Hij blijft doodstil staan en doorzoekt met zijn ogen de schemering.

Dan ziet hij haar knieën, haar knieën waar het maanlicht op schijnt. Met een paar stappen is hij om de bank heen en ziet haar, poedelnaakt, ineengedoken achter de bank, in de hoek van de kamer. Haar hoofd rust tegen de muur en haar vingers krabben. Hij is zo onthutst door de aanblik van haar zilveren lichaam dat hij een stap achteruit doet. Haar tepels lijken zwart, net als het krullende haar dat haar geslacht bedekt, ziet hij verbaasd.

'Naomi?' Hij zegt het heel zachtjes, op een sussende, kalme toon, alhoewel zijn hartslag in zijn oren bonkt. 'Naomi? Wat is er?' Ze reageert niet. Haar ogen staan glazig. Het blauwe oog is lumineus in het nachtelijke licht. Het bruine is één grote zwarte pupil. Hij vermoedt dat ze aan het slaapwandelen is en weet dat het gevaarlijk is om iemand die in zo'n hypnotische staat verkeert, abrupt wakker te maken. Hij grist een plaid van de bank, gaat op zijn hurken zitten en drapeert hem om haar naaktheid. Haar lippen bewegen, maar hij verstaat niet wat ze prevelt. 'Naomi, ik ben het, Owen. Heb je naar gedroomd? Zal ik je weer naar bed brengen?'

'De baby huilt zo,' fluistert ze jammerend. 'Laat haar toch ophouden.' Owen beseft dat ze nog steeds droomt. 'Ze is ziek. Heeft koorts. Moet in een lauw bad. Ik wil in een lauw bad.'

'Zal ik je naar de badkamer brengen? Ik kan een handdoek voor je natmaken om je mee af te koelen.'

Ze lijkt hem niet te horen. 'Kijk naar me. Kijk naar me.' Haar handen zakken, met de handpalmen naar boven, alsof ze geïnspecteerd moeten worden. Het lijkt alsof ze een slaapliedje neuriet. Haar toon is zangerig, kinderlijk. Owen krijgt er de zenuwen van omdat er sporen van Sarah in zitten. Het heeft de cadens van diepe verlangens. 'Ik ben helemaal zwart, helemaal vuil, zoals ze zei. Ik wil me wassen, maar dat kan niet.' Hij weet nu zeker dat ze droomt. Hij mag haar niet aan het schrikken maken. Wie weet wat ze dan zal doen. Hij overweegt Sean erbij te halen, maar herinnert zich hoeveel cognac die heeft gedronken en besluit ervan af te zien. Hij probeert haar overeind te trekken, maar ze stribbelt tegen.

'Nee, nee, ik ga niet met u mee. Ik wil in mijn bed blijven. Ik wil bij de Blinden blijven.' Ze begint zachtjes te zingen, te neuriën, soms zonder woorden, soms met. Hij herkent het nummer: 'Suzanne' van Leonard Cohen. De plaat die ze heeft gedraaid op de avond dat hij was komen eten, de avond waarop ze met Enrico had gedanst, de avond waarop de Italiaan het verdronken dorp had beschreven dat op de bodem van het Vaglimeer ligt. Het begint al invloed op hem te krijgen, het spookdorp met de stenen huizen die ooit de berglucht inademden. Het hemelgewelf strekt zich nu niet meer uit boven dat dorp. Het is in water begraven, in ijskoud donker water.

'Walt? Walt? Ben jij dat?'

'Nee, ik ben het. Owen. Kom maar. Kom maar bij Owen. Bij mij ben je veilig. Kom maar, dan breng ik je weer naar bed.'

'Je had me niet in de steek moeten laten, Walt, je had niet met Judy mee moeten gaan. Je had me niet boos moeten maken.'

Weer trekt hij voorzichtig aan haar armen en nu werkt ze mee en laat ze zich gewillig meenemen. Hij aarzelt bij de deur van hun slaapkamer, bang dat Sean wakker zal worden, maar zijn angst blijkt ongegrond te zijn. Sean ligt ladderzat te ronken en verroert zich niet eens. Owen leidt haar naar de vrije kant van het tweepersoonsbed en stopt haar in alsof ze een kind is. Voordat hij vertrekt, hoort hij haar iets mompelen. Als hij weer in zijn eigen kamer is, laat de zin hem niet los.

'Je had me niet in de steek moeten laten, Walt, je had niet met Judy mee moeten gaan. Je had me niet boos moeten maken.' Een vriendje dat haar ontrouw was geweest? Een echtgenoot? Hij blijft er een poosje over piekeren. Als het een ex van haar is, is het wel ironisch, omdat Naomi het nu zelf met de man van Catherine heeft aangelegd. Hij denkt aan zijn moeder, aan Ken Bascombe, aan Amerika. Ze is gebleven, maar ze had net zo goed kunnen gaan. Het zou voor hem niets hebben uitgemaakt. Hij vraagt zich af waar Walt nu is en of hij nog weleens aan Naomi denkt, aan zijn voormalige geliefde met de betoverende ogen.

9

SEAN ZIT TE STAREN NAAR EEN STUK KAUWGOM OP DE VLOER VAN de wagon van de ondergrondse waarin hij terugkeert naar Hounslow. Hij denkt aan het gesprek dat hij amper een uur geleden met Naomi heeft gevoerd.

'Ik wil het niet.' Hij had er niet eens over hoeven nadenken. Zijn reactie was automatisch geweest. Ze bleef praten alsof ze hem niet had gehoord, bleef wauwelen tot hij aandrang kreeg haar te slaan of een prop in haar mond te duwen.

'Ik weet dat je hier niet op had gerekend. Ik ook niet. Maar het komt wel goed. Maak je geen zorgen. Ik zeg niet dat het geen probleem is, maar het zal het waard zijn. O, Sean, ik kan het amper geloven. Ik krijg een baby. Ik word moeder! Voor jou is het iets anders. Dat weet ik. Dat begrijp ik. Jij hebt al een kind. Jij weet wat je ervan kunt verwachten.' Ze liep rusteloos door de slaapkamer, alsof ze in een kooi zat, alsof ze allebei in een kooi zaten. Hij lag op het bed met zijn handen ineengestrengeld achter zijn hoofd. Het schuifraam stond zover mogelijk open. Hun uitzicht was een stenen muur. Het schrille lawaai van het verkeer, dat in Londen nooit ophield, vulde de stiltes op. En er waren veel stiltes gevallen. De hitte was niet bevorderlijk voor de uitslag in zijn hals. Het jeukte verschrikkelijk en hij had al zijn wilskracht nodig om niet te gaan krabben.

'Je kunt nog niks zien, hè?' vroeg ze. Ze bleef staan om hem haar platte buik te tonen. 'Ongelooflijk dat hierin nu een baby groeit. Ik ben al namen aan het verzinnen. Vind je dat raar?' Hij gaf geen antwoord. Ze bekeek hem angstvallig, op zoek naar aanwijzingen over hoe hij met het nieuws omging, maar hij had een pokerface. Hij hield zijn ogen op haar gericht. 'Ashley voor een jongen? Of is dat te meisjesachtig?' Ze trok haar neus op en knipperde met haar ogen op die eigenaardige, trage manier van haar. 'Je hebt gelijk. Het moet iets zijn waar hij op school niet mee gepest kan worden.'

Ze kwam weer in beweging. Ze liep naar het raam, ging op de vensterbank zitten en legde haar hoofd tegen het glas. 'Ik wou dat het ging regenen,' zuchtte ze. De korte plukjes van haar pony plakten aan haar voorhoofd. Hij zag de donkere uitgroei onder het blond. Ze moest het nodig weer bleken. Ze droeg een roomkleurige bloes van indiakatoen, vastgeknoopt onder haar borsten. Een kristallen zweetpareltje lag trillend op haar sleutelbeen, raakte los en rolde tussen haar borsten. Ze droeg geen beha. Die droeg ze vrijwel nooit. Hij zag haar tepels duidelijk afgetekend onder het dunne katoen. Haar lichtblauwe spijkershortje met de rafelige afgeknipte pijpen had een lage taille. Ze was blootsvoets. Haar zware make-up gaf haar gezicht de starre uitdrukking van een buiksprekerpop. Ze boog zich naar het nachtkastje, nam een sigaret uit zijn pakje Camel, greep de aansteker en schudde ermee. Hij was bijna leeg, dus moest ze een paar keer knippen voordat er een vlammetje verscheen. Ze inhaleerde diep, hield de sigaret van zich af en bekeek hem peinzend. Met een afwezig gebaar plukte ze een sliertje tabak van haar tong.

'Nu ik in verwachting ben, zou ik eigenlijk moeten stoppen met roken.' Hij gaf geen antwoord. Het kon hem niets schelen wat ze deed. Hij ging met haar naar bed en vond het prettig dat ze van hem was, maar daarmee hield wat hem betreft de investering op. Hij had de mouwen van zijn overhemd opgerold. Zijn broek was van polyester waardoor hij het gevoel had dat zijn benen in plastic gevat waren. Toch weigerde hij toe te geven aan de hitte. Op de markt zag je elke dag meer bloot en het was vaak wit, slap en onaantrekkelijk bloot. Sean was van mening dat je imago bijzonder belangrijk was. Als je je normen liet vervlakken, zag je er binnen de kortste keren uit als een zwerver. En dan was het nog maar een kwestie van tijd voordat je je ook als een zwerver ging gedragen. Wie respect wilde, moest dat verdienen. Maar hij gaf toe dat het in deze hitte niet makkelijk was. Soms kon hij de verleidelijke stem van de Shannon horen. Ze lokte hem met herinneringen aan hoe ze zijn naakte lichaam in haar koude, groene omhelzing had gevat.

'Wat vind je van Daisy voor een meisje?' Naomi begaf zich op glad ijs. Ze nam nog een trek van de sigaret en begon op een nagel te bijten. Ze kloof hem tot op het vlees af. Haar vingers trilden. Een deel van zijn hersenen werd zich bewust van het geluid van een televisie, muziek, *Top of the Pops* waarschijnlijk. Zijn heupflesje zat in zijn broekzak. Hij haalde het eruit, ging op de rand van het bed zitten, draaide de dop eraf en nam een slok. En toen nog een. Hij spoelde met de drank alsof het mondwater was alvorens het door te slikken. Toen kwam hij langzaam overeind met het flesje in zijn hand. Hij had zijn schoenen uitgetrokken maar zijn sokken nog aan en stak nu zijn voeten weer in de schoenen.

'Ga je weg?' Haar stem klonk schril. Zonder naar haar te kijken, greep hij het pakje Camel en de aansteker.

'Ik ga naar huis,' zei hij.

En nu wordt hij heen en weer geschud op de Piccadilly Line en heeft hij het gevoel dat hij in een vuilcontainer zit. Het is zo warm dat hij een moord zou doen voor een ijskoud biertje. De andere passagiers in de wagon zien er net zo moedeloos uit als hij zich voelt. Somber denkt hij na over de samenzwering die er tegen hem is gesmeed, de hinderlaag die voor hem is uitgezet. Hij is het vechten moe. Hij voelt zich als een zalm die tegen de Shannon op zwemt om te paren terwijl alles en iedereen hem tegenwerkt. Niets in zijn leven blijft staan waar hij het heeft neergezet. Hij begint er overal de macht over te verliezen.

Hij had Catherine ten huwelijk gevraagd omdat ze een aardig meisje was uit een welgestelde familie, een familie die niet op een winderige boerderij in Ierland jaarlijks moeite had de eindjes aan elkaar te knopen. Hij had gehoopt dat een deel van hun rijkdom zijn kant op zou komen en dat hoopt hij nog steeds. Hij had gewild dat zijn moeder trots op hem zou zijn, hij had zijn broer Emmet jaloers willen maken, en hij had aan zijn pa, in zijn vroege graf, willen laten zien wat je kon bereiken als je slim was. Dat je daarvoor niet 's ochtends om vier uur hoefde op te staan en eerst de ijslaag op een tobbe water moest stukslaan om je slaperige gezicht te kunnen wassen. Dat je niet bij kaarslicht naar bed hoefde te gaan, met eelt op je handen en een gekromde rug. Dat je niet elke keer dat de wind van richting veranderde of de priester fronsend naar je keek, bijgelovig hoefde te gaan beven. Maar zijn moeder had stug gedaan toen hij met Catherine was thuisgekomen. Ze was geen ruimdenkende vrouw, ze zag niet in wat de voordelen van het huwelijk konden zijn. 'Ze is niet gelovig, Sean. Ze is niet rooms-katholiek,' had ze uiteindelijk gezegd, met een blik van afgrijzen op haar gezicht. Ze zei het op de toon die je zou gebruiken om te zeggen dat iemand niet menselijk is, dat iemand een gruwel is in de ogen van God. 'En ze is een Engelse,' vervolgde ze op dezelfde toon. 'Hoe haal je het in je hoofd om een meisje als zij in de familie te brengen? Daar komt alleen maar ellende van.' Het deed pijn, maar haar kritiek had hem juist gesterkt in zijn besluit. Hij zou ze wat laten zien, die bekrompen sukkels, had hij wraakzuchtig gedacht. Zijn vader had hem afgeranseld omdat hij in de Shannon was gaan zwemmen, maar hij had zijn geest niet gebroken en zijn dromen niet vernietigd.

Toch zijn er dagen waarop hij zich afvraagt of ze misschien gelijk had, of hij niet te hoog heeft gegrepen, niet te ambitieus is. Maar hij geeft zijn plannen nog niet op. Ooit zal hij een eigen bedrijf hebben. Hij heeft wat tegenslag gehad, maar alle succesvolle mannen kampen weleens met tegenslag. De marktkraam, die zo'n winstgevende onderneming had geleken in het dronken waas vlak voordat de baas van de pub de bel voor het laatste rondje had laten rinkelen, maakt nauwelijks winst. En dit is nog wel het toeristenseizoen. Ook Catherine heeft er alles aan gedaan om zijn toekomstplannen te dwarsbomen. Die moest zo nodig zwanger worden, tijdens de huwelijksnacht nog wel. Hij weet dat zij het niet kan helpen dat het condoom was gescheurd, maar waarom moest ze meteen zwanger worden? Een maagd. Haar eerste keer. Hoe kreeg ze het voor elkaar?

Hij houdt van Bria, maar ze had nog niet geboren moeten worden. Dat had later moeten gebeuren, als ze gesetteld waren, nadat hij een huis had gekocht en geld op de bank had. De ouders van Catherine denken er precies zo over. Die arrogante zakken kijken op hem neer, op hem en de puinhoop die hij van hun leven aan het maken is. Ze betreuren de keuze van hun dochter. Ze betreuren het dat ze haar typecursus heeft opgegeven voor een Ierse boerenpummel die nergens voor deugt. Zij zijn trouwens niet de enigen die teleurgesteld zijn. Hij is dat zelf ook. Catherine is veranderd, of misschien ziet hij haar nu pas zoals ze is, niet zoals hij wilde dat ze zou zijn. Ze hebben niets gemeen. Waarom hij dat niet meteen heeft gezien, snapt hij zelf niet. Misschien schreven ze elkaar karaktertrekken toe die er doodgewoon niet waren. Ze hebben een huwelijk van niks. In bed valt er niets met Catherine te beginnen. Ze is zo frigide als wat. Hij heeft haar de eerste maanden met opzet ontzien, er begrip voor getoond dat ze verlegen en onervaren was, maar hij had zich de moeite kunnen besparen. Toen de zwangerschap eenmaal was bevestigd, beweerde ze dat ze risico liep een miskraam te krijgen en kon hij het vrijen verder vergeten. Maar hij is een man en een man heeft behoeften, en zo was Naomi in zijn leven gekomen.

Ze was een hoer die hij op een avond laat had ontmoet toen hij op King's Cross vertier zocht. De seks was geweldig, elke keer, en hij mocht haar ook graag. Als hij bij haar was, voelde hij zich goed, dan voelde hij zich machtig – althans, tot nu. Hij had zich aan hun oorspronkelijke regeling moeten houden: twee, drie keer in de week, zonder verplichtingen, zonder verwachtingen. Maar de gedachte dat ze het ook met andere mannen deed, had hem dwarsgezeten. Hij wilde haar helemaal voor zichzelf. Dus had hij de flat voor haar gehuurd en haar het beheer over de marktkraam gegeven. Een tijdlang had alles volmaakt geleken. Hij treurde niet om zijn huwelijk, vond het niet erg meer dat er meteen al een baby zou komen en ook niet dat zijn plannen voor een eigen bedrijf opgeschort moesten worden. Zijn leven was in evenwicht. Maar plotsklaps, voordat hij wist wat er gebeurde, was dat evenwicht verstoord. Enrico was op het toneel verschenen. Hij liep bij hen binnen wanneer hij daar zin in had, deed zich tegoed aan zijn drank en neukte waarschijnlijk ook zijn wijf als hij er niet was. Het was een meesterlijke zet geweest om Owen als huurder te nemen. Nu had hij een waakhond. Hij had gedacht dat hij het spel had gewonnen, maar het was slechts die ene hand geweest. De kaarten die Naomi nu op tafel heeft gelegd, hebben alles kapotgemaakt. Ze is zwanger en ze praat alsof ze het kind kan houden, alsof ze een gelukkig gezinnetje gaan worden. Nou, hij heeft toevallig al een gezin. Het is misschien geen gelukkig gezin, maar hij kan er niet nog een bij hebben. Nog afgezien van de vraag of het kind wel van hem is.

'Ik zei dat ik geen honger heb,' zegt hij kribbig, geconfronteerd met de andere baby, zijn wettige kind.

'Goed, goed. Je hoeft niet zo lelijk te doen.'

Catherine heeft nu al twee keer gevraagd of hij iets wil eten, terwijl hij duidelijk heeft gezegd dat hij geen trek heeft. Hij bekijkt haar nors. Ze ziet er afgrijselijk uit in die vormeloze peignoir vol babykots. Het prachtige rode haar dat hem had aangetrokken als een koperen kroon, ziet er ongewassen en futloos uit. Ze heeft rode ogen, een teken dat ze heeft gehuild, wat ze tegenwoordig constant doet. Zo had het niet moeten zijn. Het was de bedoeling geweest dat hij haar goed verzorgd, in dure kleren, smaakvol opgemaakt, met schoon en geborsteld haar, geurend naar dure Franse parfum zou aantreffen als hij thuiskwam.

Met de jengelende Bria op haar arm loopt ze heen en weer door de woonkamer van het armoedige rijtjeshuis, terwijl hij in de leunstoel met de doorgezakte zitting zit, de stoel die hij zo'n koopje had gevonden in die tweedehandswinkel in de stad. Hij weet dat ze het huis haat, maar hij kan zich niets beters veroorloven. Een duur huis in Kingston zit er voor hen voorlopig niet in.

'Sean...' Ze aarzelt, steekt dan haar hand in de zak van haar ochtendjas, haalt er een stukje papier uit en legt het op de tafel naast zijn glas. Hij kijkt ernaar en herkent het meteen. Een schuldenbriefje. 'Je zei dat je niet meer zou gokken,' zegt ze toonloos. Muziek dreunt door de muur. Overal wordt hij door muziek achtervolgd. Op de markt, in de flat en nu hier.

'Sinds wanneer snuffel jij in mijn zakken, Catherine?' Hij zegt het op een zachte, dreigende toon. Hij kijkt niet naar haar maar naar het briefje, razend dat ze haar toevlucht heeft genomen tot dergelijke methoden.

'We hebben er geen geld voor,' zegt ze. Ze staat er uitdagend bij.

'Daar oordeel ik zelf wel over,' antwoordt hij dreigend, zijn ingehouden woede zo plotseling oplaaiend dat ze achteruitdeinst. Ik begin net zo'n bullebak te worden als mijn pa, denkt hij mistroostig.

'Ik maak me zorgen, Sean.' Ze laat de baby op haar arm wippen en wrijft over haar ruggetje, maar daarvan kalmeert hun dochter niet. Ze wordt er eerder ongeduriger van en slaakt schelle kreetjes van protest.

Hij neemt een grote slok uit zijn glas, goede cognac die hij onderweg bij de slijter heeft gekocht. 'Dat is nergens voor nodig. Ik heb alles onder controle,' antwoordt hij kortaf. Langzaam heft hij zijn hoofd naar haar op. Na een ogenblik wendt ze haar ogen af.

'Ik snap niet wat er met Bria is. Ze is vrijwel elke avond zo,' zegt ze bezorgd.

'Baby's huilen, Catherine. Dat is normaal.'

'Maar ze huilt bijna de hele tijd. Als je hier vaker was, zou je dat weten,' zegt ze beschuldigend. Haar groene ogen staan vijandig.

'Niet zeuren, Catherine,' zegt hij vermoeid. 'Je weet dat ik af en toe in Londen moet overnachten. Ik heb van alles lopen, dat heb ik je verteld, en ik moet de vinger aan de pols houden.'

Ze kijkt hem verwijtend aan, een blik die zegt dat ze weet dat er een andere vrouw in het spel is, dat hij een andere vrouw onderhoudt. Hij doet net alsof hij er geen erg in heeft en schenkt zijn glas weer vol. Bria jengelt op een aanhoudende, drenzende manier, met het onvermoeibare ritme van de slinger van een klok. 'Moet ze soms een flesje?' vraagt hij.

'Nee, natuurlijk niet,' zegt Catherine vinnig. 'Ze is ook niet nat en heeft geen poepluier. Ik ben met haar naar de dokter geweest, maar hij zei dat ze niets mankeert.' Ze slaakt een zucht van wanhoop.

'Wees blij. Waarom leg je haar niet in bed? Ze is waarschijnlijk alleen maar moe.'

'Ik weet niet of zij moe is, maar ik ben dat in elk geval wel. Ik kan me niet herinneren wanneer ik voor het laatst een hele nacht heb geslapen. De helft van de tijd voel ik me als een levend lijk. Hoor je me, Sean? Weet jij dat ik me de helft van de tijd als een levend lijk voel?' Bij de laatste woorden klinkt haar stem zo schel dat hij ervan ineenkrimpt en de baby ervan schrikt.

'Het moederschap is niet eenvoudig,' zegt hij sussend. 'Dat weet ik best. Maar naarmate ze groter wordt, wordt het vanzelf makkelijker, dat zul je zien.'

'Ik kan het niet meer aan. Ik moet slapen. Anders sta ik niet voor mezelf in.' Ze staat nu te schreeuwen. Haar hysterische gedrag slaat over op Bria, die diep ademhaalt en met een paars aangelopen gezichtje begint te krijsen.

'Kan je moeder je niet een handje helpen?'

Catherine kijkt hem vernietigend aan. 'Mijn moeder? Die zou me alleen maar op mijn zenuwen werken.'

Op de boerderij waren baby's het domein van de vrouwen. Mannen bemoeiden zich daar niet mee. Maar Catherine heeft een zaadje van de nieuwe vrouw in zich, de vrouw die in aantocht is, die meer wil, die het waagt het onmogelijke te wensen: gelijkheid. Sean voelt aan dat deze 'toekomstvrouw' langzaam begint op te bloeien uit de vermoeide flarden van het leven van zijn echtgenote en voelt de vloer van zijn wereld nog iets verder hellen. Hij snuift minachtend, maar vraagt zich af hoelang het nog zal duren voordat hij zijn nederlaag zal moeten erkennen en ervan af zal glijden. Hij drinkt zijn glas leeg. 'Geef mij haar maar. Ga naar bed. Ik pas wel op haar.'

Ze geeft hem de baby en gaat dankbaar naar boven. Hij neemt het kind op zijn arm en streelt haar hoofdje. Haar vlassige, vochtige, blonde haar heeft in de namiddagzon een rossige tint. Ze ruikt naar talkpoeder en melk. Hij kijkt naar de kloppende fontanel, het zachte plekje op haar hoofd waar de schedelbotten nog niet aan elkaar zijn gegroeid. Ze houdt zomaar opeens op met huilen. In de nasleep van haar huilbui moet ze hikken en ze lijkt verbaasd over de schokken die door haar kleine lichaam gaan. Ze hebben dezelfde ogen, ziet Sean opeens. Identiek. Blauwig groen, groenig blauw, moeilijk te bepalen. Op dit moment zijn ze eerder blauw dan groen. Ze is gewikkeld in een gele wollen deken en haar gezichtje is warm en rood.

'Heb je het warm, schatje?' zegt Sean. Hij slaat het dekentje open. Eronder draagt ze een lichtgroen kruippakje. Hij maakt de drie bovenste drukkertjes los zodat haar halsje en een deel van haar smalle borst vrijkomen. 'Beter zo? Wat zou je ervan zeggen om een wandeling over ons landgoed te maken en naar de sterren te kijken?' Bria knippert met haar ogen en haar hoofdje schokt als ze diep ademhaalt. 'Zal ik dat als een "ja" opvatten?' Ze spert haar roze mondje open in een geeuw. Hij staart naar het kleine wonder, het opmerkelijke wonder, zijn dochter. Dan staat hij op, loopt naar de keuken en verlaat het huis via de achterdeur. De tuin is een stukje gras met een scheefgezakte omheining. Die is echter net zo hoog als Sean lang is, dus heeft hij er privacy, ook al is de tuin maar klein. 'De sterren zijn er nog niet, schatje.' Het is een stadse zonsondergang. Roze en oranje strepen kleuren de hemel boven de horizon. Een basislijn van lavendelblauw breidt zich traag uit naar boven. Hij draait langzaam in de rondte en ziet een panorama van daken, schoorstenen en antennes. Het verkeer op de hoofdweg dendert langs. Hij denkt aan de vergezichten van Ierland, het weelderige groen dat zo'n lust voor het oog is. Hij spitst zijn oren om de stiltes te horen, de kalme innerlijke kracht van de Shannon. Bria is nu rustig en kijkt met aandachtige oogjes.

Er is een betonnen terrasje met een paar traptreden naar het gras. Hij gaat op de bovenste tree zitten met zijn dochter op zijn schoot, haar rug tegen zijn borst. 'Veel bijzonders is het niet, hè? Maar dit is maar tijdelijk. Tot je papa zijn zaakjes op orde heeft.' Hij rijdt nu op cognac, ver genoeg voor de kudde uit die probeert zijn hersenen tot een black-out te vertrappen. 'Je mag het niet aan je moeder verklappen, maar ik heb een paar zaakjes lopen die alles voor ons zullen veranderen. Ik heb een man leren kennen die invloed heeft, een man die de loop van ons leven kan veranderen, voor jou, voor mij en voor je moeder. Hij heeft me wat geld geleend en in ruil daarvoor doe ik klusjes voor hem. Simpele klusjes. Nog even geduld, dan komt alles goed. Dan wordt je papa rijk. Wat zou je graag willen, schattebout? Je mag uit de snoepwinkel van het leven kiezen wat je wilt. Weet je het niet? Zo was ik vroeger ook. Ik wist niet wat ik wilde, ik wist alleen dat ik geld moest verdienen om het te krijgen. Ik weet het goed gemaakt, ik zal voor jou kiezen. Een groot huis met een tuin om in te spelen en voor elke dag van het jaar een mooie jurk. Wat zeg je daarvan? En een zwembad in de tuin. Ik zal je leren zwemmen, Bria. En dan ga ik met je naar de Shannon en dan duiken we samen van de rotsen. Niemand die ons dat zal beletten, niemand die ons zal vertellen dat de rivier ongeluk brengt. Ik ken haar geheimen en die zal ik aan jou vertellen. Omdat jij een waterkind bent, schattebout. Mijn allereigenste waterkind.'

10

OWEN KRIJGT STEEDS MINDER ZIN IN DE TELEFOONTJES NAAR ZIJN ouders. Als hij belt, doet hij zijn best voor hen een heel andere jongen te beschrijven dan die hij ziet als hij in de badkamerspiegel kijkt. Zijn vader luistert geïnteresseerd naar deze Nicholas Nickleby-achtige zoon, naar zijn avontuurlijke belevenissen, zijn verhalen over de interessante dagen die hij doorbrengt in het gezelschap van andere acteurs. Het kleine meisje uit Nicholas Nickleby wordt niet genoemd. Dat onderwerp is taboe. Ze nemen hun toevlucht tot de aloude Britse traditie van praten over het weer, de aanhoudende hitte, de waterrantsoenering, de noodlijdende planten, de opdrogende reservoirs, de behoefte aan regen. Verder improviseert Owen steeds. Hij zegt dat hij een baantje heeft achter de kassa van het Palace Theatre, waar de spectaculaire musical *Jesus Christ Superstar* speelt. Hij biedt aan vrijkaartjes voor hen te vragen. Hij neuriet zelfs een paar deuntjes. Zijn vader zegt dat dat geweldig zou zijn.

Wat Owen hun niet vertelt, is dat al zijn pogingen om een theateragent te krijgen zijn mislukt en dat voor de weinige open audities die hij in het tijdschrift *The Stage* had zien staan, dansers en zangers gezocht werden die een opleiding hebben genoten. Owen is niet bang dat hij zal worden ontmaskerd. Hij weet dat zijn ouders hem niet zullen komen opzoeken. Dus volhardt hij in zijn beschrijvingen van het flonkerende West End, zijn interessante, artistieke nieuwe vrienden, de avonden die hij doorbrengt in het gezelschap van regisseurs en producenten. Op het nieuws dat hij naar de binnenstad van Londen is verhuisd, reageren ze met ontzag en afstandelijkheid. Zijn vader met ontzag, zijn moeder afstandelijk.

Owen belt hen alleen als hij in zijn eentje thuis is, wat niet vaak voorkomt. De telefoon staat op een tafeltje in de zitkamer, bij de deur. Sean had erop aangedrongen dat hij er gebruik van zou maken.

'Je ouders zijn belangrijk, Owen. Je mag nooit vergeten waar je vandaan komt.' Owen denkt aan het strand in Devon, het zand en de hemel, de koude onverschillige zee, aan hoe zijn moeder het zand in haar mond stopte, aan Sarahs knuffeldoek in de doos op haar nachtkastje. Hij ruikt Sarah nog steeds, een onwezenlijk bitterzoet parfum. Dat is de plek waar hij vandaan komt. Hij zou zijn ziel hebben verpand om de banden ermee te kunnen verbreken, om het vliegertouw dat hem verbonden houdt met zijn verleden te kunnen doorsnijden en weg te vliegen. 'Je moet af en toe iets van je laten horen. Anders wordt je moeder ongerust.' Hoe ironisch dat advies is terwijl Sean zelf met zijn maîtresse op een flatje zit en zijn eigen vrouw en kind alleen thuis laat, lijkt zijn baas te ontgaan.

Tijdens de telefoongesprekken bereikt Owen met zijn verzinsels steeds nieuwe hoogtepunten. Hij slaagt er elke keer in met een interessant nieuwtje te komen dat een mijlpaal zou zijn op zijn weg naar de roem, en als in stilzwijgende overeenstemming spelen zijn ouders braaf hun rol in deze idyllische samenzwering. Er wordt met geen woord gerept over zijn laatste avond thuis, over het heldere, rode bloed dat over de vloer was gespat. Toen hij na het avondeten de keuken was binnen gegaan, had zijn moeder met haar rug naar hem toe bij de gootsteen gestaan. Boven haar hoofd, op een houten afdruiprek, stond een dik, wit, porseleinen bord. Groepjes zeepbelletjes gleden eraf en daalden als transparante sneeuwvlokken naar de gootsteen. Schuin achter zijn moeder stond zijn vader. Hij floot 'My Bonnie Lies Over the Ocean', en hield zijn hoofd iets gebogen terwijl hij in de weer was met een rood-wit geblokte theedoek. Owen zag de glans van metaal tussen de plooien van de doek. Met een diepe frons tussen zijn wenkbrauwen concentreerde zijn vader zich op de taak van het afdrogen, wat hij net zo methodisch deed als het poetsen van Sarahs schoenen.

Plotsklaps hief zijn moeder haar druipend natte handen op met een gebaar alsof ze ging bidden. Ze plukte de bleke porseleinen maan uit het rek aan haar hemel, draaide zich om en liet hem keihard neerkomen op het gebogen hoofd van haar man. Het gaf een krakend geluid. De glimmende schedel met de spaarzame grijze haren die er zorgvuldig overheen gekamd waren, trilde heftig en zakte toen helemaal naar voren. De met helderrood bloed omrande scherven van de glanzende maan vielen neer, sprongen op en zeilden over de tegelvloer. De theedoek fladderde erachteraan terwijl het bestek op de grond kletterde. Zijn vader deed wankelend een stap achteruit. Volkomen verbijsterd hief hij zijn bevende hand op naar zijn hoofd en streek over de bovenkant van zijn schedel. Toen hij hem weer liet zakken, zag hij, net als Owen, dat er bloed aan zat, een akelige rode streep die fel afstak in het naakte witte licht. Heel even bleven ze alle drie stokstijf staan, alsof ze geen van allen konden geloven wat er was gebeurd. Toen liet zijn moeder zich op haar knieën vallen. Ze begon de scherven van de maan bij elkaar te graaien en probeerde de nacht weer aan elkaar te plakken. Owen nam de leiding. Hij liet zijn vader op een stoel plaatsnemen, gaf hem een schone theedoek en zei dat hij die op zijn hoofd moest drukken. Toen hurkte hij naast zijn moeder neer.

'Laat dat, mama,' zei hij, voorzichtig een scherf uit haar hand nemend. 'U zou u nog bezeren. De randen zijn scherp.' Hij sprak op de toon die je zou aanslaan tegen een onthutst kind. Hij hielp haar overeind en leidde haar naar de stoel naast die van zijn vader. En daar zaten ze toen, voor zich uit starend, als een van die beroemde middeleeuwse schilderijen van getrouwde stellen. Een rode worm, klein maar angstaanjagend rood, kwam onder de theedoek vandaan en kroop over zijn vaders voorhoofd. Hij stopte op de rand van het voorhoofdsbeen, raakte verstrikt in de grijze wirwar van zijn vaders rechterwenkbrauw, kroop er uiteindelijk toch onderuit en nestelde zich in de grot van zijn oogkas. Owen bracht zijn vader naar het ziekenhuis, die de inmiddels doorweekte theedoek stevig tegen zijn beschadigde hoofd gedrukt hield. De schedel bleek geen fractuur te hebben. De wond werd gedicht met lichtgevende paarse hechtingen.

De dag daarop nam hij op het perron van Didcot Station afscheid van zijn vader, die eruitzag als een verbijsterde Frankenstein. Zijn moeder had hem vanuit de open voordeur uitgezwaaid. Vlak voordat hij in de auto was gestapt, had hij zich omgedraaid, overweldigd door de plotselinge behoefte naar haar terug te rennen en zich in haar armen te storten, maar ze was alweer naar binnen gegaan en had de deur tussen hen gesloten. De dokter schreef zijn moeder valium voor, om haar zenuwen te kalmeren, en raadde haar aan een jaartje vrij te nemen van haar werk in de eetzaal van de plaatselijke lagere school. Dat was waarschijnlijk maar goed ook, als je bedacht hoeveel borden daar elke dag door haar handen gingen, peinsde Owen.

Nu hoort hij dat zijn moeder het goed maakt, erg goed zelfs, en dat ze van plan is binnenkort weer aan het werk te gaan. Ze is zo aangekomen dat sommige van haar rokken niet meer passen. En om niet bij haar achter te blijven, heeft zijn vader een subsidie ontvangen om tuingereedschap te kopen en helpt hij mee met het ontwerpen van de tuin voor een nieuw hotel dat aan de rand van Wantage wordt gebouwd. Kortom, een doorsnee Brits echtpaar, zo voorbeeldig als Janet en John in de schoolboekjes waaruit Owen heeft leren lezen, zij het met een paar opmerkelijke afwijkingen.

Kijk, vader, kijk. Kijk, moeder, kijk. John speelt. John speelt met een bal. De bal is rood met wit. Kijk eens hoe hoog de bal gaat. Janet speelt ook, Janet speelt in de zee. Kijk, moeder, kijk. Janet verdrinkt. Kijk, vader, kijk. John speelt. John speelt en Janet verdrinkt. Moeder rent. John rent ook. Vader rent ook. Vader haalt Janet uit de zee. Daar ligt Janet op het zand. Janet is dood. Kijk, John, kijk. Janet is dood. Janet is verdronken.

Owen verzwijgt in deze telefoongesprekken net zoveel over hun gezamenlijke verleden als over zijn eigen heden. Hij vertelt zijn ouders niet hoe hij Naomi 's nachts aantreft noch dat hij er vrij zeker van is dat hij, toen hij het behang bekeek waar ze aan had zitten krabben, een naam had ontcijferd: Mara. Hij vertelt ook niet dat hij op een avond, toen hij naar de keuken wilde gaan om een glas water te halen, Sean in zijn eentje aan de tafel had zien zitten, stomdronken, in zichzelf mompelend.

'Is er iets, Sean?' Geen antwoord. 'Kun je niet slapen? Sean, wat is er?' Geen reactie. Hij ging tegenover hem aan de tafel zitten. De ramen stonden open en de half neergelaten bamboerolgordijnen bewogen door de zachte bries. Sean slikte, blies zijn hete adem uit en keek dwars door hem heen.

'Labasheeda,' mompelde hij. 'Labasheeda.' Alleen de lavalamp op het telefoontafeltje brandde. De oranje bubbels gingen in slow motion op en neer als opgewonden eierdooiers. De kamer lag vol rommel en was gestreept door licht en schaduw. 'Mijn maîtresse, mijn groene maîtresse.' De woorden beroerden zijn lippen nauwelijks en waren zo modderig dat Owen ze uit de smurrie moest filteren. 'Finn met de scheve tanden heeft haar gezien, de geest van de kleine Iona O'Neil die op het water danste met haar zwierende zwarte lokken. Een klein meisje, opgeslokt door de hongerige groene dame, meegesleurd naar de diepte, zeiden ze.' Owen voelde de haartjes in zijn nek overeind komen. ' Ze was uit de boot gevallen toen ze het vee overbrachten. Het arme kind kon niet zwemmen. Dat konden we geen van allen. Omdat het water ongeluk brengt, zie je, omdat het water een vloek is. Ze zeiden dat er duivels in zaten. Maar die heb ik niet gezien toen ik erin dook.'

'Sean, zal ik Naomi voor je gaan halen?'

Hij zuchtte weemoedig, met open mond. Zijn adem rook bedompt en zuur. Owen had moeite niet achteruit te deinzen. Hij was nog gekleed: verlept overhemd, verkreukelde broek, de onaangename geur van zweet. 'Die zak van een Brandon Connolly. Van de zuivelhandel. Elke week zette hij mijn pa af, maar dat had die kaffer niet door. Hij kon niet goed rekenen, mijn pa, niet zoals ik. Hij was niet erg pienter. Het kwaad zat in het hok van de wc. Daar wachtte het op me, als het donker en koud was. Ze zeiden dat het kwaad uit de rivier kwam, maar dat was gelogen. Het kwaad zat in hun eigen akkers, in hun melkstallen en schuren, in hun zieke koppen.' Een teug uit het glas dat halverwege de tafel en zijn mond bleef hangen en weer terugkeerde naar zijn lippen. Hij dronk het leeg met een mond die half verdoofd was van de alcohol. 'Hij dwong me al mijn kleren uit te trekken. Bibberend van de kou stond ik voor hem. In mijn blootje. Emmet keek door het gaatje in de wand. Ik staarde naar zijn oog, zijn oog in het oog in het hout. Ik bleef naar zijn oog staren terwijl de riem in mijn rug beet, en in mijn billen en mijn dijen. Ik huilde nooit. Ik was een rots voor haar. En onderhand droop het dikke bloed van het karkas van het varken in de zinken emmer. Ik rook de weeë, zoete geur terwijl het leer floot en de koperen knopjes me openreten. Maar ik gaf geen kik. Ik gunde hun dat genoegen niet. Ik was haar dappere krijger, ik was als de soldaten die door mijn dromen marcheerden.' Uiteindelijk hees Sean zich overeind. Hij liep wankelend naar zijn slaapkamer, Owen achterlatend met de geest van de kleine Iona O'Neill die tapdanste op het water.

Hij vertelde evenmin aan zijn ouders dat hij in de nachten dat Sean bij zijn vrouw en kind was, vaak wakker werd van vreemde geluiden in de flat. Niet die van de kreunende waterleidingen, want dat geluid was constant, als het kraken van een radio waarop je geen enkel station kon ontvangen. Die geluiden hoorde hij al niet meer. Nee, waar hij van wakker schrok, waren de spookachtige voetstappen op de gang. De onduidelijke gesprekken die hij hoorde achter de muur die zijn kamer scheidde van die van Naomi. Hij zei niet: 'Mama, ik word zo bang van de dingen die ik zie en hoor.' De tijd dat een boze droom snel werd verjaagd in haar armen was al heel lang voorbij.

'Wat is er, Owen? Heb je naar gedroomd? Kom maar bij mama. Niemand zal je kwaad doen.' Hij herinnerde zich hoe ze bij hem in bed kroop en zijn trillende lichaam omvatte met haar warmte. Hoe de pauk van haar hartslag sterk genoeg was voor hen beiden. Hoe de zachte rondingen van haar borsten hem kalmeerden. Wat hij nu in haar bruine ogen ziet, is zijn eigen verachtelijke spiegelbeeld.

Intussen krijgt het ondergrondse koninkrijk een steeds verslavender invloed op hem. Langzaam maar zeker komt hij erachter dat het onophoudelijke ritme van de disconummers het bloed net zo effectief opzwepen als primitieve trommels. In de mollengangen heerst een opwinding, een alchemie, waarbij vergeleken de bovengrondse wereld saai lijkt. Koopwaar waarvan Owen vermoedt dat het er goedkoop en smakeloos uitziet zodra je ermee in het felle zonlicht komt, heeft hier de schijn mooi en duur te zijn. Kleuren ondergaan een subtiele verandering, als kleuren op het toneel in de roze gloed van theaterlampen.

Zijn nieuwe omgeving heeft trouwens wel iets van een theater, een ondergronds theater, slim belicht om de mankementen te verdoezelen en de goede punten te benadrukken. Het biedt entertainment en afleiding dankzij de korte optredens van het voorbijtrekkende volk: illegale immigranten ontsnappen er aan de hete keukens; tippelaarsters voelen zich prettiger als ze in zacht kunstlicht kunnen winkelen; argeloze toeristen worden tot de goedkope markt aangetrokken als motten tot een lamp, naar seks ruikende tieners lopen er rond met hun rusteloze energie. Woorden geuit op de markt krijgen een waarde die je ze in de stad nooit zou toekennen. Ver boven dit alles slaat Big Ben de uren, worden regeringen gevormd en ontbonden, en kronkelt het uitlaatgassen spuwende verkeersmonster onvermoeibaar door de straten. Bovengronds ziet Owen een hemel vol poepende duiven en vliegtuigen met staarten van condens, een hete, vervuilde stad die alle emoties afstompt. In de ondergrondse markt, daarentegen, ondergaan zelfs de fundamenteelste gevoelens een metamorfose en veranderen brood en water in ambrozijn.

In klaarwakkere toestand neemt Naomi, die net zoveel van haar incarnatie van slaapwandelaarster verschilt als Dr. Jekyll van Mr. Hyde, hem op in het vergulde waas van haar genegenheid. Ze trekt hem voortdurend naar zich toe, aait hem, legt haar hoofd op zijn schouder, kust hem op zijn wangen, zijn lippen, zijn voorhoofd. Ze haakt haar arm in de zijne, streelt met één vinger zijn handpalm en houdt zijn hand vast alsof dat de gewoonste zaak van de wereld is. Hij reageert zoals alleen een onaanraakbare kan reageren: met wanhopige dankbaarheid. Op een dag houdt Enrico hem tegen als hij naar de kraam terugkeert met thee en broodjes.

'En? Heb je het hier nu naar je zin?' vraagt hij, hem met zijn arm de weg versperrend.

'Ja, hoor.' Owens ogen zoeken al naar Naomi.

Met het kussentje van zijn duim wrijft Enrico bedachtzaam over een kleine moedervlek op zijn wang. 'En je bazin?' gaat hij glimlachend door. 'Naomi? Je bent nu goede vrienden met haar... huisgenoten.' Ze heeft hen gezien. Ze lacht en wenkt Owen, over haar maag wrijvend om aan te geven dat ze honger heeft.

'Dat klopt. Ik woon daar tijdelijk. We kunnen goed met elkaar overweg, maar we zijn alleen maar vrienden, Enrico. Meer niet,' zegt hij met nadruk. Enrico knikt. 'Ik moet gaan.' Enrico's arm zit nog steeds in de weg.

'Je moet wel oppassen. Op de markt. Markten trekken allerlei rare types aan.'

'Ja, dat weet ik. Ik pas heus wel op,' zegt hij ongeduldig. Weer dwalen zijn ogen weg. De kleine, met Elvistatoeages bedekte man is er weer en betast de rijen broekriemen. Naomi grijnst over zijn hoofd heen. 'De thee wordt koud.' Hij probeert zich van de Italiaan te ontdoen, maar Enrico laat hem er niet door. 'Toe nou, Enrico!' zegt hij kribbig. Hij komt verder naar voren, tot de plastic bekers bijna tussen hen worden geplet. Hij voelt de damp van de thee oprijzen tegen zijn borst en ruikt kruiden, knoflook en een vleugje van een azijnachtige, dierlijke geur. Zijn ogen zitten op de hoogte van de sik met de ingevlochten paarse kralen.

'Sean gaat om met ongure types,' zegt Enrico zachtjes. Owen kijkt op. Een moment houden ze elkaars blik vast.

'Dat weet ik. Ik heb geprobeerd met hem te praten, maar hij luistert niet.'

Enrico schudt zijn hoofd. De gevlochten oranje sik beweegt mee. Owen voelt zijn adem op zijn gezicht. 'Ik zou bij die lui uit de buurt blijven als ik jou was.'

'Bedankt voor het advies.' Enrico haalt zijn schouders op en stapt opzij. Hij heeft alleen maar lucht gegeven aan zijn toenemende bezorgdheid en gevoel van onmacht dat hij er niet in is geslaagd Sean bij Blue, de beruchte crimineel die op de markt rondstruinde, vandaan te houden. Enrico is niet meer op de flat geweest sinds Owens eerste avond daar. Hij had ruzie gekregen met Sean, die toen had gezegd dat hij niet langer welkom was. Volgens Owen is het echter slechts een kwestie van tijd voordat de brutale Italiaan het embargo doorbreekt. Desondanks is de situatie tussen Sean en Naomi er niet beter op geworden en lijkt de spanning de afgelopen dagen juist nog groter te zijn dan anders. Tot nu toe gedroegen ze zich afwisselend hartstochtelijk en kattig. Nu lijkt er een duister element in hun relatie te zijn geslopen, een element dat eerder gevaarlijk dan erotisch lijkt te zijn.

Met dat alles in gedachten besluit hij 's avonds naar de kruidenier op de hoek te gaan, op zijn dooie gemak, zodat ze een uurtje privacy hebben om de brokken te lijmen. Juli, en het is nog steeds belachelijk warm met temperaturen boven de dertig graden. De met zachtroze en dieprode lijntjes geaderde horizon lijkt dof vergeleken bij de blauwgroene glans van de Theems. De weerspiegeling van de gebouwen rimpelt op het bewegende water. Hoogte wordt breedte. Op de terugweg, gebukt onder het gewicht van zijn boodschappen, laveert hij tussen de forensen door die zich naar Waterloo Station haasten. Je ziet tegenwoordig ook steeds meer mensen die op scooters en fietsen door de Londense straten zoeven, behendig auto's ontwijkend. De wind blaast afval door de straten. In de stoffige lucht blijven uitlaatgassen en de vele geuren van de rivier lang hangen.

Omdat ze op de derde en bovenste verdieping wonen, is hij buiten adem tegen de tijd dat hij de voordeur bereikt. Als hij in zijn zakken naar zijn sleutel zoekt, hoort hij het geluid van harde stemmen. Hij gaat schoorvoetend naar binnen en zet de tassen in het halletje neer. Dan strekt hij zijn rug en hij beweegt zijn vingers zodat het bloed weer gaat circuleren op de plekken waar de plastic handgrepen van de zakken er diepe moeten in hebben gemaakt. Achter het scherm van kralen krijgt de woordenwisseling een heftiger karakter.

'Ik wil het houden.'

'We hebben het hier al over gehad, Naomi. Als jij denkt dat ik achterlijk genoeg ben om voor Enrico's bastaard op te draaien, dan heb je het mis.' Seans stem is scherp van ingehouden woede en samen klinken ze als kletterende bekkens.

'Ik ben nooit met hem naar bed geweest, zeg ik je. We zijn alleen maar goede vrienden, maar jij bent zo achterdochtig dat je er meteen van alles van denkt. Als je wat minder zou drinken, zou je misschien – '

'Goed, Naomi, zoals je wilt. Hou dat kind dan maar, als je dat zo graag wilt. Maar ik laat me geen oor aannaaien. Je krijgt van mij geen cent.'

Owen hoort een kreet, gevolgd door het geluid van iets wat omvalt en dan verstikte woorden. 'Wat is het verschil tussen mijn baby en die van Catherine? Wat... is... het... verschil, Sean?'

'Het verschil is dat zij mijn vrouw is.'

'En wat ben ik? Je hoer? Bedoel je dat, Sean?'

'Nee, natuurlijk niet, maar ik ben niet van plan voor een kind op te draaien dat niet van mij is. Waarom ga je niet naar hem? Misschien ziet hij het wel zitten. Al waag ik dat te betwijfelen.' Een gefrustreerde uitroep van Naomi. Dan: 'Het is mijn schuld niet dat je zwanger bent. Ik heb gezegd dat ik bereid was die kant van de zaak op me te nemen, maar jij zei dat het niet hoefde omdat je dat zelf wel zou doen. Nou, je zoekt het maar uit. Doe er iets aan... of lazer op!' Zijn accent wordt sterker naarmate zijn woede toeneemt.

'Je wilt dus wel met me naar bed, maar je weigert de verantwoordelijkheid te dragen voor de gevolgen. Waarom, Sean? Ben ik zo anders dan je voorbeeldige echtgenote, die, laten we even de kaarten op tafel leggen, niet echt een seksbom kan zijn, omdat je het anders nooit met mij aangelegd zou hebben?'

'Hou je mond! Ik wil niet hebben dat je zo over Catherine praat.' Hij zegt het op een venijnige, sissende toon. Niettemin kan Owen elk woord duidelijk verstaan dankzij de benadrukte medeklinkers. 'Dit onderwerp is wat mij betreft afgesloten. Als je het niet laat wegmaken, kun je je koffers pakken. En dan werk je ook niet meer op de markt. Niet in mijn kraam in elk geval. Ik kan natuurlijk niet spreken voor je Italiaanse minnaar.'

'Je kunt me niet uit mijn eigen huis zetten.' De hartstocht is uit haar timbre verdwenen en vervangen door bijtend gif.

'Ben je vergeten wie de huur betaalt, schatje? Wie de rekeningen betaalt?'

Daarop volgen geluiden van een gevecht. Er valt iets op de grond. Sean vloekt.

Owen duwt het kralengordijn opzij en ziet hen midden in de kamer als boksers tegenover elkaar staan. Een van de stoelen ligt op zijn kant. Op de grond voor de haard ziet hij de scherven van een gebroken mok. Het platenrek is omgevallen en de grammofoonplaten zijn eruit gevallen. Sommige zijn half uit de kleurige hoezen gegleden. Kussens zijn door de kamer geslingerd en het vloerkleed ligt op een hoopje in een hoek, waardoor de kale planken zichtbaar zijn geworden.

'Naomi! Sean! Hou alsjeblieft op!' smeekt hij, maar ze slaan geen acht op hem. Naomi staat met haar rug naar hem toe en Seans normaal gesproken zo passieve gezicht is paars aangelopen. Precies op het moment dat Owen binnenkomt, haalt hij uit en slaat hij Naomi zo hard in haar gezicht dat ze half struikelend achteruitdeinst. Haar knieën knikken en een ogenblik ziet ze eruit als een wild dier dat door een verdovingspijltje is geraakt. Ze helt opzij, herstelt zich en vindt haar evenwicht terug. 'Jezus, Sean!' Owen loopt naar voren om haar te helpen, maar ze houdt hem met een opgeheven hand tegen. Woedend stormt ze op haar minnaar af en klauwt met haar afgekloven nagels aan zijn wang.

'Ik haat je!' zegt ze met een rauwe stem en dan zuigt ze haar wangen naar binnen en spuugt een fluim speeksel in zijn oog. Hij deinst geschrokken achteruit. Stilte. Dan het raspende geluid van Naomi's hijgende ademhaling. Ze is rood aangelopen van inspanning en woede, en haar ogen zijn geslonken tot vurige stippen. Owen hapt naar adem en probeert zijn stem op te krikken uit de schacht waarin hij is gezonken. Seans mond hangt open. Voorzichtig betast hij zijn wang, waarop rode bloeddruppels zich aaneensluiten. Hij blaast langzaam zijn adem uit, laat dan ongelovig zijn hand zakken en staart naar de rode vlekken.

'Doe er iets aan, Naomi.' Monotone woorden die sidderend over zijn lippen komen. Secondenlang kijken ze elkaar aan. Dan werpt hij een korte blik op Owen. Zijn adamsappel gaat op en neer als hij slikt. Zijn gezicht drukt diepe spijt uit. Dan beent hij weg. Het kralengordijn slaat heen en weer en de voordeur valt met een klap dicht. Een ogenblik blijft Owen hem geschokt nakijken, niet in staat te geloven wat hij heeft gezien en gehoord. Dan draait hij zich langzaam om, laat zijn blik op Naomi rusten en vindt eindelijk zijn stem terug.

'Heb je je bezeerd?' vraagt hij. Aarzelend legt hij zijn hand op haar arm. Zonder naar hem te kijken schudt ze haar hoofd. 'Ga zitten. Ik zal een kopje thee voor je maken.' Ze gaat zitten, haar gezicht nu uitdrukkingsloos. Hij kijkt af en toe naar haar terwijl hij thee zet. Ze houdt haar blik gericht op de poster van Bob Dylan die naast die van Hendrix aan de muur hangt. The Freewheelin' Bob en zijn vriendin, op straat in Greenwich Village, New York, met een Volkswagenbusje op de achtergrond. Hij doet een extra schepje suiker in haar thee. Het is eigenlijk te warm voor warme dranken, maar hij weet dat zoete thee goed is in geval van trauma. Hij had voor zijn ouders ook thee gezet op de avond dat de maan uit de hemel was gevallen. Hij gaat naast haar zitten, geeft haar de mok en wacht, hopend dat zij als eerste iets zal zeggen. Uiteindelijk dregt hij zelf wat woorden op. 'Het spijt me... van de baby.' Ze houdt de mok met beide handen omklemd, dicht bij haar mond.

De damp kringelt op rond haar gezicht. 'Wat ga je nu doen?' Ze geeft geen antwoord, zit ineengedoken op de bank, haar bekoorlijke ogen gericht op de poster.

Een vrouw zou wel weten wat ze moest zeggen, maar Owen zit gevangen in zijn gêne. Hij klopt onhandig op haar rug, probeert het gebaar meer meelevend dan opbeurend te maken. Alhoewel hij zelf een tragedie heeft ervaren, is de lichamelijke geweldpleging waarvan hij zojuist getuige is geweest, hem vreemd. Tegen zijn wil raakt hij steeds meer verwikkeld in een onaangename situatie die hem een bijzonder onbehaaglijk gevoel geeft. Hij zou wel willen weggaan, en als dat laf is, dan is hij maar een lafaard, maar omdat hij een fatsoenlijke jongen is, kan hij Naomi in deze situatie niet in de steek laten. Dat zou zo harteloos zijn dat hij het zelfs niet overweegt.

Uiteindelijk zet ze de mok op de lage tafel en draait ze zich naar hem toe. De vuurrode afdruk van Seans hand op haar wang is zo duidelijk als een tekening op een vel papier. Ze wacht niet tot hij het initiatief neemt, maar slaat impulsief haar armen om zijn middel en drukt haar hoofd tegen hem aan. Het gebaar roept onmiddellijk herinneringen aan Sarahs laatste omhelzing op, zo pijnlijk scherp dat hij naar adem hapt. Naomi is akelig mager. Breekbaar. Hij streelt haar korte haar. Dan legt hij zijn handen op haar rug en beweegt ze op en neer. Hij voelt de knobbels van haar ruggengraat. Haar natuurlijke haarkleur is aan het uitgroeien. De haarwortels zijn zo zwart als de hoed van een heks.

'Wil je iets eten? Zal ik iets voor je maken?' vraagt hij.

'Ik heb geen trek,' mompelt ze tegen zijn buik.

Haar gelaatstrekken worden in zijn vlees gedrukt als cakevormpjes. De spitse kin, de rechte neus, de warmte van haar lippen. Hij beeldt zich in hoe het zou zijn als hij geen T-shirt aanhad. Zou het net zo voelen als Sarahs gezicht dat zich in de matrijs van zijn huid had gedrukt? Zou hij haar wimpers als vlinders voelen kriebelen?

'Kunnen je ouders je niet helpen?' vraagt hij zachtjes. 'Je moeder?'

‘Mijn moeder is dood,’ antwoordt ze mompelend. Haar adem lijkt door het katoen heen te gaan en op zijn huid te branden.

‘Sorry.’ Ze haalt haar schouders op. ‘Je vader dan?’

‘Nee.’ Hij sluit zijn ogen en wacht tot hij voldoende moed heeft gevat. ‘Enrico?’ Zal ze nu naar hem spugen of aan zijn gezicht gaan klauwen als een nijdige kat? Nee, de razernij in haar schijnt gedoofd te zijn. Ze lacht kort, op een droge, treurige manier. Hij doet zijn ogen weer open. Dan geeft ze het antwoord dat hij had verwacht. ‘Nee, hij niet.’ Ze weten allebei dat niet alleen getrouwde mannen niet opgescheept willen worden met onwettige baby’s, ook onverantwoordelijke levensgenieters hebben er geen trek in. Owen ziet geen andere oplossing dan beëindiging van de zwangerschap, maar is zo verstandig zich daar niet over uit te laten. Ze moet het besluit zelf nemen.

‘Ga niet weg, Owen,’ zegt Naomi, en het klinkt als een spookachtige echo van Sarahs laatste smeekbede. Dus blijven ze zitten, in de drukkende hitte, terwijl het daglicht sterft en de duisternis zich in de kamer nestelt. Dan schenkt hij een glaasje cognac voor haar in (Sean heeft zijn eeuwige fles achtergelaten) en helpt haar naar haar bed. ‘Blijf je nog even bij me? Blijf je bij me, Owen, tot ik in slaap ben gevallen?’ vraagt ze. Hij knikt en gaat op de rand van het bed zitten. Haar vingers glijden onrustig heen en weer over de satijnen band waarmee de deken is afgewerkt. Een brede lichtbaan valt door de open deur naar binnen. Ze vecht tegen de slaap. Uiteindelijk verlaat de spanning haar lichaam, krijgt haar oppervlakkige ademhaling een gestaag ritme en zakken haar oogleden trillend dicht. Hij staat op, loopt naar de woonkamer en belt Sean. Catherine neemt op.

‘Hallo?’

‘Hallo. Spreek ik met Catherine?’

‘Ja, met wie spreek ik?’

‘Met Owen. Ik werk in de marktkraam van je man. Is hij thuis?’

‘Ja.’

‘Zou ik hem even kunnen spreken? Het is niets bijzonders. Iets over het werk.’

'O. Goed.' Een pauze. Hij hoort in de verte de baby huilen.

Dan de stem van Sean. 'Owen?'

'Ja. Hoor eens, ik moet een paar dagen vrij nemen, ik moet bij Naomi blijven.'

'Best.' Weer een pauze. Hij vraagt zich af of Sean zal aanbieden met haar mee te gaan naar de dokter, haar bij te staan. Dat is toch wel het minste wat hij voor haar kan doen. Dan hoort hij hem fluisteren: 'Als ze geld nodig heeft, zeg dan maar, zeg dan maar dat ik ervoor zal betalen.'

'Goed.' Opeens klinkt het gehuil van de baby veel luider, misschien omdat Catherine met haar de kamer is binnen gekomen. 'Ik bel wel als het... voorbij is.'

De volgende ochtend gaat hij met haar mee naar de abortuskliniek. Hij blijft in de wachtkamer zitten als ze wordt onderzocht. Het duurt een halfuur. Het grootste deel van die tijd zit hij naar zijn schoenen te kijken, bruine leren veterschoenen die hij weleens zou mogen poetsen. De dokter schat dat ze acht weken zwanger is. De abortus wordt een paar dagen later uitgevoerd. Owen blijft in het ziekenhuis wachten tot ze naar de zaal wordt gebracht. Hij gaat naast haar bed staan en pakt haar hand. Die is vederlicht en klam, en als hij naar haar afgekloven nagels kijkt, krijgt hij een brok in zijn keel. Haar oogleden trillen, blijven plakken op de manier waaraan hij gewend is geraakt, en gaan dan omhoog. Haar hand glijdt uit de zijne en verdwijnt onder het laken. Opeens zet ze grote ogen op, alsof ze zich ergens over verbaast. Als hij zich naar haar toe buigt, komen er moeizame woorden over haar droge lippen.

'Het... maakt niet uit.' Ze herhaalt het. 'Het maakt niet uit.' Ze is nog doezelig van de verdoving. Ze kijkt niet naar hem en lijkt hem ook niet te herkennen. Het maakt niet uit, heeft ze gezegd. Maar het maakt wel uit. Het maakt meer uit dan Owen ooit zal weten. Hij is er niet zeker van wat hem te wachten staat, maar bereidt zich voor op een paar moeilijke weken.

De eerste dagen blijft hij bij haar. Sean moet maar zien dat hij zich redt. Ze ligt ineengedoken in bed te staren naar een plek op de muur en komt er alleen uit om naar de wc te gaan. Hij brengt haar kopjes thee en koffie, soep, beboterd brood, een gekookt ei. Het is misschien niet de appetijtelijkste kost die er bestaat, maar hij meent zich te herinneren dat zijn moeder altijd met dienbladen met dergelijk voedsel kwam als hij ziek was. Naomi eet er trouwens geen hap van. Al zijn pogingen om met haar te praten worden beantwoord met stilte en uiteindelijk geeft hij het op. Een onbekende, muffe, modderige geur verspreidt zich door de hele flat. Hij probeert niet na te denken over wat het is, al weet hij diep in zijn hart dat het de geur van bloed is.

Op de tweede dag schuift hij de pauwenstoel naar het raam van de zitkamer en legt er een paar kussens in, waardoor de stoel het aanzien krijgt van een troon. Zonder haar te vragen of ze het wil, neemt hij haar bij de hand en leidt haar naar de stoel. Ze loopt gedwee met hem mee, gaat zitten en zakt onderuit. Zonder dat hij er erg in heeft gehad, heeft ze bij zijn klerenkast weten te komen. Ze draagt een van zijn T-shirts, een groene, die haar veel te groot is. 'Zo, ga hier maar even fijn zitten en naar buiten kijken. Misschien voel je je morgen goed genoeg voor een wandeling in het park, lekker in de buitenlucht, dan krijg je weer wat kleur op je wangen,' zegt hij enthousiast, met zijn hand op haar schouder. Ze haalt gelaten haar schouders op.

Op maandagmorgen gaat hij weer aan het werk. Naomi lijkt iets opgewekter te zijn en verzekert hem dat ze zich een stuk beter voelt. Hij daalt af naar de welkome bedwelming van de markt. Enrico's vragen over Naomi weet hij af te doen met een opmerking over buikgriep. De hele ochtend pakt hij geld aan, geeft wisselgeld terug, en put zich tegen verbaasde klanten in superlatieven uit over Swinging Londen. Al die tijd voelt hij Seans ogen op zich gericht tot die, als het even rustig is, eindelijk iets zegt.

'Het spijt me dat jij hierbij betrokken bent geraakt. Erg vervelend.' Hij geeft geen antwoord. Sean legt aarzelend zijn hand op zijn arm. Owen is bezig een tas te poetsen en wrijft over het zwarte kunstleer tot het glanst als drop. Hij schudt de hand van zich af en gaat door met wrijven.

'Niks aan te doen. Laat maar zitten,' mompelt hij.

'Je vindt mijn gedrag waarschijnlijk beneden alle peil. Ik weet dat het er zo uitziet.'

'Het heeft niets met mij te maken. Laten we er nu maar over ophouden, goed?'

'Het is niet zo simpel als je misschien denkt,' zegt Sean. Owen haalt adem om iets terug te zeggen, maar verandert van gedachten. 'Wat?' vraagt Sean.

'Niks.' Hij mijdt Seans ogen.

'Vooruit, Owen. Zeg gerust wat je denkt.' Sean tast naar het plekje in zijn hals, dat groter lijkt te zijn geworden. Owen ziet dat er nu ook gele blaasjes op zitten.

'Ik weet het niet... Alleen... dat je misschien met haar had moeten meegaan.'

'Jezus, man, ik weet niet eens of het kind van mij was,' zegt Sean half binnensmonds.

'Maakt dat echt iets uit?' Opeens wordt Owen kwaad. Sean was verantwoordelijk voor de hele puinhoop en had het zelf moeten oplossen. 'Als ik niet met haar was meegegaan, zou ze helemaal alleen zijn geweest. Dat is toch verschrikkelijk?' Hij gooit de tas neer en wringt de stofdoek uit alsof het een natte dweil is. Hij houdt zijn blik gericht op de glanzende koopwaar.

'Je hebt gelijk. Ik zal het goedmaken. Maar ik weet zeker dat ze het binnen de kortste keren vergeten zal zijn.'

Owen knikt. Het incident vervult hem met afkeer en onbehagen. Hij wil er niets mee te maken hebben, maar hij kan Naomi ook niet zomaar in de steek laten, althans niet meteen. Hij is al half van plan om hier weg te gaan zodra de gemoederen zijn bedaard. Hij is naar Londen gegaan om aan tragedies te ontsnappen, niet om er nog meer te zoeken. Hij is in de schaduw van een tragedie opgegroeid en wil zich er nu van distantiëren, een oppervlakkige, komische rol spelen. Hij is blij dat ze de rest van de dag vrijwel niets tegen elkaar hoeven te zeggen. Ze hebben het druk. De onophoudelijke stroom klanten is een mooi excuus om niet dieper op de zaak in te gaan. Als hij bij de flat aankomt, steekt hij zijn sleutel in het slot en doet de deur open. Hij voelt zich als een acteur in de openingsscène van een toneelstuk van Alan Ayckbourn als hij haar naam roept.

'Naomi? Ik ben thuis. Waar zit je?'

Een onheilspellende stilte, verstoken van geestige ondertonen, begroet hem. Het enige geluid dat hij hoort, is het rochelen van de kranen. Hij heeft er slechts één minuut voor nodig om de piepkleine flat te doorzoeken, de zitkamer, waar hij de onbezette stoel bij het raam ziet staan, de slaapkamers met de lege bedden, onopgemaakt, slonzig, als een aan lager wal geraakte vrouw. Nu staat hij voor de gesloten badkamerdeur, onredelijk angstig, met een klaaglijke klank in zijn stem.

'N... Naomi?'

De stilte is drukkend. Hij haalt diep adem en draait de deurknop om. De deur zwaait helemaal open. Hij blaast zijn adem uit in een angstige zucht. Het is een bloedbad. Naomi is gekleed in een slipje van zwart kant en verder helemaal niets, waardoor ze er belachelijk sexy uitziet. Ze ligt in de foetushouding op de tegelvloer, haar gebogen armen ter hoogte van haar hoofd. Alles zit onder het bloed. Haar bleke lichaam is ermee besmeurd, het zit in haar blonde haar en gutst uit haar doorgesneden polsen. Zelfs haar wangen hebben een blos van bloed.

'Nee!' roept hij uit. Hij laat zich op zijn knieën vallen en grijpt haar schouders. Haar ogen zijn gesloten. Hij denkt dat ze dood is. Ga niet weg, Owen. Dat had ze gezegd. Maar hij is wel weggegaan, hij heeft haar achtergelaten, net als Sarah. Is zij nu ook dood? 'Naomi! Naomi!' Angstig schudt hij haar door elkaar. Haar oogleden trillen voordat haar ogen opengaan. Haar wimpers zijn nat; haar tranen zijn rood. En haar opmerkelijke ogen staren nietsziend naar de glans van een scheermesje dat ze losjes tussen haar vingertoppen houdt. 'O, jezus! Nee, nee! Naomi, wat heb je gedaan?'

Hij is in paniek en handelt instinctief. Hij grijpt een paar handdoeken, haalt voorzichtig het mesje tussen haar vingers vandaan, gebruikt het om de handdoeken aan repen te snijden en bindt die rond haar bloedende polsen. Hij rent naar haar slaapkamer, grist de deken van het bed en rent ermee terug. Ze verzet zich niet als hij haar overeind zet, in de deken gewikkeld naar de zitkamer draagt en op de bank neerlegt. Maar als hij zijn hand naar de telefoon uitsteekt om een ambulance te bellen, schiet haar arm opeens uit om hem dat te beletten.

'Wat doe je?' vraagt ze. Owen kijkt haar beduusd aan, ziet haar onverklaarbaar heldere ogen naar hem kijken vanuit het met bloed besmeurde gezicht.

'Ik ga een ziekenauto bellen. Wat dacht je dan?'

'Nee.' Haar hand, kleverig van het sneldrogende bloed, sluit zich om de zijne. Haar greep is verbazend sterk.

'Nee? Je bent bijna doodgegaan. Je hebt een heleboel bloed verloren.' Toen ze haar hoofd schudde, viel Owen tegen haar uit. 'Doe niet zo achterlijk!' Hij rukt zich los en begint, met de hoorn in zijn hand, het nummer te draaien. Weer voorkomt ze dat door haar vuist op de haak te laten neerkomen en de verbinding te verbreken.

'Ik ga niet dood,' zegt ze rustig. 'Je moet niet zo overdrijven. Probeer je een beetje te beheersen, Owen.' Het verwijt doet hem twijfelen aan zijn eigen zintuigen. Ze heeft zojuist geprobeerd zichzelf van kant te maken door haar polsen door te snijden en nu zegt ze tegen hem dat hij overdrijft. Hij smijt de hoorn neer en die valt met een harde tik op de vloer.

'Jezus, doe niet zo raar! Je moet naar het ziekenhuis!' roept hij, gefrustreerd met zijn armen zwaaiend.

'Weet je wat er zal gebeuren als ik naar het ziekenhuis ga?' vraagt ze koeltjes.

'Ja, daar zullen ze ervoor zorgen dat het bloeden ophoudt en dat je weer helemaal beter wordt,' zegt hij fel.

'Ik ben niet ziek. Luister, Owen. Als ik naar het ziekenhuis ga, zullen ze zeggen dat ik met iemand moet gaan praten, met een psychiater. Ze zullen zeggen dat ik niet in orde ben en – '

'Je bent ook niet in orde,' zegt hij, zijn mond zo stug als natte klei. Hij ziet opeens zijn moeder en het bord dat ze op het gebogen hoofd van zijn vader aan stukken sloeg, het bloed dat langzaam werd opgezogen door de theedoektulband.

'Nee, Owen. Ze zullen zeggen dat ik híér niet in orde ben,' zegt ze. Ze tikt met haar bebloede wijsvinger tegen haar voorhoofd. 'En dan zullen ze willen proberen daar iets aan te doen. Dan sluiten ze me op. En dat zou ik niet kunnen verdragen.'

'Oké,' antwoordt hij kortaf, 'maar je moet wel naar een dokter.' Ze zucht ongeduldig. 'Ik meen het. En ik wens geen tegenspraak.'

Ze denkt er even over na en legt zich er dan bij neer, met een nukkige schouderophaling. 'Goed. Maar het moet een privéarts zijn en hij moet hierheen komen.' Daar stemt hij snel mee in. Als er een dokter naar haar komt kijken, hoeft hij zich daarover tenminste niet meer druk te maken. Nu ze hiertoe hebben besloten, wast hij het bloed zo goed mogelijk van haar af, ervoor oppassend haar verbonden polsen niet nat te maken. Als ze in bed ligt, slaagt hij erin een arts te vinden die bereid is op huisbezoek te komen. Terwijl hij op hem wacht, dweilt hij de badkamervloer.

Dokter Laidlaw is een man met een indrukwekkend uiterlijk, een Schot met een zorgvuldig geknipte grijze snor en baard. Als hij weer uit haar slaapkamer komt, ziet hij er onverstoorbaar uit. Kalmpjes volgt hij Owen naar de zitkamer.

'Uw... eh – '

'Huisgenoot,' vult Owen aan.

'Huisgenoot. Juist. Uw huisgenoot zal helemaal genezen,' zegt hij op een geruststellende manier. 'Ik heb haar polsen verbonden. Het is belangrijk die de komende dagen droog te houden.'

Owen steekt zijn handen diep in zijn broekzakken. Na de schok die hij bij zijn thuiskomst had gekregen, slaagt hij er niet in zich los te maken van het gevoel dat dit allemaal niet echt gebeurt. 'Hoeven ze niet gehecht te worden?' vraagt hij verbaasd, want hij vindt het moeilijk te geloven dat zulke gevaarlijke verwondingen alleen maar een verbandje behoeven.

'Nee, hoor. De wonden zijn niet erg diep en zaten ver van de slagaders. Ik denk dat het eerder een noodkreet was dan een serieuze zelfmoordpoging. Het zal vanzelf genezen.' Er hangt een geur van tabak en frisse, mannelijke eau de cologne om hem heen en zijn kloeke gestalte straalt iets permanents uit waar Owen zich meer door gesterkt voelt dan door gemeenplaatsen. 'Ze is een beetje gedeprimeerd vanwege de abortus,' gaat hij door. 'Dat is normaal. Het duurt even voordat je over zoiets heen bent.' Hij bekijkt hem met een berekenende blik en Owen beseft geschokt dat hij vermoedelijk denkt dat het kind van hém was. 'Het is een kwestie van tijd. Ik heb een paar rolletjes verband bij haar neergelegd, maar ik denk dat een gewone pleister over een dag of twee voldoende is.'

11

NAOMI HEEFT EEN ZEURENDE PIJN IN HAAR BUIK. ZE ZIT IN DE PAUwenstoel zonder zich bewust te zijn van de uren die verstrijken. Soms rekt een dag zich tot een jaar. Soms gaat Owen naar de markt en is hij in een oogwenk terug. Hij betuttelt haar, vraagt aldoor hoe het met haar is, dwingt haar te eten en te drinken. Hij weet niet wat ze verborgen houdt. Prachtige kleuren, vermengd op het palet in haar lichaam, sijpelen door haar vlees, kleuren haar huid. Schakeringen van blauw, paars, grijs, geel, groen en... zwart, schoorsteenvegerzwart. Haar lichaam is van zwart verzadigd. Niemand die het ziet, behalve de Blinden. En die zullen het nooit verklappen. Nooit. Ze hebben daar geen reden toe.

Juffrouw Elstob richtte haar slagen met zorg opdat die haar alleen raakten op plekken die niemand kon zien. Naomi was vijf toen ze op Fulwood Cottage Homes aankwam. Ze was vijftien toen ze wegliep. In de ontvangstkamer namen ze haar kleren af en gaven haar andere, zodat ze er precies zo uitzag als iedereen. Ze namen haar ook haar naam af. Pastoor Peter boog zich naar haar toe en keek haar in haar vreemde ogen.

'En zij sprak tot hen: "Noemt mij niet Naomi, noemt mij Mara, want de Almachtige heeft mij veel bitterheid aangedaan."' Hij legde zijn handen op haar hoofd en draaide lokken van haar zijdezachte zwarte haar rond zijn dikke vingers toen hij deze woorden uitsprak. 'Ik doop je Mara,' zei hij. 'Dit is je nieuwe thuis. En Mara is je nieuwe naam.' Ze wilde tegen hem zeggen dat ze het geen mooie naam vond en dat ze liever Naomi heette. Ze zeiden dat ze luizen had. Dat wist ze al. Ze vond het leuk om ze tussen haar nagels kapot te knijpen. Ze brachten haar naar de hal en schoren haar kaal. Toen wreven ze haar hoofd in met iets wat naar olie en iets bijtends rook. Er waren stenen huizen die er allemaal hetzelfde uitzagen, een lapje gras en nog meer van die huizen aan de andere kant daarvan. Ze brachten haar naar een van de huizen, nummer drie, vol met kinderen. Ze zeiden tegen haar dat ze een slaapkamer zou delen met nog vijf meisjes. Er was een andere slaapkamer vol met jongens en een kamer waar de huismoeder, juffrouw Elstob, sliep. Zij was net zoals de oude vrouw die in een schoen woonde en zo veel kinderen had dat ze niet wist wat ze moest doen.

Toen ze in bed plaste, dwong de Moeder haar het natte laken om zich heen te wikkelen en toen duwde ze haar voor zich uit naar de hoek van de kamer, met zo'n vaart dat ze met haar hoofd tegen de muur bonkte. De anderen kwamen erbij staan en lachten haar uit. Ze knepen hun neus dicht en trokken vieze gezichten. Ze werd naar allerlei verschillende scholen gestuurd. Ze was nog nooit naar school geweest. Ze vond het daar ook niet fijn. Ze noemden haar *een van de buitenluchtkinderen* en spuugden naar haar op het schoolplein. De juffen sloegen haar met een liniaal. Lezen en rekenen was zo moeilijk dat haar hersens ervan kraakten. Ze moest met de bus heen en weer naar school en ze gaven haar muntjes om een kaartje te kopen. De hele dag knorde haar maag en soms 's nachts ook, omdat hij altijd leeg was. Ze moest leren naaien en breien. Ze prikte zich zo vaak in haar vingers dat het bloed in de stof drong en ze liet altijd steken vallen of trok de draad te strak aan. Elke keer gaf de juf haar een standje en een draai om haar oren omdat ze zo onhandig was en dan moest ze op haar stoel gaan staan. Daar stond ze dan nog lang nadat de Blinden naar bed waren. Uiteindelijk werd ze zo moe dat ze van de stoel viel en dan pas kreeg ze toestemming naar boven te gaan om te slapen.

Ze moest ook naar de kerk. Daar was pastoor Peter, die haar kippenvel bezorgde. Hij had een ruige baard en snor, zodat ze zijn gezicht niet goed kon zien, maar zijn neus was groot, rood en pukkelig. Wat ze wel fijn vond, was de sneeuw, als die diep en glad was en alles mooi maakte. Ze vond het fijn om van de steile heuvel bij Blackbrook Road af te sleeën. Ze hield van de glijbaan en de schommel. Als ze heel hoog ging, kon ze tot aan de Mayfield Valley kijken. Ze hield van bramen plukken, en bosbessen op de hei, en er zo veel van eten dat ze pijn in haar buik kreeg en haar lippen en tong paars werden. Ze genoot als de buschauffeurs elkaar inhaalden op de Redmires Road en alle kinderen opgewonden gilden. Ze genoot ook als ze een film mochten zien in de grote hal, Charlie Chaplin, Buster Keaton, The Keystone Cops, en ze vond het fijn om rond de haard te zitten en naar de muziek op de radio te luisteren en mee te zingen. Ze vond het fijn als ze een muntje kreeg om snoepgoed te kopen in de winkel, als extraatje op de vrijdag. Soms werd ze naar het kantoor gestuurd om schepijs voor de toetjes te halen. Het was heerlijk om de koude, romige zoetigheid in haar mond te lepelen, zo heerlijk dat ze er helemaal van ging tintelen.

Maar er waren meer dingen waar ze een hekel aan had, veel meer. Dat ze de modder van alle natte schoenen moest spoelen als ze uit school kwamen, en de schoenen poetsen tot ze haar gezicht erin zag spiegelen. Dat ze alle bedden moest opmaken die ze 's ochtends had afgehaald. Dat ze de vloeren moest schrobben met rode carbolzeep waar haar handen van kapot gingen. Dat haar hoofd zo'n pijn deed als juffrouw Elstob haar te hard had geslagen, en dat de baby was gekomen en in een ledikantje naast haar bed was gezet. Dat de baby piepte als krijt op het schoolbord en dan begon te huilen, en dat ze juist nog harder huilde als ze haar vinger in haar mondje stak om haar te sussen. Dat ze klappen kreeg als haar oren en nek werden geïnspecteerd en niet schoon genoeg waren. Dat haar benen rood werden van de kou en dat ze winterhanden en wintervoeten had. Dat ze werd geslagen met een stok en in het kolenhok gegooid, waar ze het gevoel had dat ze in een doodskist zat en ook echt zou doodgaan.

Wat ze leerde, was dat je dingen zo kon haten dat het een vuurtje deed ontbranden in je borst en je zin kreeg om je tenen en vingers in je lichaam naar binnen te trekken. En dat je er tegelijkertijd van kon houden, er zo veel van kon houden dat je hart een reuzenhart werd en je opsteeg in de lucht en erg je best moest doen om je voeten op de grond te houden. Haat was wat ze voelde als het gezicht van pastoor Peter in haar dromen verscheen en als hij haar uit haar bed haalde. Hij nam haar mee naar de kleine kamer achter in het huis en pelde dan nog meer lagen van haar af. En het was alsof hij haar wilde verslinden, als hij in haar binnendrong en gulzig aan zijn vingers sabbelde. Liefde was wat wat ze voelde als ze naar het strand was gestrompeld en de zee zuchtte bij haar aanblik en haar zoute armen uitstak om haar te ontvangen. Marske-By-The-Sea, de badhokjes, waar ze uit haar lichaam trad en vanaf het plafond keek naar wat pastoor Peter met haar deed, de behoefte om zich te wassen, het bedauwde gras, het steile pad over de klip, de zee, de bloedstelpende zee.

Mara zit nu op haar handen, op de keukenstoel waarop ze hardhandig is neergezet. Kan niet praten. Mag niet praten. Juffrouw Elstob zegt dat ze haar tong uit haar mond zal knippen als ze praat. 'Knip, knip,' zegt ze terwijl ze van haar hand een schaar maakt en haar korte vingers knipbewegingen maken. Mara weet dat ze niet liegt. De grote naaischaar ligt in de la, scherp en gereed voor gebruik. Dus zit ze op haar handen en raakt ze het gevoel in haar vingers kwijt. De Blinden doen hetzelfde. Ze luisteren naar de radio en pletten hun vingers onder hun billen.

Juffrouw Elstob is aan het roken, hijgend, snuivend, hoestend, rochelend. Mara doet net alsof haar eigen lippen aan elkaar geplakt zitten. Daardoor kan ze de woorden binnenhouden. De avond verstrijkt heel langzaam, als ze daar zo op haar handen zit. Maar ze wil niet naar bed. Zodra jufffrouw Elstob het licht uitdoet, begint de baby te piepen, en dan te huilen, en dan te krijsen, en dat is zo verschrikkelijk dat ze haar vingers in haar oren moet stoppen. En zelfs dan dringt het gekrijs in haar door, als naalden, honderden withete naalden die in haar trommelvliezen prikken alsof dat speldenkussens zijn, prik, prik, prik. De Blinden trekken hun laken over hun hoofd en verschrompelen, tot ze heel ver weg zijn, buiten gehoorsafstand. Zij kan dat niet doen. Ze heeft het geprobeerd. Het gehuil van de baby blijft bij haar naar binnen dringen, ongeacht wat ze doet.

Ze heeft het aan de Blinden verteld. Die lachten haar uit. 'Doe niet zo raar, Mara,' zeiden ze. 'De baby is dood. Weet je dat niet meer? Ze zijn gekomen en hebben haar naar de ziekenkamer gebracht. Ze had koorts.' En ze zeiden: 'Je had haar niet in een koud bad moeten doen. Juffrouw Elstob zei dat ze daaraan dood was gegaan. Er ligt geen baby in het ledikant. Kijk maar.' En dan lieten ze haar het ledikantje zien met het gevlekte, gegroefde matras, en ze zeiden dat dat het bewijs was en dat zij niet goed bij haar hoofd was. 'De baby huilt niet meer. De baby is dood.' En sommigen van hen liepen achter haar aan en fluisterden dat ze een moordenares was, met haar rare ogen en haar trage manier van knipperen. Nog wekenlang deden ze dat.

En op een dag kwam het zwarte getijde aanrollen vanaf haar tenen en draaide ze zich om en joeg ze hen na. Ze kreeg er eentje te pakken. En toen stroomde het zwart uit haar lichaam, waardoor ze niet kon ophouden met stompen en slaan en schoppen, precies zoals juffrouw Elstob haar altijd stompte en sloeg en schopte. Ze kwamen er allemaal omheen staan. De directrice stond nerveus te kuchen, juffrouw Elstob gilde en krijste, en de kinderen joelden en juichten. Toen kregen ze angstige gezichten en zakten hun monden open, maar ze bleef doorgaan. Ze kon niet stoppen, zelfs al had ze dat gewild. Uiteindelijk trokken ze haar naar achteren en zelfs toen bleef ze vechten en met haar vuisten in de lucht stompen. Ze trokken haar aan haar kraag achteruit en smeten haar weer in het kolenhok. Alleen was het nu niet warm, het was koud, en de kolen voelden aan als zwart ijs. Haar vingers waren verdoofd toen ze de naam kerfde die ze haar hadden gegeven, net zo verdoofd als wanneer ze erop moest zitten. Ze kreeg een grote splinter onder haar nagel, maar voelde het niet, dus bleef die daar zitten tot ze haar uit het hok haalden.

Daarna waren de Blinden bang voor haar. Ze praatten zachtjes en keken schichtig in haar richting, en als ze hen aanstaarde, maakten ze zich snel uit de voeten. Juffrouw Elstob ontblootte haar bruingevlekte tanden en zei dat ze slecht was. Ze zei dat haar moeder in Sheffield had gewoond, dat ze seks had verkocht voor geld en zo aan haar einde was gekomen. Ze zei dat Mara daarom hierheen was gestuurd, naar Fulwood Cottage Homes, omdat haar moeder dood was en ze geen vader had.

Toen ze de zee in liep, in het grauwe licht van de morgenstond, dacht ze dat ze zou verdrinken. Tegen die tijd vond ze dat allang niet erg meer. Om schoongewassen te worden, om het zwart door de zee uit haar lichaam te laten zuigen, als etter uit een geïnfecteerde wond, was dat het haar wel waard. Maar toen het ijskoude gewicht van het water zich om haar heen sloot, begon haar lichaam te bewegen, te zwemmen. Haar vingers sloten aaneen tot peddels. Haar armen bewogen in cirkels. Ze sloeg haar benen uit. Het zoute water tilde haar op. Ze kon zwemmen! Vage herinneringen verdrongen zich in haar hoofd. Dagen op het strand. Haar moeder, met haar hoofd achterover, een lach diep in haar keel. Een zonnebril, een donkerroze badpak, lang zwart haar dat wapperde in de zoute wind. Parfum dat rook naar rode zuurtjes. Glanzende rode nagels. Lippenstift op de randjes van haar voortanden. IJsjes bij de kraam op de boulevard. Iemand die haar in het water vasthield terwijl ze spartelde. Het kriebelen van het zand. De schurende kus van de branding.

Ze was niet bang voor de draaikolk waarin ze zich bevond. Ze verzette zich niet. Ze liet de draaikolk met haar spelen, haar dragen, haar heen en weer trekken, haar plagen en troosten. De zee vond al haar wonden, verdoofde ze met haar kou en ontsmette ze. Ze haalde adem, hield die in, liet zich zakken en dwong zichzelf haar ogen te openen, ook al prikte dat. Ze greep handenvol zand en gooide het om zich heen, zodat ze omgeven raakte door een flonkerende wolk. Ze zocht steentjes, zo klein als zuurtjes, en wreef ze tegen elkaar in haar gebalde vuisten. Ze luisterde naar de klanken van het zilte nat en liet die door haar lichaam trekken. De zee zoog het zwarte kolengruis uit haar naar buiten en verdunde het tot het alleen nog maar een druppel was in de grote, grote oceaan. En toen ze klappertandend uit het water kwam en haar bibberende lichaam droogwreef, was ze Mara niet meer, maar Naomi.

Als ze bofte, zei juffrouw Elstob, zou ze later een baantje als dienstmeisje kunnen krijgen in een van de landhuizen in Ranmoor of Sheffield. En zo niet, dan had je altijd nog de fabrieken die betrouwbare meisjes, meisjes van Fulwood, wel konden gebruiken. Maar ze wilde geen dienstmeisje worden en niet aan een lopende band werken, waar ze moest luisteren naar *Worker's Playtime*, terwijl ze smachtte naar de zee. Ze wilde vrij zijn, dan kon ze van de ene naar de andere stad reizen. Ze dacht dat ze reizen wel leuk zou vinden. Toen ze ontsnapte, werd ze weer wie ze was geweest: Naomi. Ze keek uit de ramen van bussen en treinen en zag Engeland voorbijglijden. Als ze naar links had gekeken, zou ze Mara naast zich hebben zien zitten, en ook Baby, de dode baby die nooit ophield met huilen.

12

LONDEN IS EEN ONVERDRAAGLIJKE OVEN GEWORDEN. OWEN TUURT de hemel af, op zoek naar regenwolken, en wordt teleurgesteld door het onafzienbare blauw. De Londenaren worden door de zon langzaam maar zeker op hun knieën gedwongen. Ooit marcheerden ze als soldaten door de straten, nu hangen ze onderuitgezakt op terrasjes met bedauwde glazen in hun hand. Er zijn twee weken verstreken sinds de abortus en Owen maakt zich zorgen. Naomi blijft gedeprimeerd, zwijgzaam, lusteloos. Ze heeft geen eetlust en lijkt helemaal geen zin meer in het leven te hebben. Ze wast zich niet. Haar haar is vet. Haar gezicht is pafferig en de donkere kringen onder haar ogen zijn het bewijs, voor zover Owen dat nodig heeft, dat ze 's nachts geen oog dichtdoet. Zover hij weet, zit ze de hele dag in de stoel bij het raam en zou ze daar vermoedelijk ook de hele nacht blijven zitten als hij haar niet naar bed stuurde. Hij weet niet wat hij voor haar moet doen. Hij is zelf amper volwassen en heeft nog geen levenservaring die hem als gids kan dienen. Ze maakt geen aanstalten om weer aan het werk te gaan en Sean heeft zich sinds de avond van hun bittere ruzie niet meer op de flat vertoond. Ze zitten met z'n drieën in een impasse.

Daar komt nog bij dat aan Owens remissie van de boze dromen een einde is gekomen. Het onderwatervolk is teruggekeerd. 's Nachts spookt Sarah door zijn hoofd, met nat haar dat om haar hoofd deint. Als hij zijn pas versnelt om bij haar vandaan te komen, staat ze plotsklaps weer voor hem. Ze glimlacht als ze hem nadert. 'Niet weggaan, Owen,' zegt ze. Ze herhaalt de woorden op een zangerige toon, tot ze in elkaar vloeien en hij bang is dat hij gek zal worden, of het al is.

Nu zit hij met Naomi op de bank. Ze hebben hun handen rond hun mokken koffie geklemd en praten tussen de slokjes door met elkaar. Er staat een lp op van Jimi Hendrix, *Are You Experienced*, en ze luisteren nu naar 'Foxy Lady'.

'In een vorig leven woonde ik in een Volkswagenbusje en reisde ik van het ene naar het andere concert, achter de muziek aan,' zegt ze onverwachts. Haar unieke ogen staren in het niets terwijl die van Owen belangstellend oplichten. 'Ik heb Jimi Hendrix dit nummer live horen zingen.'

'O ja? Waar?' vraagt Owen.

'Op het Isle of Wight Festival, In 1970.'

'Goh, was je daarbij?'

Ze knikt. 'Op 31 augustus. Hij droeg een psychedelisch broekpak, oranje, roze, geel. Heel fel. Met wijde pijpen. En wijde mouwen.'

'Wauw.' Hij probeert haar daar te plaatsen, Naomi, dansend in die enorme menigte, terwijl Hendrix zich kronkelend over het podium beweegt en de liefde bedrijft met zijn elektrische gitaar. 'Met wie was je daar?'

Ze geeft daar geen antwoord op. 'Een paar weken later was hij dood,' zegt ze raadselachtig.

'Wie?'

'Jimi Hendrix.' Owen heeft meer dan genoeg van de dood. De magie is meteen verdwenen. Ze zet haar mok neer, loopt naar het open raam en leunt naar buiten. Ze heeft zich voor de verandering aangekleed. Een spijkerbroek. Een blouse met smokwerk. Ze trekt de hals ervan naar beneden. 'Wat is het warm,' zegt ze.

'Leun niet zo ver naar buiten,' waarschuwt hij. Hij staat op en loopt naar haar toe. Naomi, steunend op rechte armen, haar handen rond de vensterbank geklemd, steekt haar hoofd nog iets verder naar buiten en kijkt naar beneden. 'Doe dat nou niet. We zitten op de derde etage.'

Als ze zijn smekende toon hoort, trekt ze haar hoofd weer naar binnen. Ze laat de vensterbank los en bekijkt hem met haar verwarrende ogen. 'Wat is er, Owen? Heb je hoogtevrees?'

'Nee... geen hoogtevrees,' zegt hij hakkelend, maar hij doet onwillekeurig een stap achteruit.

'Wat dan wel?' Ze glimlacht hem bemoedigend toe.

Owen slaat zijn armen beschermend om zijn lichaam. Ze komt dichter bij hem staan. Even blijft het stil. 'Watervrees,' bekent hij dan, snel, om er vanaf te zijn, zoals je een pleister in één ruk van je huid moet trekken.

'Watervrees?' vraagt ze met een hoge stem van ongeloof.

'Ik ben bang voor grote massa's water. De zee. Zwembaden.' Zijn stem trilt en zijn hart bonkt. Alhoewel zijn maag leeg is, voelt hij zich alsof hij moet overgeven. Zijn knieën knikken. Hij loopt naar de bank en laat zich erop neervallen. 'Ik kan niet zwemmen.'

'Is dat alles?' zegt ze lachend. Ze komt naast hem zitten en slaat haar arm om zijn schouders. 'Ik ben juist dol op zwemmen. Ik leer het je wel. En dan gaan we naar het strand om als twee dolfijnen in de zee te spelen.' Hij draait zich van haar af, springt overeind en schudt heftig zijn hoofd. 'Nee. Nee, Naomi. Ik wil er niet eens over praten,' zegt hij. 'Zou je er alsjeblieft niet over willen praten?' Hij hijgt, buiten adem. Hij voelt het prikken van het zweet dat op zijn voorhoofd uitbreekt. Ze kijkt verbaasd, maar protesteert niet. Ook niet als hij even later zegt dat hij naar bed gaat.

Hij weet niet of hij slaapt of wakker is, maar het beeld voor zijn ogen krijgt steeds duidelijker vormen. Een donkere massa. Een oranje gloed. Er is iets, of iemand, zijn kamer binnen gekomen. Een blik opzij. Zijn wekker vertelt hem dat het drie uur 's nachts is. Hij steekt zijn arm uit en doet het leeslampje aan. Naomi zit op de grond, met haar rug tegen de muur, haar knieën opgetrokken, haar voeten op de vloer. Ze draagt een wijd T-shirt, waarvan ze de lange mouwen heeft opgerold. Niet een van zijn T-shirts ditmaal. Ze rookt een sigaret en staart naar hem. Als een schilderij is ze omlijst door twee stapels kartonnen dozen en de schaduw van de hoogste stapel deelt haar gezicht in tweeën, half donker, half licht. De gordijnen, van een dikke geweven stof in een vaalgroene tint, bollen op vanwege de warme wind die door het open raam naar binnen komt.

'Wat is er, Naomi? Kun je niet slapen?' vraagt hij met een stem die schor is van de slaap. Zijn hart klopt snel en zijn huid is klam van het zweet.

'Je was aan het dromen. Ik hoorde je jammeren,' fluistert ze. Kleine cirkels van weerspiegeld lamplicht doen haar ogen glanzen. 'Toen ik bij je kwam kijken, riep je in je slaap de naam Sarah. Wie is Sarah, Owen? Een vriendinnetje van je?'

Hij is helemaal in de war. Haar stem klinkt geruststellend en zorgzaam, maar hij vindt het niet prettig om haar mond te zien sluiten rond de naam van zijn zusje. 'Het is lang geleden...' Hij stopt en slaakt een diepe zucht. 'Ik wil er niet over praten. Sorry als ik je heb gestoord.' Hij gaat zitten en trekt het laken tegen zijn blote borst. Zoals altijd slaapt hij in zijn onderbroek en nu hij haar ogen op zijn halfnaakte lichaam gericht weet, wil hij zich onbewust bedekken.

'Je hebt me niet gestoord. Ik was nog wakker.' Ze zwijgt. In de stilte klinkt het zachte 'tik-tak, tik-tak, tik-tak' van zijn wekker. Hij kijkt naar de ingelijste foto op het nachtkastje, de foto waarop hij met zijn moeder trots naast hun sneeuwpop staat. Hij denkt aan het Waterkind dat gevangenzit in het bevroren witte vlees. Ze neemt een lange trek van haar sigaret, tuit haar mond en blaast de rook in een lange stroom uit. 'We hebben allebei geheimen, nietwaar, Owen?' Hij zegt niets. Een papierachtig 'pfut' als ze weer aan de sigaret zuigt, die nu bijna tot op het filter is opgebrand. Ze lacht zachtjes en drukt de peuk uit op een schoteltje dat naast haar staat. De bijtende geur, benadrukt door het betrekkelijke zintuiglijke waarnemingsvermogen dat de nacht eigen is, blijft achter in zijn keel steken. Met zijn ogen volgt hij de omhoogkringelende, leigrijze rook.

'Mijn zusje is verdronken,' zegt hij dan. Hij staart naar de dozen die op elkaar zijn gestapeld als een blokkentoren. Hij staart naar wat er op een van de dozen gedrukt staat, een onduidelijke code, in rode letters. 'Ze was vier, bijna vijf. Ik moest op haar passen. Ik... was afgedwaald. Het was mijn schuld.'

Ze zit doodstil te luisteren. Dan komt ze overeind en loopt ze naar zijn bed. Ze gaat op de rand zitten en trekt hem naar zich toe. Even later richt ze zich weer op en begint ze het haar van zijn voorhoofd weg te strijken. 'Het was niet jouw schuld. Je was zelf nog maar een kind. Het was een ongeluk, een tragisch ongeluk.' Hij wil haar geloven, maar het is niet háár vergiffenis waar hij naar hunkert.

'Dank je.' Hij zegt het niet omdat hij het meent, maar omdat hij vindt dat hij het moet zeggen. Ze schenkt hem een vluchtige glimlach. 'Laten we maar weer gaan slapen.'

'Gaat het een beetje?' vraagt ze.

'Ja.'

Ze staat op en loopt naar de deur. 'Ben je daarom bang voor water? Denk je dat jij ook zult verdrinken?'

'Zoiets,' mompelt hij.

'We zouden elkaar moeten helpen,' zegt ze cryptisch. Dan, voordat hij kan vragen wat ze bedoelt: 'Welterusten, Owen.'

13

'OWEN, ZOU JIJ IETS VOOR ME KUNNEN DOEN?'

De dag was slecht begonnen omdat Sean zonder enige uitleg een vol uur was verdwenen en Owen in die tijd was belaagd door een ontevreden klant die met een rood aangelopen gezicht van woede naar de kraam was gekomen met de tas die zijn vrouw gisteren had gekocht. De gesp was gebroken en het stiksel van een van de schouderbanden was losgeraakt. Owen had hem bijna het dubbele van wat de tas had gekost moeten terugbetalen om hem tevreden te stellen. Toen Sean terugkwam, had Owen het warm en was hij kwaad. Naomi's onberekenbare gedrag maakt hem nerveus. Hij is ook nerveus omdat er steeds ongure types naar de kraam komen die zijn baas willen spreken. Nu kan hij het onophoudelijke lawaai en de opzichtige koopwaar opeens niet meer velen. 'Ja, best,' zegt hij, zonder eerst te vragen wat hij zou moeten doen.

'We komen hier handen tekort. Het is hoog tijd dat Naomi terugkomt,' moppert Sean.

'Ik geloof niet dat ze daar al aan toe is,' zegt Owen terwijl hij wat portefeuilles recht legt.

'Ze zit nu al drie weken thuis,' klaagt Sean. 'Dat lijkt me meer dan genoeg.'

Owen vindt dat Sean er de laatste tijd slecht uitziet. Hij heeft donkere kringen onder zijn bloeddoorlopen ogen, en rimpels die hij niet eerder heeft gezien doorgroeven zijn voorhoofd en trekken zijn mondhoeken naar beneden. Owen heeft hem niets verteld over Naomi's zelfmoordpoging, maar Seans gebelgde houding werkt nu als katalysator. Hij heft zijn hoofd op. 'Ze is niet in orde, Sean. Ik heb haar laatst met doorgesneden polsen op de badkamervloer aangetroffen toen ik thuiskwam.'

'Jezus!' zegt Sean zachtjes. Zijn gezicht betrekt van bezorgdheid, maar dat duurt niet lang. Hij kijkt hem sceptisch aan. 'Is ze naar het ziekenhuis gegaan?'

Owen aarzelt voordat hij antwoord geeft. 'Nee. Ik wilde dat ze zou gaan, maar dat weigerde ze. Ze was bang dat ze haar zouden opsluiten, dat ze zouden denken dat ze niet goed bij haar hoofd is, omdat ze had geprobeerd zich van kant te maken.' Sean lacht op een ironische manier.

'Waarom is ze dan niet doodgebloed?' vraagt hij bedaard. Owen mijdt nu zijn indringende blik. 'Ze heeft toch haar polsen doorgesneden? Dat zei je toch?'

'Ja, dat zei ik,' mompelt hij. Hij heeft er spijt van dat hij erover is begonnen. 'Ik heb het bloeden gestelpt en haar polsen verbonden, en toen heb ik een dokter gebeld. Hij is naar de flat gekomen.'

'O ja? En wat zei die dokter?' Owen klemt zijn lippen op elkaar. 'Wat zei die dokter?' herhaalt Sean.

'Dat ze geluk had gehad, omdat ze de slagaders net had gemist,' zegt hij afgemeten.

De ogen van de Ier vernauwen zich sluw. 'Ze heeft aan beide polsen de slagader gemist? Dat was inderdaad boffen, zeg.' Owen haalt adem tussen zijn opeengeklemde tanden door. Geheel ten onrechte voelt hij zich zo dom als een hysterisch meisje. 'Ze heeft het gedaan om aandacht te trekken,' vervolgt Sean, meer tegen zichzelf dan tegen Owen. 'Dat is alles.'

'Je hebt haar al een tijd niet gezien. Je weet niet wat voor invloed alles op haar heeft gehad. Ik denk niet dat je van haar kunt verlangen gewoon weer aan het werk te gaan. Misschien moet ze er even uit. Hoor eens, ik weet niks over deze dingen, maar als je het mij vraagt moet ze hier even weg, moet ze een kans krijgen er helemaal overheen te komen.'

Sean haalt zijn schouders op. 'Als dat haar goed zal doen, zal ik haar niet tegenhouden. Een week op Mallorca. Prima. Al lijkt IJsland me op het moment aantrekkelijker. Ik ben geen onmens. Wil ze op vakantie? Mijn zegen heeft ze. Zeg dat maar tegen haar.' Owen knikt en knijpt zijn ogen dicht. Hij voelt het bloed kloppen aan zijn slapen, hoort het ruisen in zijn oren. 'Ga nu even een pakketje voor me halen,' zegt Sean, gebruikmakend van de situatie.

'Waar?'

'Bij mij thuis, in Hounslow. Catherine is thuis. Ze weet dat je komt. Ze zal het klaarleggen.'

'Waarom ga je zelf niet?'

'Omdat er mensen met me komen praten. Ik moet wat dingetjes regelen.'

Op hetzelfde moment ziet Owen twee mannen naar de marktkraam komen. Hij heeft ze al vaker gezien. Het zijn de ongure types waar Enrico hem voor heeft gewaarschuwd. Ze zien eruit als een komisch duo, de ene klein en zo mager als een windhond, de andere groot en fors, een beer van een vent. De windhond is de baas en staat bekend als Blue. Zijn gelaatstrekken zijn teer, bijna vrouwelijk. Een rozenmond, een wipneus, blauwe ogen met bleke wimpers, een dikke bos donkerblonde krullen. De beer heeft een vierkant plat gezicht, een pokdalige huid en te dicht bij elkaar staande ogen met zware oogleden. Zijn haar, bruin bij de wortels en rood aan de uiteinden, is glad naar achteren gekamd. Ze zijn allebei gekleed in een donkere lange broek en een overhemd met korte mouwen. Blue heeft het bovenste knoopje openstaan, maar de beer draagt een donkere stropdas. Als Sean hen ziet, grabbelt hij in zijn zak, hij haalt er een stukje papier uit en geeft dat aan Owen.

'Dit is het adres. Maak dat je wegkomt.'

Dat hoeft hij geen twee keer te zeggen. De mensen waarmee Sean zich de laatste tijd inlaat, vervullen hem met angst. Hij heeft geen zin om bij hun zaakjes betrokken te raken.

Reizen met de ondergrondse is een verschrikking in deze hitte, maar als de rammelende trein het centrum van Londen verlaat en het minder druk wordt, kan Owen in elk geval gaan zitten. Hij staart somber naar zijn spiegelbeeld in het raam, naar de verwaarloosde achtertuinen van de rijtjeshuizen, de lapjes gras die eruitzien alsof ze onder een gril hebben gelegen. Het is hem inmiddels duidelijk dat Sean niet de slimme zakenman is waar hij zich voor uitgeeft. Hij is eerder een losgeslagen alcoholist die nog steeds op succes hoopt, maar nauwelijks het hoofd boven water kan houden. De marktkraam is geen goedlopend bedrijf. Hij heeft zelfs moeite om de kosten eruit te halen. Owen heeft gemerkt dat hij ook niet vies is van gokken, op de races, paarden, honden, het maakt niet uit. Hij vermoedt dat hij zich steeds meer in de schulden steekt. Tijdens de benauwde rit denkt hij echter niet aan Sean, maar aan zijn vrouw en kind. Wat een waardeloze echtgenoot en vader is zijn Ierse baas. Hij is geen rots waar een gezin op kan bouwen, eerder drijfzand. Owen is benieuwd naar het derde lid van de ménage à trois. Is ze groot of klein, of normaal van postuur? Wat voor kleur haar heeft ze? En hoe draagt ze het? Lang of kort? Is ze dik of mager? Wat voor kleur ogen heeft ze? Weet ze het van Naomi? Vindt ze dat erg? Hij staart naar zijn spiegelbeeld in het raam van de trein, en naar de rijtjeshuizen waar ze langsrijden, en is benieuwd. Is ze eenzaam? Is Catherine ook zo eenzaam?

14

CATHERINE IS BELACHELIJK NERVEUS OM HET OPHANDEN ZIJNDE bezoek. Ze weet dat ze alleen maar de voordeur op een kier hoeft te openen om het pakje aan te geven. Meer wordt er niet van haar verlangd. Niettemin is ze onder de douche gegaan, heeft ze haar haar gewassen en zich aangekleed. Ze is moe omdat ze weer de halve nacht op was vanwege de baby. Ze kan zich niet herinneren wanneer ze voor het laatst een goede nachtrust heeft gehad. Bria slaapt nu, maar Catherine waagt het niet te gaan liggen nu Owen komt, bang dat ze hem zal mislopen. Is ze zo wanhopig hard aan gezelschap toe, vraagt ze zich mismoedig af. Is ze zo eenzaam?

Ze zit te denken aan zwemmen. Zwemmen was het fijnste geweest van de hele zwangerschap, een heerlijke bijkomstigheid van de verplichte onderzoeken in het West Middlesex Hospital. De eerste keer dat ze met de bus naar het ziekenhuis was gegaan, had ze het gezien: Isleworth Pool. Dat wil zeggen, ze had de grijze, betonnen bunker gezien, het onooglijke gebouw waarin het bad was gehuisvest. Het leek op iets wat je zou verwachten in het hart van communistisch Rusland na de revolutie. Hoe had ze kunnen vermoeden dat er in die grauwe brandkast zo'n kostbare saffier lag? De lokkende geur van chloor was door het openstaande bovenraam van de bus naar binnen gekomen, glijdend op de vochtige herfstlucht. Of misschien had ze zich dat alleen maar verbeeld. In elk geval had het herinneringen losgemaakt aan hoe ze op school eenmaal per week naar het zwembad waren gegaan voor de verplichte zwemles. Wat een openbaring was het geweest, dat ene uur, die zalige zestig minuten, het enige lichtpunt in de grauwe sleur van haar schooltijd.

Ze kreeg een speciale relatie met het water, een relatie waar ze bijna duizelig van werd. De betovering van het flonkerende blauwe nat. De donderende, nog lang natrillende klap als het haar lichaam ontving. Een hemel van water waarin zij, als een wolk, dreef. De regelmaat van haar ademhaling. De gedaanten die opdoemden uit een mist van chloor. Het water sloot naadloos aan op haar stemmingen, kalm als zij kalm was, rusteloos als zij rusteloos was. Ze hadden een symbiotische relatie. Ze waren van elkaar afhankelijk.

Toen ze na het eerste prenatale onderzoek, met een gevoel alsof ze was aangerand, op weg naar huis was gegaan, was ze uitgestapt bij de halte die het dichtst bij Isleworth Pool was. Ze had haar hoofd opgeheven, haar schouders naar achteren getrokken, besloten niet te denken aan de gel die uit haar lichaam droop en haar het gevoel gaf dat ze in haar broek had geplast, en was naar de ingang gelopen. Ze was naar binnen gegaan, had de openingsuren genoteerd en toen, met een eerbied die je aan de dag legde als je iemand verzocht je toe te laten in het heiligdom van een godheid, had ze gevraagd of ze het mocht zien. Hoe kon je aan iemand die geen Waterkind was uitleggen wat het je deed, de aanblik van dat glinsterende oppervlak? De transparante stilte sprak tot haar. Het was een magneet.

Jammer genoeg waren er vaak schoolklassen als zij er was, al bleek dat uiteindelijk geen groot nadeel te zijn. Zij zwommen in het ondiepe, spetterend en spattend als jonge eenden, terwijl de badmeesters op de rand van het bad heen en weer liepen en aanwijzingen gaven. Af en toe ketste het geluid van de schrille fluitjes tegen de glanzende tegels waarna een massa kleine lichamen zich als otters in het water stortte.

Catherine zwom meestal langs de korte kant heen en weer. Het ritme kalmeerde haar, absorbeerde haar, zoals niets anders in haar leven ooit had gedaan. Na het zwemmen bleef er een glanzend residu in haar achter. Geleidelijk verspreidde dat zich door haar aderen waardoor haar bloed elektrisch blauw werd, alsof het was bestraald. Haar zicht werd wazig en bleef dat ook als ze naar buiten ging, de kou in, of de zon, of de regen.

Na een aantal maanden moest ze haar donkerblauwe Speedo verruilen voor een zwangerschapsbadpak, groen als gras, bedrukt met witte bloemetjes. Het bestond uit twee delen. Het broekje paste helemaal over haar buik en had een elastisch voorpand, ontworpen voor het onvermijdelijke uitdijen. Het bovenstuk, dat veel weg had van een babydoll, had elastiek onder de borsten en waaierde uit tot over haar heupen. Het was, dacht ze met een zucht, bijna net zo erg als zwanger zijn. Als ze in het water afdaalde, zich vastgrijpend aan de stangen van het trapje omdat ze niet meer kon springen of duiken zonder dat haar buik er een pijnlijke dreun van kreeg, bolde de onooglijke hes rond haar op. Ze werd nu zo gehinderd door haar opgezwollen lichaam dat ze zich schommelend door het water bewoog, als een platte roeiboot waarin het gewicht verkeerd was verdeeld.

Een vervelend incident, toen ze aan het logge exterieur en het zurige interieur van maand acht begon, beroofde haar van dit laatste, blauwe genoegen. Ze arriveerde bij het zwembad, trok in de kleedkamer haar badpak aan, legde haar kleren en bezittingen in het daarvoor bestemde kastje, en liep ondanks haar omvang met een dappere nonchalance naar het bad. Aan het andere einde ervan, bij het ondiepe, zat een groepje jongens bibberend op de kant. Hun smalle ribbenkasten stonden als miniatuurladders afgetekend onder hun albasten huid, hun onrustige handen vochten tegen het sterke instinct om uit zelfbehoud hun verschrompelde genitaliën te omvatten, en ze hadden ieder een zwembril op hun voorhoofd, als een tweede paar insectenogen.

Ze besloot zich niets van hen aan te trekken, maar halverwege haar moeizame afdaling naar het water zag ze dat ze niet langer naar hun geslacht tastten, maar hun hand voor hun mond hielden. Ze stikten van het lachen, stootten elkaar aan, fluisterden in elkaars oor en wezen naar haar. Ze bleven gniffelen en gnuiven, ook toen ze in het water lag, en trokken zich niets aan van de boze opmerkingen van de badmeester. Catherine voelde zich zo opgelaten, met de vier ogen van elk van hen op haar gericht, dat het zwemmen voor haar grondig was bedorven. Nog erger was dat ze ook niet uit het water durfde komen zolang die pottenkijkers er waren. Als een ongelukkig nijlpaard dreef ze in het water terwijl kleine, mistig-paarse haarvaten haar huid gaandeweg het aanzien gaven van een mozaïek en de kou tot in haar botten doordrong. Pas toen alle jongens naar de kleedkamer waren gestuurd, hees ze zich uit het water dat kletterend uit haar badkleding droop. Ze schuifelde zo elegant mogelijk naar de veilige kleedkamer en toen ze daar haar badpak uittrok, zag ze wat de reden was geweest voor het wrede plezier van de kinderen. Onder het badpak had ze haar slipje met de kanten pijpjes nog aan. Het elastiek ervan zat onder haar buik en vanwege die berg had ze er helemaal geen erg in gehad. Maar de schooljongens hadden het gezien. Het kant moest als een onzedelijk spinrag rond haar benen hebben gehangen en hun jonge mannelijke zinnen hebben geprikkeld. Daarna was ze niet meer naar het zwembad gegaan.

Ze had de abortus uiteindelijk niet kunnen laten plegen. Daar heeft ze nu natuurlijk geen spijt van, nu Bria er is, maar ze heeft gelijk gekregen: de baby heeft haar voor altijd aan dit ongelukkige huwelijk geketend. Ze kijkt om zich heen in de deprimerende woonkamer. Het behang is zwart met grote roze en roomwitte bloemen. Zowel het behang als het structuurplafond heeft schimmelplekken. De plinten staan bol en het hout ziet er verrot uit. Het tapijt, roomwitte zigzagstrepen op een mosterdkleurige ondergrond, zit vol vlekken. De kamer ruikt muf en vochtig. Het is geen geschikte omgeving voor een pasgeboren baby. De bank is net als de rest van het meubilair tweedehands, en heeft aspergegroene, synthetische bekleding met verticale bruine en witte strepen die doorlopen tot op de vloer. Ze frunnikt aan het pakketje dat op haar schoot ligt. Ze heeft het niet opengemaakt, maar aan de manier waarop het kraakt als ze erin knijpt, heeft ze opgemaakt dat er geld in zit. Ze springt overeind als er wordt geklopt en haast zich naar de deur. Het kloppen klonk zo luid. Het geluid galmt door het lege huis. Ze gooit de voordeur wagenwijd open. Er staat een man op de stoep, lang, jong, blond, blauwe ogen, gekleed in een spijkerbroek en een zwart T-shirt met een afdruk van Mick Jagger erop. Hij schuifelt met zijn voet en kijkt verlegen.

'Daag. Ik hoop dat ik bij het goede huis ben. Ik zag nergens een nummer. Ik ben op zoek naar mevrouw Madigan.'

'Dat ben ik. Catherine Madigan. Zeg maar gewoon Catherine.' Ze steekt haar hand uit. Hij schudt die. Ze bijt op haar lip. Zijn hand is droog, zijn greep stevig.

'Owen. Sean zei dat je wist dat ik zou komen. Ik kom een pakje afhalen.' Hij laat het klinken als een vraag, alsof hij niet helemaal zeker weet waarom hij bij haar op de stoep in de zon staat.

'Ja, dat klopt. Sean zei dat je zou komen. Het ligt al klaar.' Een lange pauze. Meer geschuifel. In dit vreemde Engeland schijnt de zon meedogenloos op Catherine's gezicht. Ze knijpt haar groene ogen tot spleetjes en is tijdelijk verblind. Owen is een wazige, donkerpaarse vlek. Ze wordt duizelig. Auto's, bestelwagens, bussen, er komt van alles langs. Bestuurders en passagiers hangen uit de ramen, drinken gulzig uit blikjes en flesjes. Mensen lopen over de stoep, slecht op hun gemak in hun dunne zomerkleding, zonder het ingepakte gevoel van hun jassen, mutsen, sjaals, handschoenen en laarzen. Catherine komt weer tot zichzelf door de glans van Owens witte tanden in het paarse waas.

'Het pakketje?' zegt hij vragend.

Een ogenblik is ze helemaal de kluts kwijt. Dan weet ze het weer. 'Wil je even binnenkomen?' vraagt ze en ze doet een stap achteruit. Ze klinkt nu als het toonbeeld van een Engelse lady die een gast uitnodigt in haar buitenhuis.

'Ik wil je niet storen,' zegt hij. 'Je zult het wel druk hebben vanwege de baby.'

'Ze slaapt. Bria slaapt. En het is zo warm. Wil je soms een glaasje fris? Ik geloof dat ik zelfs ijsblokjes heb.' Ze ergert zich aan haar bijna smekende toon.

Weer die parelwitte glans. Hij lacht nu breeduit. 'Nou, als je zeker weet dat ik niet stoor.' Ze knikt. Ze gaat hem voor naar de woonkamer. 'Ga zitten.' Hij neemt plaats in de leunstoel met de doorgezakte zitting en kijkt naar het pakketje dat op de bank ligt. Ze wil nog niet bevestigen dat dit inderdaad het pakje is waar hij voor is gekomen, om te voorkomen dat hij het grijpt en er meteen mee vandoor gaat. 'Ik heb citroenlimonade. Is dat goed?'

'Heerlijk.'

De ijsblokjes tinkelen in de glazen als ze ermee binnenkomt. Hij staat op om zijn glas aan te pakken. 'Dank je.' Hij gaat weer zitten. Ze neemt tegenover hem plaats op de bank. Gelijktijdig nemen ze een slokje en zuchten van genot. Catherine voelt de koude drank door haar keel glijden en naar haar maag afzakken. Ze houdt het glas tegen haar voorhoofd en rolt het heen en weer. Verlegen kijkt ze door het glas naar Owen. Hij is niet paars meer. Zijn kleuren zijn tot rust gekomen en vormen nu een knap gezicht. Zijn blauwe ogen met de blonde wimpers hebben iets kwetsbaars, en ook iets bedroefds, een volwassen bedroefdheid die niet past bij zijn jaren. Ze laat het glas zakken. 'Ik wist zelf niet wat een dorst ik had. Het is ook zo warm.'

'Zeg dat wel.' Ze strijkt de rok van haar met boterbloemen bedrukte jurk glad. 'Hoe vind je het om op de markt te werken?' vraagt ze.

'Erg leuk,' antwoordt hij, een beetje te enthousiast.

'Het is daar vast vreselijk benauwd.'

'Om te stikken.'

'Sean zegt dat je in de flat in Covent Garden bent getrokken.'

Hij neemt nog een slok. 'Dat klopt. Het is erg aardig van hem dat ik daar mag wonen. Het is zo lekker dicht bij mijn werk.'

'Dus je kent Naomi?'

Hij aarzelt voordat hij antwoord geeft. 'Ja.'

'Die woont daar toch ook?'

Een pauze. 'Ja.'

'En ze werkt samen met jou in de marktkraam?' Hun ogen houden elkaar een lang, veelzeggend ogenblik vast.

'Ja.'

'Ik heb haar nog nooit gezien. Ik denk ook niet dat ik haar ooit zal ontmoeten. Er is veel verloop onder het personeel van de markt.'

'Ja, dat zal wel.' Hij drinkt zijn glas leeg.

'Ik neem aan dat jij binnenkort ook wel weer zult vertrekken. Waar kom je vandaan?'

'Vandaan?' Hij zegt het alsof hij het woord niet begrijpt.

Ze glimlacht flauwtjes. Ze heeft een gevoelige snaar geraakt. Ze strijkt een lok achter haar oor. 'Waar ben je opgegroeid, bedoel ik.'

'O,' zegt hij. 'In Wantage. Oxfordshire.'

'Is dat een leuke stad?'

Hij aarzelt, haalt zijn schouders op.

'Kom je uit een groot gezin? Heb je veel broers en zusters?'

Hij slaat zijn ogen neer. 'Nee. Ik ben enig kind.'

'Eenzaam is dat, hè?' Er verschijnt een frons op zijn voorhoofd. 'Om enig kind te zijn,' legt ze uit, snel sprekend. 'Ik heb een broer, maar die is bijna tien jaar ouder dan ik, dus heb ik altijd het gevoel gehad dat ik enig kind ben.'

Hij slikt. 'Mm, ja. Dat zal best.' Weer een stilte.

'Ik moest maar eens gaan,' zegt hij met een blik op het pakketje.

'Nee, blijf nog even.' Verlegen laat ze erop volgen: 'Het is zo... gezellig om wat te babbelen.' Haar blik gaat door de kamer. Ze is de afgelopen maanden min of meer immuun geworden voor het ontbreken van iedere charme, maar nu lijkt het sjofele interieur op haar af te komen. 'Vind je dit niet een afgrijselijk huis?' Ze ziet dat hij niet weet wat hij moet zeggen, dat hij zijn best doet om beleefd te blijven.

'Het hoeft alleen maar een beetje opgeknapt te worden.'

Ze lacht. 'Het moet met de grond gelijkgemaakt worden.' Hij lacht ook en zet zijn glas op de tafel naast hem. 'Ik wil wedden dat Sean het zodanig heeft beschreven dat je dacht dat we in een schitterend huis wonen. Dat heeft hij met mij tenminste uitgehaald voordat hij me hiernaartoe bracht. Zo is hij.' Boven klinkt een kreetje. 'O, dat is Bria. Het valt me mee dat ze het zo lang heeft volgehouden. Ze slaapt erg slecht. Al denk ik dat alle jonge moeders wensen dat hun baby's langer zouden slapen.'

'Ja, het valt allemaal vast niet mee, vooral omdat... omdat Sean er zo vaak niet is.'

'Ja.' Ze staat op en zet haar glas neer. 'Goed, dat is het pakketje.' Ze knikt ernaar. 'Ik neem aan dat je terug moet naar de markt,' zegt ze, haar toon gekleurd door spijt.

Hij is ook opgestaan, maar zegt: 'Ik zou haar graag willen zien, je dochtertje.'

Ze kijkt verheugd. Haar bleke wangen krijgen een blos van plezier. 'Meen je dat? Zeg je het niet alleen uit beleefdheid?'

'Nee.' Hij lacht. 'Ik heb zo veel over haar gehoord.'

'Echt waar?' zegt ze verbaasd.

Hij steekt zijn handen in zijn zakken. 'Ja, Sean heeft het aldoor over haar. Hij is erg trots op haar.' Ze knippert met haar ogen om niet te gaan huilen. Ze voelt de tranen opkomen in haar ogen en krijgt in haar borst dat strakke gevoel dat dreigt te knappen.

'Dan ga ik haar even halen.' In een mum van tijd is ze terug met Bria. De baby draagt een wit rompertje. Minuscule armpjes en beentjes steken eruit. Ze ligt tegen haar moeders schouder genesteld. Catherine gaat zitten en neemt haar op schoot. Owen gaat naast haar zitten. De baby kijkt met verschrikte, blauwgroene ogen naar hem op. Hij lacht geluidloos naar haar.

'Ze heeft net zulke ogen als Sean. Precies dezelfde kleur. Ik weet nog steeds niet of ze blauw of groen zijn, want ze zijn het allebei.' Ze knikt.

'Ik weet het. Wil je haar soms... eventjes... op schoot?'

'Mag het?' Ze knikt. Bria wordt overgeheveld. 'Ze is erg mooi,' zegt hij en hij meent het. 'Ze heeft een vleugje rood in haar haar, al is het niet zo donker als dat van jou.' Bria zuigt op haar piepkleine vuistje alsof ze het wil opeten. Met haar andere handje houdt ze Owens vinger omklemd. Hij test de kracht van haar greep door haar wat op te tillen. 'Wat is ze sterk.'

'Ze heeft ook een enorm uithoudingsvermogen. Er gaan dagen voorbij dat ze nauwelijks slaapt.' De ramen aan de kant van de kleine tuin staan open en een warme windvlaag doet de verschoten gordijnen bewegen. 'Sean verspeelt ons geld aan gokken,' zegt Catherine half binnensmonds. Ze blijven allebei naar de baby kijken. 'Ik maak me zorgen, Owen. We kunnen het geld niet missen.'

'Dat weet ik.'

'Dat pakketje... volgens mij zit er geld in. Ik denk dat hij zich in de nesten aan het werken is.' Ze knippert met haar ogen. 'Ik weet niet wat ik moet doen. Hij luistert niet naar mij.'

'Ik wil wel met hem gaan praten, maar ik denk dat hij naar mij ook niet zal luisteren.'

De kamer komt opeens erg druk op haar over, druk behang, druk tapijt, drukke gordijnen. Catherine wil haar ogen sluiten en haar oren bedekken. Ze ademt in door haar neus en ruikt zeep, shampoo, eerlijke transpiratie en het zuur van de schijfjes citroen die ze in de glazen heeft gedaan. Als ze door het waas naar haar jurk kijkt, voelt ze zich dwaas dat ze zich zo heeft uitgesloofd voor een vreemde. In zijn ogen ziet ze er vast belachelijk uit, de verwaarloosde echtgenote, in haar eentje met haar baby aan het einde van de Piccadilly Line. Door de drukkende warmte wordt alle energie, alle geestkracht uit haar gezogen. Haar tranen vloeien nu als een niet te stuiten rivier. Ze stromen over haar wangen. Ze worden door haar schouders uit haar lichaam geschud. Haar bezoeker legt Bria behoedzaam in de hoek van de bank en slaat zijn armen om haar heen. De baby trappelt. Haar teentjes brengen stofdeeltjes in beweging die goud worden gekleurd door de zon. Catherine draait zich naar hem toe en geeft hem haar leed. Zijn lippen op haar haar en zijn adem op haar hoofdhuid brengen de tranenvloed tot stand. Hij is haar fluisteraar. Zijn fluistering is zo zacht dat ze alleen een gesis hoort, een zacht gesis boven het kloppen van zijn hart uit. Ze zeeft woorden eruit en hoort: 'Niet huilen, Sarah. Niet huilen. Alles komt goed.'

15

TEGEN HET EINDE VAN DE MIDDAG IS OWEN TERUG OP DE MARKT met het pakketje voor Sean.

'Dank je wel,' zegt Sean. Hij stopt het pakje in zijn broekzak. 'Heb je Catherine nog gesproken?'

'Ja. Ze is erg aardig.' Owen denkt aan de gloed van haar rode haar in het zonlicht, de onzekerheid van haar lichtgroene ogen, en hoe zijn hart had geklopt toen ze haar hoofd tegen zijn borst had gelegd. 'Ik heb zelfs de baby gezien.'

'Wat een schatje, hè?'

'Ja, erg lief. Ze heeft net zulke ogen als jij.'

'Klopt,' zegt hij trots. De marktdag is bijna ten einde. Bij de meeste kramen zijn ze al begonnen de spullen in te pakken en de houten luiken te sluiten. De laatste bezoekers lopen een beetje verloren door de gangen, teleurgesteld dat hun keuzemogelijkheden steeds beperkter worden.

'Wat wilden die mannen daarstraks?' vraagt Owen als terloops.

'Welke mannen?' zegt Sean ontwijkend. 'Het was een puike dag. We hebben een kapitaaltje binnengehaald.' Hij ritst het vak van zijn geldriem open en haalt er een briefje van twintig pond uit. 'Voor de reiskosten naar Hounslow. Beschouw de rest maar als een bonus.'

'Dank je, maar dat hoeft echt niet. Ik vond het helemaal niet vervelend om te gaan.' Sean leunt met zijn rug tegen de toonbank, een verre blik in zijn ogen. Owen staat naast hem en voelt de angst knagen. 'Die kleine, was dat Blue? Zo noemen ze hem toch? En was die andere een van zijn gorilla's? Waarom kwamen die met je praten? Wat is er aan de hand, Sean?' Hij slaat een luchtige toon aan en neemt een ontspannen houding aan.

Sean haalt zijn schouders op. 'O, dat was gewoon voor zaken. Ze hebben veel invloed, dus is het verstandig ze te vriend te houden.'

Owen zucht. 'Het lijkt me beter om je niet met hen in te laten.'

'Krijg nou wat. Wil jij mij advies geven?' Hij lacht schamper en stompt speels tegen Owens schouder. 'Nou, dank je wel, maar ik kan echt wel op mezelf passen,' zegt hij, nu een beetje wrang.

'Ik weet dat het mijn zaak niet is. Iedereen wil weleens een gokje wagen. Het zou alleen niet prettig zijn als je schulden zou maken en geld zou moeten lenen van een woekeraar.'

'Waar heb je het in godsnaam over?'

Owen durft hem niet aan te kijken. Hij weet dat hij zich op glad ijs bevindt. Hij haalt diep adem. 'Ik heb het over gokken. Jij gokt toch? Je moet oppassen dat zoiets niet uit de hand loopt.' Seans bleke gezicht loopt rood aan.

'Als ik jou was, zou ik heel gauw mijn mond houden!' Hij brengt zijn hand naar zijn hals en begint te krabben.

'Ik zeg het alleen maar uit bezorgdheid.' Owen begint de koopwaar in te pakken. 'Ik bedoel er verder niks mee.'

'Hoe oud ben jij, Owen?' Owen is op zijn knieën gaan zitten om tassen in de donkere ruimte onder de toonbank op te bergen.

'Drieëntwintig.'

'Half jouw leven, *half* jouw leven, Owen. Zoveel ouder ben ik dan jij. Probeer me dus niet de les te lezen. Waag het niet me de les te lezen. Jij bent nog niet eens droog achter je oren. Hoor je me, Owen? Jij bent nog niet eens droog achter je oren.' Hij staat over hem heen gebogen en praat op felle toon. Owen wacht, telt tot tien, komt dan langzaam overeind en draait zich om.

'Zoals ik al zei, bedoel ik er niks mee.' Terwijl ze elkaar aanstaren, stopt de muziek opeens. Ze pakken de rest van de spullen in zonder nog iets te zeggen, beiden de gedwongen stilte in acht nemend. Het is al laat als Owen eindelijk vertrekt.

Thuis blijkt Enrico er te zijn. Als Owen het kralengordijn uiteenduwt, ziet hij hem languit op de bank liggen, met een flesje bier in zijn hand op zijn borst. De knakworstgeur van marihuana hangt in de stilstaande lucht. Op de markt was de muziek gestopt, maar hier niet. Een plaat draait op de pick-up. Een gitaar vergezelt de vloeiende tonen van Bob Dylans lijzige zang: 'Tangled Up in Blue'. Owen kijkt naar de platenhoes die op de vloer ligt. *Blood on the Tracks*. Bob, en profil, zonnebril, een massa krullen, een beetje onscherp. In de keuken drinkt Naomi ook een biertje. Ze draagt een zwart shortje en het bovenstuk van een bikini in koraalrood en kameelgeel. Een kleine ster van parelmoer hangt aan een korte, bruine veter rond haar hals. Ze loopt op blote voeten en kronkelt haar lichaam als een slang. Haar ene hand ligt plat op haar nu weer holle buik. Als ze Owen ziet, stopt ze en ze heft met haar andere hand het flesje op. Ze glimlacht losjes, wat hem doet vermoeden dat dit niet haar eerste biertje van vandaag is.

'Owen! Kom erbij. Wil je een biertje?' roept ze. Zonder op antwoord te wachten duikt ze in de koelkast. Even later wordt de dop sissend van een flesje gewipt. Met in elke hand een flesje loopt ze naar de bank en maakt met haar kin een beweging naar Enrico. Met een lui gebaar tilt hij zijn voeten van de zitting en gaat rechtop zitten. Hij draagt een verschoten grijze spijkerbroek en jezusslippers. Zijn bovenlichaam is ontbloot en zijn riem hangt open. De bovenste metalen knoop van zijn gulp is ook open. Zijn buik is plat, gespierd. Toefjes donker haar glinsteren van zijn zweet.

'Kom gezellig bij ons zitten,' zegt Naomi die naast Enrico is neergeploft.

'Eerlijk gezegd heb ik zin in een bad, een koud bad.'

'Wil je daarbij gezelschap?' flirt Naomi tipsy.

'Een andere keer,' zegt Owen, haar koketterie beantwoordend met een glimlach. Als Sean erachter komt dat Enrico hier is, denkt hij, wordt het weer ruzie.

'Ga toch zitten. Drink dat biertje,' dringt Enrico aan. 'We moeten iets met je bespreken.'

Owen gaat op de armleuning van de bank zitten, pakt het flesje bier aan en neemt dankbaar een slok. De ijskoude beet van het bier in zijn uitgedroogde keel is een verrukking. Naomi lijkt een stuk opgewekter, al heeft hij het gevoel dat haar stemming slechts tijdelijk is. Op de lp begint het nummer 'You're a Big Girl Now'.

'Enrico heeft iets bedacht,' begint Naomi. 'Hij vindt dat we op vakantie moeten gaan.'

'Wie zijn we?' vraagt Owen. Over wie heeft ze het? Zij en Enrico? Zij drieën? Misschien, denkt hij, zijn gedachten door alle spanningen van die dag beïnvloed door surreële ideeën, geldt de uitnodiging ook voor Sean, Catherine en zelfs baby Bria.

'Jij en ik,' zegt ze.

Enrico leunt achterover, zijn biertje in zijn hand, zijn andere arm rond Naomi's schouders. Hij speelt met het schouderbandje van haar bikini. 'Ze voelt zich niet zo goed. Ze heeft het me verteld. Een virus. Ze moet daar goed van genezen. Ik kan op het moment geen vrij nemen, maar jullie tweeën kunnen best gaan.'

'Op het hoogtepunt van het toeristenseizoen?' zegt Owen. 'We kunnen niet zomaar weggaan en Sean aan zijn lot overlaten.'

'Sean redt zich best,' pruilt Naomi. 'Het zal hem goed doen om een paar dagen zelf achter die kraam te staan.' Ze grijnst. 'En dan is hij tenminste een poosje van de straat.'

Enrico drinkt dorstig en schudt zijn hoofd. Zijn oranje sik schommelt arrogant. 'Ik hou wel een oogje op hem. Een paar neefjes van me zijn hier deze zomer. Zo nodig kunnen die hem een handje helpen.' Hij zet zijn lege flesje op de grond, drukt zijn vuist tegen zijn borst en boert binnensmonds.

'Zou je niet op vakantie willen, Owen?' bedelt Naomi met een vleiende blik in haar ogen.

Het zit er niet in dat Sean hulp van zijn rivaal zal accepteren, denkt Owen, en dus draait hij er nog wat omheen. 'Ja, allicht, maar denk eens aan wat zoiets kost. Ik heb wel een beetje geld gespaard, maar niet veel, niet genoeg voor een dure vakantie.'

Hij ziet haar en Enrico een samenzweerdersblik wisselen. 'Dat is nu juist het mooie, Owen. Het zal je geen cent kosten, afgezien van benzine. Naomi zegt dat jij een auto hebt?'

Owen ziet meteen zijn Triumph Spitfire voor zich, afgedekt in de garage thuis. Hij knikt. Naomi blaast in de hals van haar bierflesje, wat een spookachtig hol geluid maakt. 'Enrico zegt dat we naar zijn dorp in Toscane kunnen gaan. Naar Vagli Sotto. We mogen gratis logeren in het huisje dat zijn vader en broer hebben opgeknapt. Dan kunnen we het meer gaan bekijken waar dat dorp is verdronken,' zegt ze verleidelijk. Owen krimpt onmerkbaar ineen en drinkt zijn flesje leeg.

'Ik heb het al aan mijn vader gevraagd. Het huisje wordt de komende paar weken nog niet verhuurd. Jullie mogen erin.' Enrico staat op en loopt weg om nog een biertje te halen.

'Ik wil het zo graag zien. Ik heb me al zo vaak afgevraagd hoe het eruitziet.' Ze tikt speels op Owens blote arm.

'Ik weet het niet...'

'Waarom niet? Waarom zouden we niet gaan?' Haar ogen glanzen van geestdrift en haar afgekloven nagels dringen in zijn arm. 'Het lijkt mij helemaal te gek.'

Gegeneerd laat hij zijn stem dalen. 'Naomi, ik word nerveus van open water.'

Ze leunt naar hem toe. 'Maar ik ben bij je,' lispelt ze. Hij krabt op zijn hoofd en strijkt zijn haar naar achteren. 'Een weekje maar. Dat is alles. Het is vlak bij Florence. Ik heb dit echt nodig, Owen.'

Enrico zit gehurkt bij haar platenverzameling om een nieuwe plaat te kiezen. '*Moondance* van Van Morrison?' mompelt hij.

'Denk je echt dat het zou helpen?' Owen houdt zijn hoofd dicht bij het hare. 'Dat je er beter van zou worden?'

'Ja,' zegt ze gedecideerd.

Hij denkt aan cipressen, hoog en donker, oprijzend naar een hemel met paarse strepen. Hij ziet weilanden vol rode klaprozen, snuift de lucht op waarin zwart-witte zwaluwstaartvlinders dartelen. Hij ziet villa's met stucwerk in de kleur van de geelbruine aarde, omgeven door citroenbomen. De bedwelmende geur van rozemarijn en wilde tijm omvatten hem, samen met het slaapverwekkende gezoem van lome hommels. Wat hij niet ziet, is hoe het zonlicht gefilterd wordt in de duisternis van het Vaglimeer en in vlekjes op de met mos beklede muren van het verdronken dorp speelt.

'Goed dan. Ik zal het er met Sean over hebben.'

Ze springt overeind, buigt zich naar hem toe en legt haar handen in zijn nek. Haar handpalmen en vingers zijn nat en koud van het bierflesje. 'Dank je.'

'Supertramp? *Crisis? What Crisis?*' vraagt Enrico over zijn schouder.

'Ja, doe maar,' zegt ze, terwijl ze met haar hypnotiserende edelsteenogen Owens blik vasthoudt.

'Is het voor elkaar?' informeert Enrico terwijl hij de plaat uit de hoes haalt en het stof eraf blaast.

'Ja,' antwoordt Naomi en ze strijkt met haar koele lippen langs Owens wang.

16

OWENS OUDERS BEGROETEN HEM EN NAOMI EEN BEETJE GERESER-veerd. Meer dan eens merkt hij, als hij naar zijn moeder kijkt, dat ze de vrouw die haar zoon heeft meegebracht bekijkt met een blik die je bijna achterdochtig kunt noemen. Hij wordt zich er opeens onaangenaam van bewust hoe kort Naomi's witte rokje is, hoeveel het decolleté van haar laag uitgesneden topje onthult, en hoe dun, bijna transparant, de stof is. Het grootste deel van de tijd houdt zijn moeder zich op de vlakte en zegt ze weinig, maar hij heeft het idee dat ze aandachtig luistert naar alles wat Naomi zegt, alsof ze zoekt naar de sleutel tot de rol die zij speelt. Het onverwachte nieuws over hun vakantieplannen lijkt zijn vader zorgen te baren. Hij houdt hem op de gang staande en vraagt of ze hem aan de kassa van het theater wel kunnen missen.

'Is dit niet juist het drukste seizoen? Met zo veel toeristen in de hoofdstad die allemaal in West End een show willen zien?'

Owen heeft er een paar seconden voor nodig om zich zijn ingewikkelde leugens te herinneren, maar komt dan snel met uitleg. 'Vanwege de hittegolf is de kaartverkoop juist sterk teruggelopen. Het is te warm om in een theater te zitten. De hele stad ligt op apegapen. Dit is juist een ideale tijd om op vakantie te gaan, voordat het weer omslaat.'

Zijn vader knikt, de redenering zonder meer accepterend. 'Ja, de hitte, dat is wat. Iedereen heeft eronder te lijden. Ik wou dat het nu maar eens ging regenen.'

'U bent niet de enige,' zegt Owen meelevend.

Daarna wordt er niets meer over het theater gezegd. In plaats daarvan begint zijn vader aan een geestdriftige monoloog over de problemen van tuinieren in extreme droogte. Te midden van de ongewone drukte blijft alleen de kamer van Sarah opvallend zwijgen, alsof die aanstoot neemt aan het oneerbiedige gebabbel en zit te mokken. Voor Naomi wordt een bed opgemaakt op de oude gebloemde bank in de woonkamer.

'Ik hoop dat dit comfortabel genoeg is,' zegt Owens vader bezorgd. Ze verzekert hem met een glimlach dat het prima is. Na het eten neemt hij haar mee de tuin in om haar de zielige slachtoffers van het tijdelijke woestijnklimaat te laten zien. Owen blijft samen met zijn moeder achter in de keuken. Ze zit aan de kleine formicatafel in een kopje thee te roeren. Owen heeft de vaat gedroogd en is bezig het serviesgoed op te bergen.

'Hoe is het met u, mama?'

'Och, je weet wel. Ik heb goede en slechte dagen.'

'Bent u nog niet aan het werk?'

'Het is zomervakantie.'

Hij haalt diep adem en zegt: 'O ja, dat is ook zo.'

'In september begin ik weer.'

'Het zal u goed doen om weer aan het werk te gaan.'

'Owen?'

Hij draait zich om als hij de stijging van haar toon hoort. Ze kijkt naar hem, wat op zich bijzonder is. 'Ja?'

'Naomi woont dus in dezelfde flat als jij?'

'Mm... ja. Waar moet deze?' Het is een nieuwe slakom en hij weet niet waar die thuishoort.

'In het middelste kastje op de onderste plank.' Als hij de kom wegzet, gaat ze door. 'Hoe goed ken je haar?'

'Ik ken haar van mijn werk.' Hij vraagt zich af of zijn moeder net als de dokter denkt dat ze een stelletje zijn en voegt er snel aan toe: 'Ze heeft een vaste vriend.' Hij trekt een stoel naar achteren en gaat bij haar aan tafel zitten.

'Maar jij gaat evengoed met haar op vakantie.' Het is geen vraag.

Hij kijkt zijn moeder aan, een beetje onthutst over het verhoor. 'Hij kon geen vrij krijgen. Haar vriend. En ze wilde graag iemand mee hebben. Dat is alles.' Een korte pauze. 'Ze is ziek geweest.'

'O ja? Wat had ze?' Ze neemt een slokje thee en wacht, met haar hoofd schuin.

'O, een soort... buikgriep. Ze is er nu min of meer van genezen.'

'Ja?'

'Ja, maar het heeft lang geduurd en ze was daardoor nogal gedeprimeerd.' Hij strijkt met zijn hand over zijn wang en schraapt zijn keel. 'Het reisje zal haar goed doen.'

'Italië. De heuvels van Toscane. Het klinkt aanlokkelijk.' Ze staat op.

'Ik hoop het. We mogen logeren in het huis van de familie van haar vriend. Zo'n oud stenen huis. U en papa zouden ook eens op vakantie moeten gaan.' Hij zegt het gedachteloos en bijt dan op zijn duim. Ze wrijft over haar nek en slaat haar ogen neer. Hij denkt aan de vakantie in Devon, zon, zee, zand, en de begrafenis die erop volgde.

'Zeg, het spijt me erg, maar als je het niet vervelend vindt, ga ik een uurtje liggen. Ik heb een beetje pijn in mijn hoofd. Een uurtje. Dan voel ik me vast een stuk beter.' Haar haar hangt slap rond haar gezicht en haar oogleden zijn zwaar.

'Nee, natuurlijk vind ik dat niet vervelend,' zegt hij, al zou hij er alles voor over hebben gehad als ze was gebleven.

'Ik weet dat ik een zeurkous ben. Ga maar naar de anderen in de tuin.'

'Zal ik u een aspirientje brengen?'

'Nee, dank je, dat hoeft niet.'

Als ze weg is, blijft hij in de zonnige keuken aan de tafel zitten en vraagt zich af wat ze nu voor hem voelt, zijn moeder, als ze al iets voor hem voelt. Hij piekert over de belangstelling die ze aan de dag heeft gelegd voor Naomi. Het verbaast hem niet dat ze die avond niet meer tevoorschijn komt. Later, als zijn vader ook naar bed is, begint Naomi te zeuren dat hij haar het geheime interieur van

Sarahs kamer moet laten zien. Hakkelend zoekt hij uitvluchten.

'Mijn... mijn moeder heeft liever... dat er niemand komt. Ik denk trouwens dat de deur op slot zit en ik weet niet waar de sleutel is. En we zouden mijn ouders misschien storen. Ze slapen erg licht.'

Maar ze blijft zeuren, zo nieuwsgierig als de vrouw van Blauwbaard. Ze moet en zal de slaapkamer zien, de doos openen en Sarahs geest eruit laten. Uiteindelijk zwicht Owen en laat hij deze Fatima haar gang gaan. Hij blijft met zijn armen over elkaar geslagen naast de deur tegen de muur geleund staan en kijkt met een bezwaard gemoed toe als ze op onderzoek uitgaat. Hij voelt zich alsof hij een ordinaire ramptoerist heeft binnengelaten in de tombe van zijn dode zusje. In zijn verbeelding ziet hij hoe Sarahs slapende geest wordt gestoord door de indringer, hoe haar bleke spookverschijning opstijgt vanaf het kussen en hem verwijtend blijft aankijken met haar starre ogen, zo blauw als porselein. Als Naomi, nadat ze Sarahs klerenkast heeft bekeken en een opmerking heeft gemaakt over de gepoetste schoenen en de rijen als witte cocons opgerolde sokken, haar belangstelling voor de kamer verliest, haalt hij opgelucht adem. Weer beneden ondervraagt ze hem over de dag zelf, de dag waarop Sarah is verdronken.

'Ik heb je al verteld wat er is gebeurd,' zegt hij, voor zijn doen erg kortaf.

'Maar je hebt me geen details gegeven. Vertel het me nog een keer,' dringt ze koppig aan. 'Je moet erover praten in plaats van het allemaal op te kroppen.' Maar hij laat zich niet vermurwen. 'Kun je echt niet zwemmen, Owen?' vraagt ze dan, het over een andere boeg gooiend. Ze zit op de als bed opgemaakte bank, trekt haar benen op en slaat haar armen om haar knieën. Owen schudt zijn hoofd. 'Niet eens de schoolslag?' Ze klinkt ongelovig.

Het geeft Owen hetzelfde gevoel als een ontstoken tand waaraan wordt gepulkt. 'Nee,' antwoordt hij stug. Hij staat bij de deur, met zijn rug naar haar toe, volgt met zijn ogen een traan van zwarte glansverf. 'Zal ik het licht uitdoen?'

'Ik vind dat moeilijk te geloven. Dus als jij in een zwembad zou vallen, of als je van een boot af zou vallen, in de zee of... of in een meer, dan zou je... zinken als een baksteen?'

De zenuwen in Owens schouderspieren beginnen te trillen. 'Ik zou verdrinken.' Ze heeft moeite hem te verstaan. 'Net als mijn zusje. Welterusten, Naomi.' Hij is ervan overtuigd dat de nachtmerrie zal beginnen zodra hij zijn ogen dichtdoet, maar het Waterkind is er en wiegt hem veilig in slaap. De volgende dag vertrekken ze als de dageraad zijn eerste tere roze kleuren laat zien. De Triumph Spitfire heeft niet geleden onder het langdurige verblijf in de donkere garage en sputtert dapper door Frankrijk en een hoekje van Zwitserland. Ze onderbreken hun reis in Dijon en Genève en nemen de Mont Blanctunnel dwars door de Alpen naar Italië. Na een overnachting in een schilderachtig hotel in Varazze, rijden ze door naar Lucca en de bergtoppen van Garfagnana.

Als ze hun bestemming naderen, zeshonderd meter boven zeeniveau, te midden van steile heuvels bedekt met kastanjebomen, haagbeuken en berken, dringt Catherine binnen in zijn gedachten. Haar wang was zo zacht als pluis toen ze hem tegen zijn borst had gevleid. Haar voortanden staan een tikje te ver naar voren. Boven een van haar wenkbrauwen zit een wit streepje, een littekentje uit haar kinderjaren. Zowel de uiteinden als de wortels van haar haar zijn rood. Als ze weer een van de scherpe haarspeldbochten van de bergweg nemen, komt Vagli Sotto in zicht, boven op een klip die uitsteekt in een groot stuwmeer. Meteen herinnert hij zich het verdronken dorp, behekst door een sirene, Teodora. In alle andere opzichten is het een bekoorlijk landschap met dicht opeengebouwde stenen huisjes en witgepleisterde gebouwen, en de vierkante toren van een oude kerk die oprijst op een groene heuvel. Op de achtergrond indrukwekkende donkergrijze bergen, versierd met serpentines van glinsterende sneeuw, de pieken van de Apennijnen. En die sikkeneurige, gebochelde, oude goden stellen hem meteen op zijn gemak, zoals ze daar statig uitsteken boven de vernietigende daden van de mens, terwijl rook uit hun pijp rond het dak van de wereld krult.

Ze hebben onderweg opgebeld om te zeggen dat ze in aantocht zijn en Lorenzo Gallo, de zoon van hun huisbaas, Enrico's oudere broer, staat op hen te wachten. Hij dirigeert hen naar een ruw terreintje aan de rand van het dorp waar ze de auto moeten parkeren en legt uit dat de smalle straten niet geschikt zijn voor vierwielige voertuigen. Ze stappen uit, blij dat ze na de lange reis hun verkrampte ledematen kunnen strekken. Lorenzo tilt behulpzaam hun bagage uit de auto. Als ze zich aan elkaar voorstellen, kijkt hij vluchtig naar Owen en laat zijn blik dan op Naomi rusten.

'Kom, volg mij. Ik breng jullie naar het huis. Straks komen jullie bij ons voor een maaltijd, zelfgemaakte kaas en worst en wijn, en dan grappa.'

Voor hem uit huppelend als een berggeit kijkt Naomi over haar schouder naar Owen en dan naar het meer. Angst steekt als een dolk in zijn hart, maar als hij achter hen aan loopt, slaagt het kleine dorp erin iets van zijn sombere gevoelens weg te nemen. Hij ziet glooiende heuvels die bedekt zijn met een volledig palet aan groentinten, het rijke mosgroene fluweel van weelderig gras, het citrusgroen van in strakke rijen geplante bomen, het bruingroen van struiken en kreupelhout, het zilvergroen van olijfbomen, het grijze groen van harde rotsen met spaarzame begroeiing, en het kantachtige donkergroen van majesteitelijke sparren. Hier en daar wordt zijn aandacht getrokken door andere kleuren, roze, wit en rood, een trots rondlopende haan die pronkt met zijn kam en zijn halskwab, bosjes klaprozen met rode gezichtjes, een varken dat zijn roze lijf tegen een stenen muur schurkt, de sneeuwwitte haren van de sik van een geit.

Hij kijkt omhoog naar de bergtoppen en dan naar het blauwe hemelgewelf met wolken die net zo gevarieerd zijn als het groen dat onder hen ligt uitgespreid. Sommige lijken op spookachtige krabbels, sommige op de wazige vleugels van duiven, sommige zijn net gezwollen, melkwitte kussens met een zwangere grijze onderbuik en weer andere lijken op lakens die zo strak gespannen staan dat ze beginnen te scheuren. Er is niets slaapverwekkends aan dit goddelijke landschap. Het is een voortdurend veranderend decor, beschermd door de ruige bergen. Toch zal een storm zich hier vast snel ontwikkelen als de warme lucht langs de wanden van blauwgrijs gesteente opstijgt en afkoelt, denkt hij.

De lucht die hij inademt stijgt naar zijn hoofd als wijn. Hij blijft even staan om Vagli Sotto de kans te geven hem in zich op te nemen. Hij houdt zijn ogen afgewend van de oever van het meer. Hij weet dat de wolken op de glanzende vlakte schaatsen. Dat de pieken van de bergen opstijgen uit de inktzwarte diepte. Dat de groene heuvels, de bochtige, met stenen geplaveide straten en de dicht op elkaar staande huizen die samen het dorp vormen, ondergedompeld lijken in het water. Dat zelfs de inktzwarte sparren de indruk wekken hun takken in het meer te dippen, waarin ze zachtjes wuiven als reusachtige slierten wier. En als hij van heel dichtbij zou kijken, als hij over de ruwe houten omheining aan het einde van het talud zou leunen en zijn hals zou strekken, zou hij het gezicht zien van die andere Owen, die ze reeds in hun bezit hebben. Maar hij laat zich niet bedotten door de verbluffende luchtspiegeling, de illusie van lucht en leven, terwijl er alleen maar een Atlantis opgesloten ligt in een waterige baarmoeder. Hij wordt duizelig, voelt de kracht van de onderwaterwezens, hoort hun lokkende roep. Hij drukt zijn handpalmen tegen zijn oren en haast zich weer achter Naomi aan.

Het huis waar ze de komende dagen zullen verblijven heeft drie verdiepingen en is tegen de heuvel gebouwd. Op de begane grond zijn de keuken en de eetkamer, op de eerste verdieping is de woonkamer en op de tweede verdieping de slaapkamer. Er is een klein betegeld terras bij, waar een moerbeiboom schaduw werpt op een tafel en twee ligstoelen. Het terras en alle ramen van het huis bieden een schitterend uitzicht op de bergen en op het meer dat als een grote olievlek in de diepte ligt. De kamers zijn ingericht met zware houten meubels en simplistische schilderijen van felgekleurde bloemen. Het huis ruikt duurzaam, het ruikt naar hars, lavendel en klei. En net zoals alle andere huizen van het dorp is het net zo onverbrekelijk met het landschap verbonden als de bossen, de boomgaarden en de bergen.

'Het stamt uit de middeleeuwen,' vertelt Lorenzo trots. 'Vinden jullie het mooi? We hebben het helemaal zelf opgeknapt. Ik heb de afgelopen maanden harder gewerkt dan mijn broer Enrico, dat mogen jullie van mij aannemen.' Hij overhandigt Owen een grote metalen sleutel waarvan het gewicht Owen verrast. 'En hoe vinden jullie Vagli Sotto? Mooi, hè?' Ze knikken bevestigend. Het valt niet te ontkennen. Het dorp ziet er bekoorlijk uit, badend in de zalmroze gloed van de vroege avond. Het dramatische decor kerft zijn ruige schoonheid diep in de nieuwkomers. De geïsoleerde ligging heeft iets bedwelmends, denkt Owen. Als het meer er niet zou zijn...

Lorenzo's grijze ogen bekijken hem met interesse. 'Nu hebben we een mooie vakantiewoning voor rijke toeristen die hier veel geld kunnen uitgeven en daar ook nog van kunnen genieten,' zegt hij, op een vrekkige manier over zijn kin wrijvend. Hij verschilt dus toch niet zo veel van zijn broer, denkt Owen, behalve dat zijn kraam dichter bij de hemel dan bij de hel staat. Hij kijkt naar de armzalige zwarte plukjes aan Lorenzo's kin – een zielige imitatie van Enrico's flamboyante oranje sik. Naomi lijkt nieuwe energie te hebben gekregen. Ze holt heen en weer, bewondert het rustieke meubilair, slaakt enthousiaste kreten en stelt een heleboel vragen. Owen kijkt door de open voordeur naar de steile berghellingen en volgt de krullende letters die de weg op de heuvel heeft geschreven. Hij zou het liefst weer in zijn auto stappen en die letters volgen, weg van het water, weg van het meer waar alle ramen van het huis uitzicht op hebben. Lorenzo volgt zijn blik en knikt goedkeurend. 'Jij vindt ons bergmeer mooi. Wij zijn een tweede Lombardië. Zij hebben het Comomeer, het Lago Maggiore en het Meer van Lugano. Wij hebben het Vaglimeer. Door mensen aangelegd, maar daarom niet minder mooi, vind ik. De stuwdam is gebouwd om de bevolking van Garfagnana van elektriciteit te voorzien. Er was een dorp in het dal, maar dat is in 1953 onder water komen te staan:

Fabbriche di Careggine. De bewoners hebben zich elders gevestigd, maar het dorp is er nog, onder water, de huizen, de kerk, alles. Zeilen, roeien, zwemmen. Ideaal voor toeristen. Niet?'

Owen glimlacht flauwtjes en doet de deur dicht. Ze lopen de trappen op naar de slaapkamer. De brede gestalte van de Italiaan doet het trappenhuis smaller lijken dan het is. Eenmaal boven kijkt hij suggestief van het lits-jumeaux naar zijn gasten die bij de grote klerenkast zijn blijven staan. Naomi zet de kastdeuren open, trekt laden naar buiten en laat haar vingers over het gladde donkere hout glijden. Ze lijkt gefascineerd door het contact tussen haar soepele huid en het harde, gepolijste eikenhout.

'Dit is de enige slaapkamer,' zegt Lorenzo traag. 'Is dat een probleem?'

'We redden ons wel,' antwoordt Owen kordaat.

Lorenzo knipoogt brutaal. 'Je kunt altijd beneden op de bank slapen, als je dat liever hebt.'

Naomi draait langzaam in de rondte om alles in zich op te nemen. 'Ik vind het hier enig,' verklaart ze. Ze bijt met haar hoektanden op een nagel en strijkt dan met de rug van haar hand langs haar hals. Opgewekt begint ze met Lorenzo te praten over Florence en Pisa, de steden die ze wil bezoeken. Owen voelt zich buitengesloten. Heel even wordt hij de jongere versie van zichzelf die in de zon op het stoepje achter het huis zit. Zijn blik gaat heen en weer tussen het boek op zijn schoot en zijn moeder, die met Ken Bascombe staat te praten. Hij ziet haar heel duidelijk, leunend op de schutting, rokend, met een blos op haar wangen, zijn moeder die er zo mooi uitzag en voor hem zo onbereikbaar was. Het leed dat hen van elkaar scheidt, is gegroeid als een doornstruik die langzaam maar zeker steeds intimiderender wordt. Ondoordringbaar. Haar zien is erger dan haar niet zien. Haar bruine ogen bevatten niets dan verwijten en een waarheid zo verschrikkelijk dat er nooit over gesproken mag worden. En daar moet hij mee leven, met die loodzware wetenschap. Met het op zich eenvoudige feit dat als *hij* die dag was doodgegaan, als *hij* het was geweest die was verdronken en niet Sarah, zijn moeder daarmee had kunnen leven. Ze zou hem hebben kunnen begraven en daarna haar leven weer voortzetten. Hij heeft haar zo hard nodig dat zijn tanden er pijn van doen. Hij is onaf, incompleet, moederziel alleen op een verlaten strand waar het onverschillige grijze getijde opkomt.

Een aanhoudend piepgeluid brengt hem terug naar het heden. Naomi is op het bed aan het springen. 'In de bergen,' zegt ze zachtjes, met haar witte tanden de randjes van de woorden afknabbelend, 'is het 's nachts vast erg koud.' Haar lippen worden rood van plezier. Ze knippert op haar lijzige manier. Opeens springt ze van het bed en loopt ze naar het raam. Lorenzo loopt achter haar aan en gaat naast haar staan. Hun armen raken elkaar. Ze tilt een punt van de gesloten ecru met paars geblokte gordijnen op en kijkt naar buiten. Over haar heen leunend schuift hij de gordijnen helemaal open. De ringen glijden met een snerpend geluid over de metalen roede en licht stroomt naar binnen. Owen gaat bij hen staan, aan haar rechterkant, de kant van haar raadselachtige profiel met het bruine oog. Lorenzo draait aan de hendel en duwt het raam open. Ze kijken alle drie naar het meer. Owen staat op zijn benen te zwaaien, zo duizelig dat hij bijna omvalt. In zijn verbeelding ziet hij Teodora, opgesloten onder het deksel van het ondoordringbare zwarte water.

'Ze zeggen dat toen de Edron werd afgedamd, een vrouw haar huis niet wilde verlaten en toen is verdronken. Teodora was haar naam. Ze zeggen dat ze nog steeds in het meer zit en dat je zult verdrinken als je haar ziet,' vertelt Lorenzo gloedvol. 'Geloven jullie in spoken?'

Owen stoot een zenuwachtig lachje uit. Naomi lacht verrukt naar Lorenzo. 'Enrico heeft ons dat verhaal ook al verteld. We zullen goed opletten, en als we het fantoom van het meer zien, laten we je dat wel weten.'

'Het is in elk geval een mooi verhaal... om aan de toeristen te vertellen... die hier zullen komen,' zegt Owen hakkelend. Lorenzo grinnikt, allerminst uit het veld geslagen door Owens geveinsde cynisme.

Als hij weg is en Naomi zich gereedmaakt voor het etentje, gaat Owen voor het raam van de woonkamer staan. Hij kijkt naar het meer alsof het een vijandig leger is en hij op de uitkijk staat op de toren van een fort. Hij laat zijn blik over de rest van het landschap gaan. De schemering duurt hier kort. Hij ziet hoe de duisternis nadert en de dag onherroepelijk verdringt. Hij heeft een visioen. Teodora zit in haar stenen huisje haar zijdezachte zwarte haar te kammen terwijl het water eerst onder de deur door naar binnen komt en dan door de ramen en uiteindelijk door de schoorsteen. In zijn verbeelding ziet hij het water in het huisje stijgen als in een bad dat volloopt, tot haar mond zich opent en met water wordt gevuld.

Die avond wordt Naomi bij Nerio Gallo thuis dronken van de grappa en ze begint zowel met Lorenzo als met zijn gebaarde vader te flirten. Owen bloost ervan, omdat ze nu niet op de markt zijn, waar het licht alles verzacht en goedkope prullen hun charme hebben. Op het korte stukje naar huis haakt ze haar arm door de zijne.

'Wat is het hier heerlijk stil. Ben je blij dat we zijn gekomen?' Ze praat met een dikke tong en hij ruikt haar van alcohol doordrenkte adem. Als hij geen antwoord geeft, blijft ze abrupt staan, hem dwingend hetzelfde te doen. 'Hoor je me niet?' lalt ze. Hij kijkt op haar neer, knikt en vertrekt zijn mond tot een flauwe glimlach. De stralen van heldere sterren snijden door het marineblauw van de nachtelijke hemel. De goudgele volle maan heeft een tweelingbroer in het meer. De bergen zijn bedekt met feestelijk zilver, grijs en paars. Owen heeft dorst van de zoute salami en de grappa. Het koude licht van de maan geeft Naomi's gezicht met zijn vlakken en holtes opeens het griezelige aanzien van een doodshoofd. Haar ogen schitteren in de diepe holtes. Haar mascara en eyeliner zijn uitgelopen, waardoor haar magere gezicht een gothic aanzien heeft. En haar warrige haar, omkranst door maanlicht, lijkt op een witte advocatenpruik. 'Ben je blij of niet?' fluistert ze.

'Naomi, je bent dronken,' zegt hij. Hij had gemikt op nonchalance, maar het klinkt prekerig. 'We praten morgen wel verder.'

'Maar je bent toch wel blij dat we zijn gekomen? Dat het hier zo mooi is?'

'Ja, ja, heel blij,' liegt hij.

In bed valt Naomi van alle drank meteen in slaap. Owen is klaarwakker. Hij gaat op de vensterbank zitten en hoort hoe het raam trilt in de wind. Een manestraal, gebroken door de ruit, beschijnt het plafond. Het Vaglimeer glinstert onder de volle maan als een sluimerend monster uit een sprookje. Hij verlegt zijn blik en stelt zich voor dat hij Teodora kan zien, een zwarte zeemeermin op de ruwe betonnen kademuur. Met haar heldere stem zingt ze honingzoete melodieën waar hij tranen van in zijn ogen krijgt. De golf van haar stem rolt weg door een universum geschroeid door ontelbare zonnen en bezaaid met gemarmerde planeten, en eindigt op een onbekende kust, waar hij een rimpeling veroorzaakt in de eeuwigdurende cirkel van de tijd.

Zondagochtend. Ze zitten te zonnen in de ligstoelen op het terras. Naomi leunt naar voren om haar bloes uit te trekken. De stof, karmozijnrode voile, is vederlicht. Ze zakt weer achterover. Nu heeft ze alleen nog maar een kleine zwarte bikini aan. Haar ogen zijn gesloten. Ze heeft haar sandalen uitgeschopt. Owen bekijkt haar tenen, die ze neerduwt naar de warme flagstones, optrekt en weer neerduwt, als een genietende poes. Elke keer komt de bal van haar voeten een paar millimeter omhoog. Haar lichaam staat open voor de tongen van zonlicht die aan haar huid likken. Haar enige bescherming tegen de schadelijke stralen is een zonnebril. Owen, gekleed in een lichtbruine korte broek en een bleekblauw overhemd met korte mouwen, straalt een innemende Enid Blyton-onschuld uit. Zijn sandalen zitten stevig aan zijn voeten gegespt en hij draagt een pet met een klep, maar geen zonnebril.

Hij heeft zich net ingesmeerd, zijn armen zijn nog streperig van de crème, als zijn oog begint te jeuken. Automatisch wrijft hij erin. Door de crème aan zijn vingers gaat zijn oog hevig tranen. Op hetzelfde moment wordt zijn andere oog verblind door de zon die op een van de goudkleurige scharniertjes van Naomi's zonnebril schittert. Als hij zijn ogen weer opent, ziet hij alles wazig. Hij kijkt door zijn wimpers en ziet drie lilliputterpriesters. Dan beseft hij dat het geen mannen zijn maar jongens, kleine jongens, en dat het er geen drie zijn, maar vijf, allen gekleed in een zwarte toog en een wit koorhemd. Twee van hen dragen een banier en vóór hen loopt een jongen die een kruisbeeld draagt. Owen wil rechtop gaan zitten, maar dat valt niet mee in zo'n ligstoel van canvas. Hij spartelt als een op zijn rug liggende tor.

Na de jongens komen de mannen van het dorp in beeld, van wie de meesten van middelbare leeftijd zijn, sommigen met een kromme rug en grijs haar. Ze hebben vrijwel allemaal een kostuum aan met een stropdas en zelfs een hoed. Ze hebben duidelijk veel zorg besteed aan hun uiterlijk. Als ze langslopen, dwaalt hun blik naar de plek waar de nieuwkomers zitten te zonnebaden. Naomi's lichaam houdt even hun aandacht vast, maar hun uitdrukking blijft neutraal. Owen stoot haar aan. Ze zucht gelukzalig en wriemelt bij hem vandaan. De glans van een zilveren lantaarn trekt zijn aandacht weer naar de groep. Nu ziet hij dat er heuse priesters zijn gearriveerd, drie stuks, alle drie gekleed in een lange witte soutane met een korte rode cape die rond hun hals is gesloten. Ze vormen een halve cirkel met in het midden een krom lopende, verschrompeld uitziende, oude bisschop met een vergulde staf in zijn hand. Owen is erin geslaagd rechtop te gaan zitten en stoot Naomi weer aan.

'Naomi, ga zitten en trek je bloes aan,' sist hij. 'Er komt een of andere processie langs.' Ze zucht, schurkt loom in haar stoel, trekt haar zonnebril tot halverwege haar neus en kijkt over de rand. Ze lijkt geïntrigeerd maar doet geen moeite zich te bedekken. Net als hij weer iets wil zeggen, komen er nog meer mannen de hoek om. Deze dragen een sokkel met daarop het beeld van een heilige gezeten op een zilveren troon. Weer stoot hij haar aan en als ze zich niet verroert, grijpt hij haar bloes van de grond en probeert haar lichaam ermee te bedekken. Pas als het orkest arriveert, bestaande uit hoofdzakelijk jonge mannen die eender zijn gekleed in een zwarte lange broek, blauw overhemd en militair uitziende petten, toont ze belangstelling. Ze spelen met hun trompetten, trommels en klarinetten een statige mars.

Ze leunt naar voren in de ligstoel en staat op, met aanzienlijk meer behendigheid dan Owen. De bloes glijdt van haar af. Ze staat op haar blote voeten in haar minieme bikini. Terwijl Owen zich ook uit de stoel werkt, loopt ze naar voren en leunt nonchalant op het houten hek om naar de optocht te kijken. Ze applaudisseert als de muziek langskomt, alsof de processie speciaal voor haar is georganiseerd. En zo treffen ze haar aan, de vrouwen van het dorp, die nu de hoek omkomen als hekkensluiters van de parade. Een van hen, een forse matrone in een donkerblauwe jurk met lange mouwen, het niet onaanzienlijke plateau van haar borst gesierd met een eenvoudig gouden kruis aan een ketting, maakt zich los van de groep en loopt doelbewust op hen af. Naomi kijkt naar haar, tilt haar zonnebril op en glimlacht ongegeneerd. Owen gaat snel tussen hen in staan.

'Kan ik u ergens mee van dienst zijn?' vraagt hij, terwijl hij zijn armen met een onbehaaglijk gevoel om zijn eigen lichaam slaat.

'Uw wasgoed,' zegt de vrouw. Ze heeft de priemende blik van een havik.

'Pardon?' zegt hij, want hij begrijpt absoluut niet wat ze bedoelt. Naomi draait zich met haar rug naar het hek, laat haar zonnebril zakken en lacht.

'Uw wasgoed hangt in het zicht,' zegt de vrouw. Ze wijst met haar kin naar een plek achter hem.

Hij draait zich om en ziet hun wasgoed op het droogrek hangen. Een paar T-shirts, maar hoofdzakelijk kanten slipjes van Naomi. Hij voelt zijn wangen warm worden. Naomi kijkt nu geïrriteerd. 'O, dat. Neemt u ons niet kwalijk, we hadden er geen erg in,' zegt hij snel. 'We zullen het meteen weghalen. Naomi, help me even.' Ze kijkt opstandig naar hem en leunt iets verder achterover tegen het hek. 'Naomi!' zegt hij met opeengeklemde kaken. Hij begint de kledingstukken en het ondergoed van het rek te plukken. Als hij omkijkt, staat de vrouw er nog. Ze heeft haar ogen nu gericht op de schaars geklede toeriste en kijkt erg vijandig. Naomi neemt haar zonnebril af en beantwoordt de vernietigende blik bedaard. De vrouw lijkt te schrikken van de tweekleurige ogen. Als een recalcitrante tiener bukt Naomi zich, pakt haar bloes en laat die over haar hoofd glijden. Al die tijd staren de vrouwen, met kinderen aan hun rokken, eensgezind naar haar.

'Wat een drukte om niks,' mompelt Naomi. Ze buigt haar hoofd achterover en kijkt naar de lucht. Dan haalt ze haar schouders op, duwt zich tegen het hek af, loopt langs haar uitdaagster heen en verdwijnt in het huis.

'Het spijt me...' hakkelt Owen. De vrouw knikt stug. 'Ik... we hebben het niet kwaad bedoeld. We wisten niet dat er een... een...' Hij verzandt in zijn woorden, zijn mond zo droog als gort. Roerloos blijft ze naar hem kijken met haar priemende ogen. Dan verdwijnt de scherpte plotseling van haar gezicht en knikt ze, blijkbaar verzoend. Ze draait zich om en loopt met opgeheven hoofd weg om de anderen in te halen. Owen haast zich met de bundel vochtig wasgoed achter Naomi aan naar binnen.

Maandag. Na een ontbijt waar Owen eigenlijk geen trek in heeft, rijden ze naar Lucca waar ze fietsen huren. Ze maken een rit rond de oude stadsmuren, genietend van het uitzicht op het schitterende landschap. Halverwege stoppen ze en ze stappen af om het panorama op hun gemak te bekijken. De kantachtige bladeren van de platanen wuiven in de warme bries. Een paard-en-wagen, beladen met groenten, rijdt ratelend langs. Andere fietsers komen voorbij. Een echtpaar op leeftijd maakt hand in hand een wandeling. Trotse ouders laten hun zoontje tussen hen in lopen. Owen en Naomi kijken naar de velden, de groepen donkere bomen, de zee van donkerrode daken waaruit indrukwekkende torens oprijzen, en daarachter, zover het oog reikt, een keten van donkere, majestueuze bergen.

'Wat een uitzicht,' zegt Owen. 'Een landschap voor schilders.'

'Weet je, ik kan het hem niet vergeven.'

Een ogenblik weet hij niet waar ze het over heeft, en dan wordt hij in één keer weer ondergedompeld in de miserabele gebeurtenissen van deze lange, hete zomer. 'Dat zeg je nu, maar na verloop van tijd...' begint hij hoopvol, maar ze valt hem in de rede.

'Nee, ik zal het hem nooit vergeven. Het enige wat ik nu nog voor Sean voel is minachting om de wrede manier waarop hij me heeft behandeld.' Ze kijkt niet naar hem, maar staart voor zich uit, en haar stem klinkt vlak. 'Hij heeft onze baby vermoord. Hij wilde niet eens een alternatief overwegen.'

Owen zucht zachtjes. 'Naomi, je ziet zelf toch ook wel in dat het voor alle betrokkenen moeilijk was?' Hij legt zijn hand op haar arm en past lichte druk toe met zijn vingers.

Ze brengt haar andere hand naar haar mond en bijt afwezig op een nagel. 'Jij zou je heel anders gedragen hebben.' Ze werpt hem een zijdelingse blik toe, nu met een wat bedeesde uitdrukking in haar opmerkelijke ogen. Als hij daar niet op reageert, vraagt ze het hem op de man af. 'Of niet?'

'Dat is iets anders,' zegt hij ontwijkend.

'Waarom?'

'Omdat ik niet getrouwd ben,' antwoordt hij met een schouderophalen.

'Volgens mij zou jij je ook als je getrouwd was nooit zo gevoelloos hebben gedragen,' zegt ze volhardend.

'Hoe kun jij voorspellen wat ik zou hebben gedaan?'

Ze draait zich naar hem toe en kijkt hem strak aan. 'Volgens... mij... kan... ik... dat.' Ze spreekt de woorden gescheiden uit, ze stuk voor stuk benadrukkend.

Hij neemt zijn hand van haar arm en spreidt zijn armen in een smekend gebaar. 'Naomi, ik zal echt niet beweren dat ik weet hoe erg dit voor je moet zijn geweest, maar het is nu voorbij. Je moet proberen het van je af te zetten. Er steeds aan denken maakt het alleen maar erger.'

'Waarom zou ik geen gezin mogen hebben?' vraagt ze zonder

met haar ogen te knipperen. Owen voelt zich alsof ze zijn ziel op de proef stelt, of ze wil zien uit welk hout hij is gesneden.

'Natuurlijk mag jij ook een gezin hebben.' Hij haalt diep adem en probeert een zin te vormen, maar het lukt niet. 'Je bent... je bent –'

'Wat ben ik, Owen?' Ze grijpt zijn hand en houdt die vast.

'Je bent een mooie vrouw en op een dag zul je de juiste man ontmoeten, met hem trouwen en kinderen krijgen. Het zal heus wel gebeuren. Je moet alleen een beetje geduld hebben.' Nu glimlacht ze, alsof hij in een quiz het juiste antwoord heeft gegeven en meteen de hoofdprijs heeft gewonnen. 'Wat ben je toch een heer!' roept ze uit. Ze klapt in haar handen en geeft hem een zoen.

Ze voltooien hun route, leveren de fietsen in en slenteren door het oude stadje. Er zijn zo veel kerken dat ze bijna niet te tellen zijn. Naomi wil bij elke kerk de zware deur openduwen om het schemerige interieur te bekijken, maar Owen is terughoudend. Ze zijn er niet op gekleed. In zijn spijkerbroek en T-shirt kan hij er nog mee door, maar Naomi's donkerrode rok hangt zo laag op haar heupen dat haar navel te zien is, en omdat ze geen bh draagt, staan haar borsten duidelijk afgetekend onder haar strakke, poedergrijze, mouwloze topje. Elke keer dat ze de trap op snelt naar de ingang van een kerk en voor de massieve middeleeuwse deuren blijft staan, herhaalt hij dat ze niet netjes genoeg gekleed zijn.

'Ik vind echt dat we niet naar binnen moeten gaan,' zegt hij, met een blik op de dorpelingen die de kerk betreden of verlaten. De vrouwen dragen zonder uitzondering een jurk tot op hun kuiten, met lange mouwen, en buigen eerbiedig hun bedekte hoofd. De mannen dragen een lange broek en een overhemd dat tot boven aan toe is dichtgeknoopt.

'Stel je niet aan,' berispt ze hem. 'Waarom zouden we niet naar binnen mogen?'

'Naomi, er zitten vast mensen te bidden.'

Ze haalt haar schouders op en blaast ongeduldig de pieken op haar voorhoofd naar boven. 'Ik wil ook bidden,' zegt ze obstinaat.

Voordat hij haar kan tegenhouden, grijpt ze de zware, metalen ring van de deur. Een seconde later is ze in de kerk verdwenen. Hij aarzelt zo lang dat hij opzij moet stappen voor een vrouw die naar buiten komt. Ze heeft een rozenkrans in haar hand en is nog aan het prevelen. Hun ogen ontmoetten elkaar heel even en Owen voelt een vervangende schaamte om Naomi's gedrag.

Als hij de grote ruimte betreedt, die aangenaam koel is na de hitte op straat, hoort hij hoe de plechtige stilte wordt doorbroken door de luide tikken van Naomi's hakken op de stenen vloer. Hij sluipt door de schemerige gang van de zijbeuk. Naomi loopt pontificaal door het middenschip, gevangen in een baan van blauw licht dat door een gebrandschilderd raam naar binnen komt. Het is laat in de middag. De aanwezige mensen zitten of knielen, met gevouwen handen, hun lippen bewegend in vurig gebed. Owen blijft staan bij een plateau vol kleine, roomwitte kaarsen. Een man steekt er eentje aan met behulp van een lange dunne kaars, doet een muntje in een doos, maakt een kniebuiging en slaat een kruis. Owen moet opeens aan Catherine denken, aan het vocht van haar tranen op zijn overhemd, en vraagt zich af of hij een kaars voor haar zou mogen aansteken, voor haar en voor Bria, maar dan hoort hij Naomi uitroepen: 'Moet je nou kijken!'

Hij ziet alle gebogen hoofden omhooggaan. Zo geruisloos mogelijk snelt hij naar voren, maar voordat hij de balustrade van de communiebank bereikt, ziet en hoort hij hoe ze door iemand wordt berispt. De boze man tikt haar op haar schouder, legt zijn vinger tegen zijn lippen om aan te duiden dat ze stil moet zijn en bromt iets in het Italiaans.

Naomi schudt verontschuldigend haar hoofd. 'Neemt u me niet kwalijk. Ik was vergeten waar ik was.'

Owen loopt snel naar hen toe, knikt naar de verbolgen man en trekt Naomi opzij. De man buigt zijn hoofd als hij weer gaat zitten. 'Laten we gaan,' zegt Owen dringend, aan haar arm trekkend. Voor de tweede keer die dag ontglipt ze hem door met een fikse ruk van haar elleboog haar arm uit zijn greep te trekken.

'Ik moet je eerst iets laten zien,' antwoordt ze, fluisterend nu. Ze leunt op de balustrade van de communiebank en tuurt ergens naar.

Het liefst was hij ervandoor gegaan, maar omdat hij weet dat ze waarschijnlijk nog meer opschudding zal veroorzaken als hij niet doet wat ze zegt, blijft hij met tegenzin bij haar staan. Ze wijst aan waar hij naar moet kijken. Met een macaber soort nieuwsgierigheid staart hij naar de glazen doodskist die een paar meter bij hen vandaan op een lage tafel staat. Erin ligt iets wat eruitziet als een gebalsemd lijk. De huid is vaalbruin en staat strakgespannen op de randen en holtes van de schedel. Het lijk kan net zo goed van een man als van een vrouw zijn. Het is gehuld in een lang, soepel gewaad met op het hoofd een of ander religieus hoofddeksel dat eruitziet als een rijkelijk versierde eierwarmer. De handen lijken op de benige klauwen van een grote vogel. Erin verstrengeld ligt een met sierstenen bezet zilveren kruis. Rond het lijk liggen nog meer ornamenten verspreid: ringen, kettingen, armbanden en zelfs wat beenderen. Ze glanzen in het licht van een erboven bevestigd spotje. Tussen de ornamenten liggen slingers met zijden bloemen waarvan de ooit ongetwijfeld levendige kleuren zijn verschoten tot het stoffige beige van dode bladeren. De smalle lippen, die lijken op vergeelde biezen, zijn iets uiteengeweken zodat je de grijze tanden kunt zien. De ogen zijn gelukkig gesloten, maar de donkere neusgaten zijn zo wijd dat je zou kunnen geloven dat het lijk ze openspert om de gestagneerde lucht in de doodskist op te snuiven. Owen voelt dat Naomi hem in de gaten houdt.

'Denk je dat het een echt lijk is?' fluistert ze, diep onder de indruk, starend naar het groteske tafereel.

Hij huivert en knikt. 'Volgens mij wel.' Hij krijgt opeens een benauwd gevoel. 'Het zal wel een heilige of een bisschop zijn of zo. Kom, laten we gaan.'

'Ergens is het best mooi, vind je ook niet?' Als ze ziet hoe benauwd hij kijkt, onderdrukt ze een giechel. 'Och, Owen, waarom vat je alles toch altijd zo serieus op?' Vanuit zijn ooghoek ziet hij dat de man in de voorste bank weer overeind komt en dat zijn gezicht donkerrood is aangelopen. Naomi heeft het blijkbaar ook in de gaten, want als hij op hen af komt, knielt ze op de communiebank, slaat demonstratief een kruis en heft haar handen hoog op in gebed. Owen is net zo sprakeloos als de woedende Italiaan, wiens mond openzakt tot hij hem bewust weer sluit. De man heft vertwijfeld zijn handen op, draait zich om en loopt weg. Owen trekt zich terug in de schemerige zijbeuk en doet een schietgebedje dat Naomi een beetje zal opschieten. Even later komt ze overeind. Ze draait zich langzaam om en blijft een ogenblik theatraal voor het altaar staan. Tot zijn verbazing ziet hij dat ze tranen in haar ogen heeft. Ze knippert op die eigenaardige manier van haar en een kristallen druppel, gevolgd door een tweede, glijdt in een kaarsrechte lijn over haar wang. Alsof er een wonderbaarlijke ommekeer heeft plaatsgevonden loopt ze als verdwaasd met natte ogen door de kerk. Ze maakt nog een kniebuiging terwijl hij op haar staat te wachten, met zijn voet de zware deur openhoudend. Buiten, terug in de warme zon, loopt Owen voor haar uit, geërgerd en beschaamd. Zijn metgezel heeft zich idioot aangesteld in een gewijde omgeving, in een kerk waar decorum en eerbied, uit respect voor de plaatselijke bevolking, vanzelfsprekend zouden moeten zijn. Naomi haalt hem in. Ze grijpt zijn hand. Ze laat haar afgekloven nagels met een soort bezitsdrang in zijn handpalm dringen. 'Mooi was dat, hè?' Als hij geen antwoord geeft, vraagt ze: 'Wat is er? We hebben zo'n fijne dag. Waarom ben je nu boos?'

'Ik ben niet boos,' liegt hij.

Ze stoppen bij een café. Ze gaan op het terras zitten, bestellen bier en drinken die langzaam op, in de rust van de namiddag. Aan een ander tafeltje zit een jong stel te minnekozen als tortelduiven. Een streep licht valt schuin onder de luifel door. Het valt hem nu pas op dat Naomi een veel te dikke laag make-up heeft opgedaan. De crème is in de landkaart van haar gezicht gedrongen en accentueert de dunne lijntjes en rimpeltjes, als een reliëf. Ze draagt glinsterende oogschaduw in die turkooizen kleur die van een lieftallig meisje een lellebel maakt en van een volwassen vrouw een kermisattractie. Haar eyeliner is uitgelopen en haar mascara doet haar wimpers lijken op spinnenpoten. Haar felrode, nogal ordinaire lippenstift is door de warmte zo verdund dat zich onder haar mondhoeken vlekken hebben gevormd, waardoor haar mond op die van een clown lijkt. Hij ziet ook dat de uitgroei van haar haar steeds meer terrein wint op het blond dat de schone schijn allang heeft moeten opgeven. En onder de verschaalde lucht van nicotine bespeurt hij het zwakke maar karakteriserende parfum dat haar eigen is, de pikante geur van bestorven vlees. Hij kijkt naar het verliefde stelletje.

'Owen?'

Stilte.

Dan: 'Ja?'

'Ik vind het erg lief van je dat je met me bent meegegaan hiernaartoe en dat je op me past. De meeste mannen zouden de benen hebben genomen. Maar jij bent gebleven.'

Hij haalt zijn schouders op. 'Ik kon je niet aan je lot overlaten.'

'Omdat je een fatsoenlijk en goed mens bent.' Weer stilte.

'Naomi, als we straks terug zijn...' Hij maakt zijn zin niet af. Hij heeft er de moed niet toe. Hij wilde zeggen dat hij heeft besloten te vertrekken. Dat hij uiterlijk nog twee weken op de markt blijft. Hij gaat niet terug naar huis, in elk geval niet permanent. Hij wil reizen, naar plekken waar niemand hem kent, waar hij steeds iemand anders kan zijn. Hij heeft wat geld gespaard, niet veel, maar voldoende om een begin te maken. En als het op is, kan hij weer gaan werken. 'Naomi, wat ik wilde zeggen... als we straks terug zijn...' Hij blijft weer steken.

'Zeg het maar,' moedigt ze hem geamuseerd aan.

'Nee, laat maar,' zegt hij mismoedig. 'God, het lijkt wel of het hier nog warmer is dan in Londen.' Op de rand van haar glas zitten vlekken van haar lippenstift. Ze legt haar hoofd op zijn schouder. Om een onduidelijke reden denkt hij opeens dat Catherine naar zomerregen ruikt. Het stelletje tegenover hen zit te zoenen. Hij blijft kijken naar het verliefde paar dat volkomen in elkaar opgaat. Naomi schurkt nog iets dichter naar hem toe.

’s Avonds vraagt hij haar waar ze om heeft gebeden. Ze doet het licht uit en staat in een baan van maanlicht naar hem te kijken. Hij ligt languit op zijn bed. Ze heeft er een gewoonte van gemaakt om in een van zijn T-shirts te slapen. Ze ziet er eigenaardig onaards en onmenselijk uit, des te meer omdat ze staat te roken. De planken van de vloer kraken als ze naar het raam loopt. Het staat open en de gordijnen zijn opzijgeschoven. Ze knielt op de vensterbank, haar lichaam half gedraaid, met haar rug naar hem toe. Bij elke beweging die ze maakt beschrijft het gloeiende puntje van haar sigaret een oranje baan die even blijft hangen, als vuurwerk.

‘Owen?’

‘Ja?’ Hij draait zich op zijn zij, met zijn gezicht naar haar toe.

Als ze aan de sigaret zuigt, wordt het puntje vuurrood en dan weer dof. Het lijkt heel lang te duren voordat ze de rook in een lange sliert uitblaast. ‘Soms denk ik aan Catherine, aan Catherine en haar baby, Bria. Dan probeer ik me voor te stellen hoe ze eruitziet, wat voor kleur haar ze heeft, blond of bruin.’

‘Rood.’ Hij zegt het gedachteloos, automatisch, en heeft er meteen spijt van dat hij het zich heeft laten ontvallen. De daaropvolgende stilte spreekt boekdelen.

Dan vraagt ze, met een klein stemmetje: ‘Hoe weet jij dat?’ Hij kan niet zien hoe ze kijkt. Haar lichaam wordt flauwtjes verlicht door de gloed van de straatlantaarn, maar haar gelaatstrekken zijn beschaduwd. Hij vervloekt zijn stommiteit.

‘Ik heb haar een keer ontmoet,’ zegt hij luchtig.

‘Wanneer?’ vraagt ze op dezelfde benepen toon. Ze neemt een trek aan haar sigaret. De rook heeft vanwege de mangogele gloed de kleur van zwavel. ‘Wanneer heb je haar ontmoet, Owen?’

Hij bijt op zijn onderlip voordat hij antwoord geeft. ‘Een paar weken geleden. Sean had gevraagd of ik even naar Hounslow kon gaan om bij hem thuis iets af te halen. Ik ben er maar een paar minuten gebleven.’

Ze kijkt van hem weg, uit het raam. 'Daar heb je niets over gezegd,' zegt ze.

'Nee... nee. Ik vond het niet belangrijk,' legt hij aarzelend uit.

'Ben je er alleen die ene keer geweest? Of had je haar al eerder gezien?'

'Dat zeg ik toch? Alleen die ene keer. Het stelde niets voor. We hebben amper een paar woorden met elkaar gewisseld.' Hij weet niet goed waarom, maar het lijkt opeens belangrijk dat hij hierover liegt, dat hij Catherine en Bria beschermt. Al zou hij niet kunnen zeggen waartegen hij ze moet beschermen.

'Wat is ze voor iemand?'

'Ja, zeg, dat weet ik niet, hoor,' zegt hij ontwijkend.

'Je weet anders nog wel wat voor kleur haar ze heeft,' pareert ze. Ze strekt haar arm en tikt de as van de sigaret.

Geërgerd strijkt hij de kreukels uit zijn linnen laken. 'Alleen omdat het zo'n bijzondere kleur was.'

'Is ze leuk om te zien?'

'Wat zit je nou te zeuren. Ik ben alleen maar een pakketje gaan afhalen voor Sean. Ik heb aangebeld, ze heeft de deur opengedaan, me het pakje gegeven, en toen ben ik weer weggegaan.'

'Ben je niet naar binnen gegaan?' Ze draait met haar hoofd en masseert haar nek.

Een tweede aarzeling. Dan zegt hij: 'Nee, natuurlijk niet. Waarom zou ik?'

'Heeft ze niet gevraagd of je binnen wilde komen?'

Hij zucht en stoot zijn hoofd tegen het hoofdeinde van het bed als hij gaat zitten. 'Nee!' Hij laat het ongeduldig klinken, om zijn schuldgevoel te verdoezelen.

'Is ze leuk om te zien?' herhaalt ze.

'Of ze leuk is om te zien? Ze is... heel gewoon,' antwoordt hij terwijl hij bij zichzelf denkt dat ze precies het tegenovergestelde is.

'Heel gewoon, maar ze heeft wel rood haar,' is Naomi's rappe repliek. Hij hoort haar de rook inademen en uitblazen. Een deel ervan komt de kamer in en bederft de frisse berglucht.

'Het is het enige wat me van haar is bijgebleven.'

'Heb je de baby ook gezien?'

Hij is op zijn qui-vive. 'Nee, waarom zou ik de baby gezien hebben?'

Voordat ze zich naar hem toe draait, gooit ze de nog brandende peuk uit het raam.

'Hé, wat doe je nou!' Hij staat op en is met twee stappen bij haar. 'Heb je nog nooit van bosbrandgevaar gehoord? Het ontbreekt er nog maar aan dat jouw sigaret hier brand zou veroorzaken.' Hij buigt zich uit het raam. Een geknakt sliertje rook verraadt waar de sigaret op het stenen terras is neergekomen. 'Ik ga die peuk uittrappen.' Ze grijpt zijn arm en houdt hem tegen.

'Waarom mocht zij haar baby wel houden?' vraagt ze op een kille toon. 'Waarom heeft zij alles?' Ze trekt hem naast zich neer op de vensterbank. Haar ogen boren zich in de zijne. Het is net alsof ze smeulen, vindt hij.

'Dat weet je best, Naomi.'

'Waarom?' vraagt ze, nog net zo kil.

'Omdat... omdat zij met Sean getrouwd is.' Ze knijpt zo hard in zijn bovenarmen dat het pijn doet. Ze strekt haar hals. Hij hoort haar verwrongen, hebzuchtige stem zijn oor binnenglijden.

'In de kerk, Owen, heb ik gebeden voor mijn baby, voor mijn dode baby, en of God ervoor kan zorgen dat het huilen in mijn hoofd ophoudt. Ik heb ook gebeden voor Sarah, voor jou en Sarah, je arme zusje dat is verdronken.' Haar lippenstifttong glijdt langs de contouren van haar open mond. Owen wordt er doodnerveus van. Hij wou dat hij haar zijn eigen tragedie weer kon afnemen. Hij heeft te laat beseft dat hij die nooit aan haar had moeten toevertrouwen.

'Je moet jezelf de tijd gunnen om te rouwen,' zegt hij stijfjes.

Ze kijkt naar het spiegelgladde meer. 'Zou de legende waar zijn? Wat voor soort vrouw sluit zich in haar huis op terwijl de vallei onder water wordt gezet? Denk je dat even in, Owen, dat je in je huis zit en het niveau van het water langzaam ziet stijgen. Dat je ziet hoe al je spullen eerst gaan drijven en dan zinken, en dat je weet dat met jou hetzelfde gaat gebeuren. Wat moet dat afgrijselijk zijn geweest.'

'Ik wil er niet over praten.' Er ligt een trilling in Owens stem. Als hij weer spreekt, geeft hij zijn woorden bewust nadruk om van die trilling af te komen. 'Ik ben moe, Naomi. Dat komt zeker door al die buitenlucht.' Hij maakt zich van haar los, gaapt overdreven, grijpt zijn spijkerbroek van de stoel en trekt hem aan. 'Ik ga alleen nog even naar beneden om te controleren of die peuk inmiddels uit is. We mogen geen risico nemen dat er brand komt.'

De week is al half voorbij voordat ze eraan toekomen het dorp te gaan verkennen. Ze wandelen op hun gemak door de straatjes en stoppen bij een kraan waaruit ijskoud bergwater onophoudelijk in een stenen bassin stroomt. Naomi maakt een kommetje van haar handen en bukt zich om te drinken. De lucht trilt van de hitte en Owen heeft het gevoel dat zijn keel gevuld is met as. Als hij haar gulzig ziet drinken, wordt zijn dorst ondraaglijk en buigt hij zich naar de kraan. Naomi springt opzij en gooit een handvol water in zijn gezicht. Algauw spatten ze elkaar gierend van het lachen nat, terwijl ze proberen te drinken. Hij slikt en proest, zich acuut bewust van de ijskoude vinger die door zijn keel glijdt en in zijn buik prikt. Tegen de tijd dat ze hun dorst gelest hebben, zijn de pijpen van zijn spijkerbroek nat en is de voorkant van zijn T-shirt doorweekt. Op zijn armen en gezicht parelen ronde druppeltjes. Naomi is ook kletsnat geworden. Haar bontgekleurde katoenen bloes plakt aan haar lichaam. Ze buigt zich voorover en schudt haar hoofd. Waterdruppels vliegen alle kanten op. Ze is net een hond die zich schudt na het zwemmen.

Hoger en hoger slenteren ze de heuvel op. In een van de kleine, omheinde tuinen begint een Duitse herdershond wild naar hen te blaffen. Een kleine, dikke vrouw haalt wasgoed van de lijn, met een baby in een draagdoek op haar rug. Owen groet haar, maar ze negeert hem. Een stukje verderop passeren ze een oude man met een doorgroefd gezicht die op het stoepje voor zijn deur zit te roken. Hij brengt de sigaret met gelooide vingers bevend naar zijn lippen, zuigt er aan, begint te hoesten, en neemt dan nog een trek. Hij tikt aan de rand van zijn pet als ze langslopen.

Weer een stukje verder komen ze bij een hoog, verroest, smeedijzeren hek. Het piept als ze het openduwen. Erachter ligt een klein, vierkant kerkhof. Het is een nogal armetierig terreintje met door de wind geplet gras en scheefgezakte kruisen. Naomi loopt langs een rij familiegraven die als eenzame vakantiehuisjes langs een lage stenen muur staan. Net zoals alles in het dorp, ziet Owen, heeft ook het kerkhof uitzicht op het stuwmeer. Dit moet een van de meest afgelegen laatste rustplaatsen zijn die er op de hele wereld bestaan, met alleen de met sneeuw bedekte reuzen als gezelschap voor de doden, denkt hij.

De nacht nadert, als een ruig grijs tapijt dat vanaf de bergtoppen wordt uitgerold. Owen wordt zich bewust van het loeien van de wind die als een scherp mes in zijn vochtige kleren lijkt te snijden. Anselmo, Teodora's echtgenoot, komt uit het verleden gestrompeld. Owen beeldt zich in hoe de oude man zich bukt om gevallen takken bij elkaar te rapen en in de mand te doen die hij op zijn rug draagt, zonder dat hij er erg in heeft dat de bergreuzen zich roeren en hun ijzige regenbuien op hem af sturen. Hij gaat zo op in zijn taak dat hij pas in de gaten krijgt dat het weer is omgeslagen als het licht verflauwt en de storm hem geselt, als sneeuw als zand aan zijn gezicht krast en hagelstenen zich aan zijn ruige, wollen cape hechten.

Nu tot hem is doorgedrongen dat hij in gevaar verkeert, haast Anselmo zich de heuvel af, maar hij is geen jonge man meer en de bevroren grond is levensgevaarlijk. Zijn hart roffelt in zijn borst. Bij elke hijgende ademhaling wordt er aan zijn lichaam warmte onttrokken. Zijn spieren verkrampen door de inspanning van de afdaling. Hij glijdt uit en verliest zijn evenwicht vanwege de vracht op zijn rug. Hij glijdt over een met ijs bedekte stenen muur en draait zijn lichaam om te proberen zijn val te breken. Hij komt terecht op een berg puntige stenen en voelt zijn been breken als een lucifer. Op dat moment weet hij, weet hij heel zeker dat hij hier zal sterven, helemaal alleen, in dit troosteloze landschap, zijn lichaam bedekt met sneeuw. Owen probeert het zich in te denken, de lange uren waarin het half verdoofde lichaam zich centimeter voor centimeter moest overgeven, het schildpadgezicht op de dunne nek vertrokken van pijn.

Dan vervaagt het beeld van Anselmo en wordt het vervangen door dat van iemand anders, zijn vrouw Teodora, die thuis lekker warm bij de haard zit. De rode gloed van het knappend haardvuur vindt zijn weerschijn op haar volle wangen. Ze kamt haar lange, sluike haar dat in het flikkerende licht glanst als zwart marmer. De duivelse wind loeit en krijst achter het raam. Ze stopt, heft haar hoofd op en kijkt door de ruit naar het noodweer. Ze denkt aan haar afgetakelde man, aan zijn verslapte spieren, zijn week geworden vlees, het onopgemaakte bed van zijn gezicht, zijn grijs verkleurde tandvlees en ontbrekende tanden, zijn ruige snor en vervilte baard, het piepen van zijn stoffige, verschaalde adem, en ze denkt aan hoe ze in een gipsen beeld verandert als hij zich tussen haar hete dijen posteert. Dan kijkt ze weer naar het holle hart van het vuur en ze glimlacht.

'Ik heb het koud, Naomi. Laten we gaan,' zegt Owen abrupt.

Maar Naomi klautert over het muurtje aan de rand van het kerkhof en gaat tussen de struiken zitten. 'Kom. Het uitzicht op het meer is hier werkelijk schitterend. Dat moet je zien.' Ze wenkt hem met een brede armzwaai. Half verlamd van angst schuifelt hij naar haar toe. Ze voelt hem beven als hij naast haar gaat zitten. Het meer lijkt meesmuilend naar hen te grijnzen.

'Het is toch maar een raar idee dat er een heel dorp op de bodem van het meer ligt,' zegt ze. 'Toen ik er met Lorenzo omheen ben gewandeld, heeft hij me kapelletjes laten zien. Ze staan op gelijke afstand van elkaar en er zitten foto's in van de mensen die hier zijn verdronken. Al die gezichten die vanuit het graf naar je kijken...' Ze stopt en bekijkt hem aandachtig. 'Je beeft als een riet,' zegt ze peinzend. 'Kun je echt niet zwemmen?' Hij schudt zijn hoofd. Ze slaat haar arm rond zijn gespannen schouders.

's Nachts barst er een storm los. Het begint met bliksemschichten die zich in de verte in de zwarte bergtoppen boren. Bij elke flits is het alsof een lamp aan en uit gaat in een deel van de dikke wolken die naar hen toe gestuwd worden. Naomi zit vol ongeduld in het donker op het bankje voor het raam te roken. Ze kan nauwelijks wachten tot de storm hen bereikt. Het gieren van de wind verandert in een grommend gebulder. Dan volgen de donderslagen die de aarde doen beven. Sluiers van loodgrijze regen trekken voorbij. De bomen slaan wild met hun druipende takken. Ergens klingelt een klok die door de windvlagen wordt bewogen. Bij elke bliksemschicht wordt het hele meer verlicht. Tweemaal verzoekt Owen Naomi het raam dicht te doen, maar ze weigert. Ze wil geen moment van het spektakel missen. Hij kijkt naar de contouren van haar gezicht dat steeds eventjes wordt verlicht. Ze is als gebiologeerd. Pas als de zitting van het bankje waarop ze zit door de regen is doorweekt, doet ze met tegenzin het raam dicht.

Hun laatste dag. Het is schitterend weer. De zon geeft alles een gouden glans. De hemel is strakblauw. Vanaf het moment dat ze opstaat lijkt Naomi zich in een staat van verhoogde opwinding te bevinden, alsof ze jarig is en er voor haar een feestje wordt gegeven. Om de dag zo goed mogelijk uit te buiten, rijden ze de bergen in waar ze allereerst in een verlaten dorp terechtkomen waar kameleons op de door de zon verwarmde rotsen liggen en het lied van krekels trilt in de zinderende hitte. Ze rijden door en komen in een stad waar de straten zijn versierd met vrolijke spandoeken en gekleurde lampionnen. Op het kerkplein wordt gevolksdanst. Levendige muziek vult de zwoele warmte. De vrouwen dragen een kostuum met een gebloemd lijfje en een kanten kraag. Ze laten steeds hoge tongtrillers horen en tillen hun wijde rokken op om met hun petticoats te pronken terwijl ze in de rondte zwieren. De mannen, met witte kousen en een witte blouse op een zwarte kniebroek, tikken aan hun hoed en haken hun duimen in hun vestzakken. Stampend met hun voeten laten ze hun ademloze partners draaien en tollen, en gooien hen in de lucht om hen behendig weer op te vangen. Een reus van een vent met een walrussnor beweegt zijn vingers over de toetsen en knoppen van een accordeon met de behendigheid van een kantklosser. Naast hem tokkelen mannen met brillantine in hun haar op hun gitaren. Ze kijken overdreven aanminnend terwijl ze de aloude liederen van hun voorvaderen ten gehore brengen.

Gezeten op de rand van een fontein eten ze pizza en drinken ijskoude Aste Spumante. Achter hen spetteren duiven in het water. De gezwollen keel van de vogels lijkt op een ouderwetse veren boa en er komt een heel scala aan diepe koergeluiden uit. Tegen het einde van de middag keren Owen en Naomi terug naar Vagli Sotto om hun koffers te pakken. Owen voelt vooral opluchting. Het is voorbij. Morgen kunnen ze het slaperige dorp en het meer dat gevangen ligt achter de hoge dam van het reservoir, achter zich laten. Daarna zal het spookachtige geklingel van de belletjes rond de nek van de verdwaalde geiten, het zachte gekakel van de kippen, het huilen van de wind die steeds zonder enige waarschuwing opsteekt en gaat liggen, en het vibrerende galmen van de kerkklok die de gelovigen oproept tot het gebed, een herinnering worden. Hij zal dit tweede leven achter zich laten, net zoals hij met het eerste heeft gedaan – een leven dat ontsnapping in het vooruitzicht stelde, maar een nieuwe, verontrustende blik op de werkelijkheid heeft opgeleverd. Seans zwak voor gokken, zijn drankzucht, zijn ontrouw, zijn afdaling naar de Londense onderwereld, Naomi's abortus, haar poging de hand aan zichzelf te slaan, het griezelige slaapwandelen, Catherine's misère. Hij is van plan dat allemaal ver achter zich te laten. Niet dat hij zich geen zorgen maakt om Catherine en Bria. Maar zij is niet zijn vrouw en Bria is niet zijn baby. Hij kan niets aan hun toestand veranderen, zelfs al zou hij dat willen.

Ze besluiten op hun laatste avond te gaan dineren in de nabijgelegen stad Castelnuovo. Owen is in een vrolijke stemming. Ze nemen een fles wijn bij de maaltijd. Op de terugweg stelt Naomi voor te stoppen bij een bar aan de rand van het meer om nog een laatste glaasje te nemen op de afsluiting van hun Italiaanse vakantie. Een beetje aangeschoten, waardoor hij het gevoel heeft dat hij tot alles in staat is, stemt Owen ermee in. Ze delen weer een fles, een Montepulciano, dure rode wijn, gevolgd door glaasjes grappa. Gaandeweg heeft de wereld, die nu een tikje wankel om zijn as draait, zichzelf omgetoverd tot een onschadelijk paradijs. Het is een utopie geworden, waar kleine meisjes op het strand zitten en vrolijk lachen als hun broer tevoorschijn komt vanachter het gestreepte windscherm. Hier hebben moeders een hart dat ruim genoeg is om te vergeven en te vergeten. Als hun dochter hier verdrinkt, is hun zoon hun redding.

'We moeten maar te voet teruggegaan,' zegt Naomi. 'We kunnen de auto morgen wel ophalen.' Hij aarzelt, maar ze herinnert hem eraan dat hij veel te veel heeft gedronken om te kunnen rijden. 'Laten we het pad langs het meer nemen,' zegt ze. 'Het ziet er zo mooi uit in het maanlicht.' En die andere Owen stemt daar zomaar mee in. Hij herinnert zich vaag een dubbelganger met watervrees die zich voor geen geld ter wereld zou laten overhalen langs de rand van het meer te lopen. Maar nu is die zijn schaduw. Het enige wat hij op dit moment wil, is langs een pittoresk, romantisch verlicht meer wandelen. Arm in arm dalen ze het zigzaggende voetpad af.

De maan geeft zo veel licht dat hij een zilveren dag creëert. De bomen staan in zwart silhouet afgetekend tegen het witte schijnsel. De contouren van Vagli Sotto rijzen voor hen op, met twinkelende lichtjes, als een illustratie in een kinderboek. Links van hen daalt de betonnen oever steil af naar het water. Vanuit Owens benevelde oogpunt ziet het meer er van dichtbij volkomen onschuldig uit. Het is in feite een spiegel, denkt hij, een harde zilveren oppervlakte waarin bergen zijn getekend, en sterren en de maan, en de brug die de vorm van een cirkel heeft. De lucht is gevuld met de geur van water, zacht en rein, en met hars en zomers gras. Hij zweeft, met vuur in zijn aderen, op voeten die geen contact lijken te maken met de grond. Een tijdlang praten ze niet. De kapelletjes voor de verdronken mensen die ze passeren zijn geen ontnuchterende herinnering meer aan de gevaren van diep water. Op gelijkmatige afstanden duiken ze op als glanzende stengels. De plastic bloemen die er omheen zijn gebonden hebben een zilver randje. De foto's in de mapjes van cellofaan zijn wazig. Als op afspraak blijven ze staan.

'Ik ben hier nu een hele week en heb niet eens gezwommen,' zegt Naomi peinzend. Ze trekt aan Owens arm. 'Ik wil me wassen in het water. Rits me open,' commandeert ze. Ze draait zich met haar rug naar hem toe.

Hij laat zijn wijsvinger over haar wervels glijden, langs de tanden van de rits van haar jurk. Haar haar is zo gegroeid dat hij het moet optillen om het metalen lipje te kunnen pakken. Haar blanke huid wordt onthuld als hij eraan trekt. Hij doet wankel een stap achteruit als ze uit haar jurk stapt. Ze brengt haar handen achter haar rug om haar bh los te maken, trekt haar slipje naar beneden en stapt uit haar sandalen.

Ze draait zich naar hem toe, glimlacht en steekt haar handen naar hem uit. 'Ga met me zwemmen, Owen,' zegt ze smekend. Er zit een zoemtoon in zijn hoofd, een geluid dat hem in de war brengt, dat hem doet vergeten dat hij niet kan zwemmen, dat zwemmen voor hem verdrinken is. Hij bukt zich om zijn schoenen uit te trekken, en zijn overhemd en zijn broek. *Je kunt niet zwemmen, je kunt niet zwemmen, je kunt niet zwemmen*, klinkt het onophoudelijk in zijn hoofd. Opeens onzeker schudt hij zijn hoofd en deinst hij achteruit. Ze lacht. Dan daalt ze als een skiër de betonnen helling af. 'Waar ben je bang voor?' vraagt ze plagend, als ze met haar tenen het water beroert. Een waaier van parels daalt neer en versmelt weer met de spiegel. Ze strekt haar armen boven haar hoofd en sluit haar ogen.

'Naomi, pas op!' roept hij, alsof hij zich iets, iemand herinnert. Maar ze zakt door haar knieën en dan vliegt ze met een boog door de lucht en verdwijnt als een vliegende vis in het water. Van de luide plons en de concentrische rimpelingen is binnen een paar seconden al niets meer te merken. Zijn blik schiet heen en weer over de spiegel, zoekend naar de plek waar het water in puntige scherven zal breken en Naomi weer tevoorschijn zal komen. De spiegel blijft echter volkomen glad, gepolijst, en onder de oppervlakte beweegt zich niets. Hij begint in stilte de seconden te tellen, probeert te schatten hoe lang ze haar adem kan inhouden. Als hij bij twintig is, is ze nog steeds niet boven water gekomen. Met zijn voetzoelen grijpt hij de ruwe oever en loopt voetje voor voetje naar de rand van het water. Daar loopt hij heen en weer, heen en weer, met zijn hand boven zijn ogen om ze te beschermen tegen de verblindende maan, turend naar het schijnsel, niet wetend wat hij moet doen. Het duurt vijftig seconden voordat ze, ver van de oever, uit het water omhoog schiet.

'Naomi! Naomi! Ik dacht dat er iets met je was gebeurd.' Ze zwemt door het zilverzwarte water naar hem toe, gestroomlijnd als een haai. Vol afgunst kijkt hij toe. Hij wou dat hij het was, dat hij zo over het spookdorp heen kon glijden in plaats van hier verlamd van angst te staan.

'Het water is heerlijk! Kom erin,' roept ze, hem wenkend.

'Ik kan niet zwemmen,' zegt hij tegen haar en dan zegt hij het tegen zichzelf: 'Ik kan niet zwemmen.'

'Je kunt je armen om mijn hals slaan, dan glijden we samen over het meer,' zegt ze verleidelijk. 'Je hoeft nergens bang voor te zijn. Ik hou je wel vast.' Ze heeft de oever bereikt en probeert zijn voeten te grijpen.

'Nee, nee, ik ben er niet klaar voor.' Hij stapt naar achteren.

'Wat is er, Owen? Vertrouw je me niet?' vraagt ze. Keer op keer glijdt ze onder de spiegel en komt ze weer boven.

'Daar gaat het niet om. Ik kan het gewoon niet.' Hij gaat zitten en trekt zijn knieën naar zijn borst. 'Ik kijk wel naar jou. Dat vind ik ook leuk.' Ze blijft een poosje watertrappen, waardoor het net lijkt alsof ze op die plek wordt vastgehouden. 'Kan ik je echt niet overhalen?' Hij schudt zijn hoofd. Ze haalt haar schouders op. Dan schiet ze weg, zo dartel als een dolfijn, door het water wentelend, duikend, buitelend. Hij weet dat hij hier niet had kunnen zitten als hij nuchter was geweest, dat het zien van haar waterspel zijn Kraken* brullend naar de oppervlakte zou hebben gebracht. Het kan alleen omdat hij half verdoofd is.

'Help me even uit het water te komen,' roept ze tien minuten later. 'De helling is te steil.' Hij komt overeind, schuifelt naar voren, bukt zich en steekt zijn hand uit. Ze grijpt die vast en hij hijst haar omhoog. Ze klampt zich aan hem vast. Haar lichaam is koud en glad en trilt van haar opgewonden lachen. 'O, wat was dat heerlijk!' zegt ze hijgend, deze Teodora die vanuit het spookdorp naar de oppervlakte is gezwommen om haar minnaar te zoeken. 'Jammer dat je er niet in wilde. Ik zou je beschermd hebben, want ik ben de vrouwe van het meer, de vrouwe van het meer.' Haar stem klinkt omfloerst, muzikaal, de roep van de sirene. Hij geeft zich over aan de onweerstaanbare zang en dan kussen ze elkaar en proeft hij het bergwater dat uit haar mond langs haar hals stroomt en haar borsten lakt. Wankelend, verstrengeld, lopen ze de helling op naar het gras. Ze klemt haar druipende dijen om hem heen en als hij ademloos in haar wegzinkt, is zijn verwondering die van een drenkeling.

Hij schrikt wakker. Zijn hoofd bonkt. De binnenkant van zijn mond voelt aan als meel. De dag van gisteren ontrolt zich voor zijn brandende ogen. Het verlaten dorp. De volksdansers. De rand van de fontein. Het diner in Castelnuovo. De bar aan het meer. Naomi die was gaan zwemmen. En toen... Owen strijkt met zijn hand langs zijn mond alsof hij zich van een vieze smaak wil ontdoen. Hij draait zijn hoofd op het kussen en ziet Naomi zitten. Ze kijkt naar hem. Ze heeft de bedden tegen elkaar geschoven.

'Hallo,' zegt ze. Ze buigt zich en zoent hem boven op zijn hoofd. 'Heb je goed geslapen?'

---

*De Kraken is een groot zeemonster met tentakels dat in staat zou zijn een heel schip te doen kapseizen.

'Ehm... ja... als een blok,' stamelt hij.

'Heb je een kater?'

'Een beetje.' Hij vertrekt zijn gezicht.

'We hebben een lange dag voor de boeg.' Ze heeft gisteravond haar make-up er niet afgehaald. De foundation is vlekkerig, de mascara is uitgesmeerd, haar adem stinkt. En haar haar is een kluwen. Ze ziet er oud uit, in één keer oud geworden, alsof de verf van haar is afgebladderd.

Hij wordt verteerd door wroeging en spijt. Hij was dronken. Hij herinnert zich het meer en krijgt een wee gevoel. Dan denkt hij aan de seks en wordt hij vervuld van afkeer. Hij walgt van zichzelf, maar zal zich moeten schikken in de onaangename wetenschap dat gedane zaken geen keer nemen. 'Ik ga koffiezetten. Jij kunt onderhand onder de douche en je aankleden.'

'We kunnen ook samen onder de douche,' zegt ze met een wellustige giechel.

'Nee,' zegt hij te nadrukkelijk. Jezus, hoe moet hij haar vertellen dat het een vergissing was, dat het helemaal niet had mogen gebeuren? Ze fronst afkeurend haar wenkbrauwen. 'Ik bedoel, we hebben veel te veel te doen.' Hij wil uit bed stappen, maar merkt dan dat hij onder het laken volkomen naakt is. Misschien was het naïef van hem om te denken dat hij Naomi naar Italië kon vergezellen en hun relatie platonisch houden. Wat een stommeling was hij. Hij had zijn hoofd erbij moeten houden in plaats van zo veel te drinken. En Naomi was toch zo verdrietig geweest? Hij had gedacht dat ze behoefte had aan vriendschap en steun, niet aan seks.

'Goed, hoor. Tijd zat.' Ze glimlacht veelbetekenend, springt van het bed af en haast zich naar de badkamer.

Ze bedanken hun gastheer en nemen afscheid van Lorenzo, na hem beloofd te hebben zijn groeten over te brengen aan zijn broer Enrico. Owens opluchting om hun vertrek wordt blijkbaar gedeeld door het handjevol dorpelingen dat hen met stugge gezichten nakijkt. Hoe meer kilometers er tussen hem en het meer met het verdronken dorp komen, hoe sneller de sinistere sfeer lijkt op te lossen. Ze rijden met de kap naar beneden en als de Spitfire snelheid krijgt, zigzaggend door de heuvels, worden hun verhitte gezichten door de wind gekoeld. Tegen de tijd dat ze bij een café langs de kant van de weg stoppen om een hapje te eten, voelt Owen zich al minder bedrukt. Toch zal hij iets moeten zeggen over hun onverantwoordelijke gedrag van gisteravond. Hij ziet echter geen reden waarom het een probleem zou zijn het goed te praten, excuses te vinden voor zijn gedrag. Het was slechts een incident geweest, het gevolg van het feit dat ze allebei dronken waren. Sterker nog, door het een incident te noemen krijgt het een nadruk die het niet verdient. In zijn haperende herinnering had het 'incident' meer weg van wat filmflitsen die voorbij waren voor je er erg in had.

Hij mag Naomi graag en moet eerlijk bekennen dat hij haar in het begin aantrekkelijk vond. Maar dat was eerder nieuwsgierigheid dan wellust. Dat ziet hij nu wel in. Haar rijpheid en ervaring, haar onverbloemde seksualiteit, haar zelfvertrouwen, haar gevoeligheid, zelfs haar mysterieuze verleden, allemaal magneten die een grote aantrekkingskracht hebben op een jonge man. Maar bij nader inzicht hebben ze niets gemeen. Hun levenspaden hebben elkaar toevallig gekruist en nu moeten ze ieder weer op hun eigen weg verdergaan. Daarbij komt ook nog het grote leeftijdsverschil. Hij geeft toe dat dit geen onoverkomelijk obstakel zou zijn als er sprake was van liefde, maar dat is niet zo. En zij, overtuigt hij zichzelf als ze een tafeltje zoeken en gaan zitten met hun koffie en broodjes, denkt er waarschijnlijk precies zo over. Een dom incident. Te veel drank. Vakantieseks onder dekking van de duisternis. Ze konden de fatale grappa er de schuld van geven. Ze hadden zich laten meeslepen door de omstandigheden. Maar nu ze op weg zijn naar huis moeten ze orde op zaken stellen. Het lijkt Owen een goed idee om het initiatief te nemen en eventuele misverstanden uit de weg te ruimen voordat die ingebed raken. Bovendien lijkt een tête-à-tête hem nuttig voordat ze vanavond bij een hotel stoppen, om onaangename situaties uit te sluiten.

'Naomi?'

'Ja?'

'Ik zie dat baantje op de markt niet meer zo zitten.' Hij wacht af hoe ze zal reageren. Ze neemt een slokje koffie, blaast de damp boven het kopje weg en bekijkt hem met haar eigenaardige ogen. 'Het is nooit mijn bedoeling geweest erg lang te blijven. Het was een zomerbaantje, meer niet.' Hij klinkt alsof hij zich ervoor verontschuldigt.

Ze strijkt met haar wijsvinger over haar halsketting, heen en weer, alsof ze een te strakke halsband losser wil maken. Opeens houdt ze ermee op. 'Ik heb precies hetzelfde zitten denken. Het is tijd om iets anders te gaan doen. Een nieuwe start. Een nieuw begin.'

Hij glimlacht naar haar. Na haar douche, met schone kleren aan, opnieuw opgemaakt, ziet ze er weer zelfverzekerd uit. Hij vraagt zich af of hij zich nodeloos zorgen heeft gemaakt. Het is druk in het café. Geanimeerde gesprekken in het Italiaans, vergezeld van driftige gebaren, overslaand van de ene klant op de andere, het gekletter van dienbladen, het sissen van stoom, het belletje van de kassa, al die geluiden bereiken hem in stereofonie. 'Goed idee. De verandering zal je goed doen,' zegt hij goedkeurend. Maar hij denkt niet aan haar welzijn. Het zijn Catherine en Bria die zijn gedachtegang onderbreken. Zijn haar is lang geworden en stroblond gebleekt door de zon. Hij strijkt het van zijn voorhoofd. Zijn huid gloeit van de wind. Maar wat ze dan zegt, brengt hem met een schok terug naar de werkelijkheid.

'Waar zullen we naartoe gaan, Owen?'

Hoewel hij nog geen hap van zijn broodje heeft genomen, veegt hij met een papieren servetje zorgvuldig zijn mond af, alsof er olie over zijn kin is gedropen. 'We?' vraagt hij aarzelend.

'Jij en ik.' Ze trekt weer aan de ketting. Hij ziet roze plekjes verschijnen waar de schakels over haar huid schuren.

'Naomi, ik ga in mijn eentje,' zegt hij. Ze houdt haar hoofd schuin. Haar ogen drukken kinderlijke verwarring uit. 'Wat er gisteravond is gebeurd, bij het meer... had niet mogen gebeuren. We waren allebei flink aangeschoten. Als we heel eerlijk zijn, tegenover onszelf en... tegenover elkaar, dan weten we dat het... niets te betekenen had.' Hij wrijft met zijn handpalm over zijn voorhoofd. De temperatuur tussen hen is opeens gezakt. Hij voelt de kou als een ijzige windvlaag in zich dringen.

'Niets?' herhaalt ze, naar hem starend met een gezicht zo roerloos als een ijsvlakte.

'God, nee, Naomi, zo bedoel ik het niet. Het was... fijn. Uiteraard. Maar het was... niet juist.' Hij zet zijn ellebogen op de tafel en slaat zijn handen ineen om ze stil te houden. Ze trekt aan de ketting alsof ze erdoor wordt gewurgd en uiteindelijk breekt hij en hij valt tussen de korstjes brood op haar bord. 'Ach, nu is je ketting gebroken. Sorry.' Automatisch steekt hij zijn hand ernaar uit, om te zien of hij gerepareerd kan worden, maar ze houdt afwerend haar handen erboven en grijpt de ketting dan zelf. 'Misschien kan ik hem voor je maken.'

'Niet de moeite waard. Het is maar klatergoud,' zegt ze ijzig. 'Een goedkoop prul. Kan zo de vuilnisbak in.'

Hij zucht spijtig. 'Ik pak dit niet erg goed aan, geloof ik.' Haar vernauwde ogen geven het antwoord. 'Ik wil je geen verdriet doen, vooral omdat je al zo veel hebt moeten doorstaan, maar we zijn echt niet geschikt voor elkaar. Jij hebt een rottijd achter de rug. Sean. De zwangerschap. Ik hoop echt dat je een geschikte partner zult vinden, maar – '

'Maar jij bent dat niet,' maakt ze de zin voor hem af.

'Naomi, je denkt toch niet echt dat het tussen ons ooit iets worden kan? Om te beginnen ben ik veel te jong voor jou.' Haar ogen schieten vuur en hij sluit de zijne. Wat hij ook zegt, hij maakt het alleen maar erger. Als hij zijn ogen weer opent, heeft hij zorgvuldig gekozen woorden in zijn hoofd. 'Wat ik eigenlijk wil zeggen, is dat ik je graag mag. Ik geef om je, maar niet op die manier. Als ik die indruk heb gewekt, als ik je heb misleid, heb ik dat niet met opzet gedaan.'

Een paar schakels van de goudkleurig ketting bengelen onder

haar gebalde vuisten. 'Ik dacht dat jij anders was,' zegt ze, hem bestuderend met die onnatuurlijke ogen. Hij voelt zich alsof hij onder een microscoop is gelegd. De cafédeuren zwaaien open en een groepje tienermeisjes in vrolijk gekleurde jurkjes komt druk babbelend binnen. Ze sluiten aan bij de rij voor de selfservice. Hij kijkt even naar hen en wou dat hij net zo vrolijk kon zijn, dat hij vandaag niets moeilijkers te doen had dan kiezen wat hij wil eten. Hij duwt het bord van zich af en drinkt zijn lauw geworden koffie op. 'Het is mijn eigen schuld. Ik had moeten weten hoe kwetsbaar je momenteel bent. Het spijt me. Het spijt me heel erg. Ik hoop alleen dat onze vriendschap hierdoor niet bedorven wordt.'

Ze gooit de ketting op de tafel. 'Heb je een ander? Heb je een vriendin?' vraagt ze met opgetrokken wenkbrauwen.

'Nee, nee! Alleen... ik zit zelf ook met problemen. Ik heb tijd nodig om wat dingen op een rijtje te zetten.'

'Zit je nu tegen me te liegen, Owen?'

'Nee. Ik zou tegen jou nooit liegen.' Hij zegt het met enige gewetenswroeging omdat hij laatst nog tegen haar heeft gezegd dat hij bij Sean thuis niet naar binnen was gegaan en de baby niet had gezien. Met trillende handen zoekt ze in haar tas naar haar sigaretten en lucifers. Ze tikt een paar keer met het pakje op de rand van de tafel, klemt haar tanden om de sigaret die er het hoogst uitsteekt en trekt die uit het pakje. Na haar derde poging om de sigaret aan te steken, neemt hij de lucifers van haar over, strijkt er een af en houdt het vlammetje onder de trillende sigaret. Ze inhaleert, blaast de rook uit en wuift die weg.

'Ik kan op je wachten,' zegt ze smekend.

Hij schudt zijn hoofd. 'Maak dit alsjeblieft niet moeilijker dan het al is. Ik ben nog niet aan een vaste relatie toe,' zegt hij ronduit, omdat hij heeft begrepen dat er geen aangename manier bestaat om haar af te wijzen. Wat hij er niet aan toevoegt, is dat hij niet toe is aan een relatie met háár en dat ook nooit zal zijn.

'Zodra we terug zijn, zal ik tegen Sean zeggen dat ik ermee ophoud. Ik zal hem... en jou... een week of twee de tijd geven om maatregelen te treffen. En dan vertrek ik.’ Ze doet haar mond open om iets te zeggen, maar hij is haar voor. ‘Ik zal niet van gedachten veranderen, Naomi.’ Een paar minuten zitten ze zwijgend tegenover elkaar. ‘En als ik je een goede raad mag geven,’ vervolgt hij dan, nu op een onverklaarbaar tedere toon, ‘ga je daar zelf ook weg. Want... je verdient iets veel beters.’ Hij leunt naar voren en kijkt haar in de ogen terwijl de sigaret in haar hand opbrandt, maar waar hij aan denkt is het gewicht van Catherine’s hoofd op zijn bonkende hart.

17

Maandag 9 augustus

TWEE UUR 'S NACHTS. IN ZIJN DROOM STAAT OWEN OP HET VERLATEN strand. Door zijn oogharen kijkt hij naar de glinsterende zee. Naast hem staat Sarahs doodskist. Het is een nette, kleine kist, blank als albast. De roze blaadjes van de kleine rozen waarmee de kist is versierd, verschrompelen en worden bruin vanwege de verzengende temperatuur. Hij kijkt er eventjes naar en volgt dan met zijn ogen de letters van haar naam die in het koperen plaatje zijn gegraveerd: 'S... A... R...' Maar het zonlicht weerkaatst erop en verblindt hem zodat hij niet verder komt. Hij kijkt weer naar het water en ziet een dolfijn op hem afkomen die een roomwit kielzog als een vore in het water ploegt, maar als hij dichterbij komt, ziet Owen dat het geen dolfijn is maar een zeemeermin. Ze heeft lang, zwart haar en een staart bedekt met glanzende schubben. Als ze het ondiepe gedeelte bereikt, ziet hij in het kristalheldere water haar lange lokken bewegen als de paarse tentakels van een octopus. Opeens rijst ze op uit het water. Haar staart splitst zich in twee benen, twee glanzende tinnen benen, en ze steekt haar armen naar hem uit.

'Ik ben de vrouwe van het meer,' roept ze. 'Ik ben jouw vrouwe van het meer.' Haar ogen zijn gesloten maar gaan nu langzaam open, een voor een. Eerst het blauwe, dan het bruine. Ze omvat hem met haar glibberige, natte lichaam en fluistert in zijn oor: 'Hou op het huilen. Hou alsjeblieft op met huilen. Ik moet ervoor zorgen dat je ophoudt met huilen.'

Owen schrikt wakker en schiet rechtovereind in bed, badend in het zweet. Hij spitst zijn oren. Hij hoort het geluid van een schorre stem in de stille, donkere flat. Zijn hart bonkt zo dat hij naar adem hapt. Hij zwaait zijn benen over de rand van het bed, doet de lamp op zijn nachtkastje aan en trekt zijn spijkerbroek aan. Hij weet dat het Naomi is, dat die gewoon weer aan het slaapwandelen is en dat hij haar zo mak als een lammetje naar haar bed kan terugleiden. Hij heeft dat al zo vaak gedaan. Maar als hij dat weet, waarom is hij dan zo bang? Waarom heeft de primitieve angst die de mens sinds het begin der tijden kwelt, hem in zijn greep? Angst voor het onbekende, voor afzichtelijke gedrochten, voor onderwaterwezens met lippen die uit ijs zijn gebeiteld, voor bodemloze oceanen die de lucht uit je longen persen, voor de diepe duisternis van eindeloze nachten. Hij verlaat zijn kamer. Op de gang blijft hij staan luisteren. De lekkende kranen rochelen als kettingrokers. Hij kent het spel, weet dat ze verstoppertje speelt, weet waar ze zich verschuilt, waar hij haar kan vinden. In elkaar gedoken in de nauwe ruimte tussen de bank en de muur. Altijd op dezelfde plek, naakt, krabbelend aan het pleisterwerk. Hij duwt het kralengordijn voorzichtig uiteen en brengt de zwaaiende strengen tot stilstand. Weer wacht hij. Het licht van de maan dat door het open raam valt maakt trapeziumfiguren op de vloer, de leuning van de bank, het tapijt, een hoek van de lage tafel. De koelkast in de kleine keuken zoemt eentonig. Hij ruikt de vage geur van verbrande toast. Ze klauwt aan de muur. Het klinkt wanhopig, alsof een gevangen dier probeert een tunnel te graven.

'Laat de baby ophouden met huilen. Alstublieft, laat de baby ophouden met huilen. Ik krijg er zo'n hoofdpijn van. Laat haar ophouden, juffrouw Elstob. Laat haar ophouden. Ze heeft het warm. Arme baby. Ze kan niet slapen, ze heeft het warm. Arme, arme baby. Ik zal niet gillen. Ik beloof het. Alleen vanbinnen, in mijn hoofd, tot het ervan barst.' Haar stem klinkt hoog en kinderlijk.

Twee van haar nagels bloeden een beetje, ziet hij, als hij haar meetroont naar haar slaapkamer. De naam 'Mara' die in de muur is gekerfd, is niet duidelijk leesbaar meer nu het pleisterwerk besmeurd is met bloed. 's Ochtends zegt ze dat ze nog een week nodig heeft voordat ze weer op de markt kan gaan werken. Hij kijkt om de hoek van haar deur voordat hij weggaat en is blij als hij ziet dat ze rustig ligt te slapen. Als hij het gebouw uit komt, is het alsof de hitte knisperend opstijgt vanaf de stoep.

Londen is een badplaats geworden, een badplaats zonder zee. Iedereen loopt in strandkleding. De verkoopcijfers van aftersun wedijveren met die van zonnebrandolie. Lichamen in alle soorten en maten liggen verspreid over het vergeelde gras van de uitgedroogde parken om mee te doen aan de laatste hype: zonnebaden. Zonnebrand en uitslag zijn de meest voorkomende problemen waarmee men zich tot de apotheker wendt. Witgejaste verkopers van ijsjes en frisdrank hebben meer macht dan mannen in kostuums. In plaats van aardappelen-groenten-vlees eet men 's avonds iets van de barbecue. Gemelijke stadsbewoners slepen hun matras naar het terras of het balkon en slapen als woestijnkoningen onder de sterren. De regering verzoekt de mensen een baksteen in de stortbak van de wc te leggen, twee aan twee te douchen en de tuin te sproeien met afvalwater. De kleuren van de files op de snelwegen zijn onherkenbaar dof geworden door de vele lagen verstikkend stof. De stad wordt geteisterd door Bijbelse plagen in de vorm van lieveheersbeestjes en bladluis. Op de markt heeft het populairste T-shirt de opdruk: WEES ZUINIG MET WATER, GA SAMEN ONDER DE DOUCHE.

Als hij op de markt is aangekomen, gaat Owen even bij Enrico langs om hem te bedanken voor het verblijf in de vakantievilla. Hij zegt dat ze het erg naar hun zin hebben gehad. Tijdens het gesprek staat Enrico erbij als een trotse haan, blij met de complimenten, onwetend van de duistere gedachten die Owen kwellen. Terwijl hij staat te praten beleeft Owen nogmaals die laatste avond en denkt hij terug aan de rol die hij heeft moeten spelen in de onaangename wending die de zaken hebben genomen. Omdat hij niet wil stilstaan bij wat er tussen hem en Naomi is voorgevallen, zegt hij dat hij moet gaan. 'Nou, tot straks dan. Ik zie Sean ongeduldig kijken, dus kan ik maar beter gaan.'

'Dat is een teleurstelling,' zegt Sean als Owen hem vertelt dat hij ermee ophoudt. 'Ik vind het jammer dat je gaat, maar als je besluit vaststaat –'

'Naomi komt volgende week weer. Dat zei ze tenminste,' zegt Owen, terwijl hij met moeite wat geestdrift weet op te diepen om kaarten met haarknipjes artistiek uit te stallen op de spiegelende toonbank. 'Ik wil eventueel wel blijven tot ze er weer is. Ik wil je nou ook weer niet voor het blok zetten.'

'Dat is aardig van je.'

Het valt Owen mee dat Sean er niet moeilijk over doet. Hij was bang geweest dat hij de wind van voren zou krijgen, zeker na hun onverwachte reisje naar Toscane, maar Sean reageert lauwtjes en lijkt met zijn gedachten heel ergens anders te zitten, waardoor Owen zich begint af te vragen of het wel helemaal tot hem is doorgedrongen.

'En hoe is het met de lieftallige Naomi, na haar Italiaanse avontuur?' informeert Sean terwijl hij met een zakmes het plakband van een kartonnen doos doorsnijdt.

'Goed,' liegt Owen. Hij wordt steeds beter in leugens vertellen. 'Ze vond Italië geweldig, maar is volgens mij ook wel blij weer terug te zijn.'

Hij knikt en knipt het zakmes dicht. 'Mooi. Ik zei toch dat ze er wel overheen zou komen? Zonnebrillen voor kinderen. Hoe vind je ze?' vraagt hij, moeiteloos overspringend van de abortus naar de nieuwe koopwaar. Hij laat hem een zonnebril zien met Minnie Mouse, die in haar stippeltjesjurk een pirouette maakt, op het montuur.

'Erg leuk. Die zullen het goed doen bij de meisjes.'

'Dat denk ik ook,' zegt Sean tevreden. Een paar uur hebben ze hun handen vol aan een toeloop van klanten, maar tegen het middaguur wordt het rustiger als de martelende hitte zelfs het op koopjes beluste publiek te veel wordt. Ze hebben vanwege de warmte geen van beiden trek in eten, maar Owen waagt zich eventjes naar buiten om ijslolly's en blikjes cola te kopen.

'Sinaasappel of limoen?' vraagt hij als hij terug is.

'Sinaasappel.' Sean lacht. 'Ik kan wel wat vitamine C gebruiken.' Hij gaat op de kruk zitten en Owen leunt tegen de toonbank. Als schooljongens concentreren ze zich op het zuigen aan de ijsjes. Owen wordt zich ervan bewust dat hij op de maat van de discomuziek zuigt. Als hij bij het stokje is gekomen, begint Sean, die zijn ijsje al op heeft, te praten.

'Zeg, Owen, als je me nog een plezier zou kunnen doen voordat je vertrekt, zou ik je eeuwig dankbaar zijn.'

'Wat dan?' informeert Owen vrijblijvend.

'O, niets bijzonders. Ik moet tot en met donderdag op reis. Ik weet dat het veel gevraagd is nu Naomi nog niet terug is, maar denk je dat je je hier een paar dagen in je eentje kunt redden?' De potloodstreep van een rode snor siert zijn bovenlip.

Owen zuigt aan zijn koude tanden voordat hij antwoord geeft. 'Ik zou niet weten waarom niet.' Hij haalt zijn schouders op. 'Als het maar om twee of drie dagen gaat, heb ik er geen probleem mee.'

'Bedankt.' Seans ogen schitteren, alsof hij al een paar nachten niet heeft geslapen en zichzelf dwingt alert te blijven.

'Waar ga je heen?'

'O, dat is niet belangrijk. Niet naar Italië op vakantie in elk geval.' Hij pakt een blikje cola van de toonbank en trekt aan het lipje. Een sissend geluid en dan borrelt koffiebruin schuim naar buiten. Hij zet het blikje aan zijn mond. Owen ziet de dansende beweging van zijn keel als hij drinkt. 'Je krijgt dorst van dit weer,' zegt hij als hij het blikje bijna leeg heeft.

'Maar... waar kan ik je bereiken als het nodig mocht zijn?' dringt Owen aan.

'Dat is lastig. Ik zal veel onderweg zijn. Maar ik kom in elk geval donderdag terug.' Owen knikt. 'Ik ga een mooie slag slaan. Ik voel het aan mijn water. Nog even en het geld stroomt binnen.'

Hij drinkt het blikje leeg en staart voor zich uit, alsof hij door de betonnen muren van de markt heen kijkt. 'Ik ben zelf ook niet van plan hier nog erg lang te blijven. Het was voor mij ook maar een stoplap. Over niet al te lange tijd zal ik een schitterend huis kunnen kopen voor Catherine, met een lapje grond erbij waar Bria haar pony kan laten grazen. Wacht maar af.'

18

HOUNSLOW, DRIE UUR 'S NACHTS. DE OPEN RAMEN BRENGEN GEEN verlichting van de drukkende hitte. In een mouwloze nachtpon sjokt Catherine heen en weer, heen en weer, als een levende dode. Bria wriemelt in haar armen en haar ijle gejengel vult haar oren. De baby heeft het warm, te warm om te kunnen slapen. Het licht van de lamp op het nachtkastje werpt overlappende schaduwen op de muren. Het behang met het ruitjespatroon geeft de kamer het aanzien van een cel.

'Sst... sst... stil maar,' sust ze. Met haar vingertoppen wrijft ze de baby zachtjes over haar rug. 'Ik weet dat het warm is. Daar is niets aan te doen. Stil nu maar.'

Maar als reactie op de pogingen van haar moeder om haar te kalmeren begint Bria juist harder te huilen en ze laat haar hoofdje heen en weer rollen op haar schouder. Catherine heeft geprobeerd haar een flesje te geven, maar ze duwde de speen uit haar mond en liet hoestend de melk over haar kin druipen. Ze huilt amechtig en elke keer dat ze naar adem hapt, schokt haar kleine lichaampje. Haar wangen hebben rode blosjes en als Catherine haar hand op haar voorhoofd legt, voelt ze dat het gloeiend heet is. Tranen rollen over Catherine's eigen wangen. Ze is bezig in te storten. De ene pijler na de andere valt onder haar weg. 'Ik weet niet wat ik moet doen,' snuft ze boven Bria's wild bewegende hoofdje. 'Ik weet niet wat ik moet doen. Ik weet het gewoon niet.' Haar stem is hees van vermoeidheid.

Ze is gisteren met haar dochter bij de dokter geweest, en vorige week ook – tweemaal. Ze komt er zo vaak dat de receptioniste niet eens moeite doet haar steeds bij dezelfde dokter toe te laten. Er werken er vier en ze is bij alle vier al geweest. Volgens haar spelen ze onder één hoedje, want ze zeiden alle vier precies hetzelfde nadat ze Bria van top tot teen hadden onderzocht: dat ze een mooie, gezonde baby had.

'En u dan, mevrouw Madigan? Hoe voelt *u* zich de laatste tijd?' had dokter Newell haar gisteren gevraagd. Hij leunde naar voren en keek diep in haar vermoeide ogen. Hij was de oudste van de huisartsen en bij hem kreeg ze niet dat opgejaagde gevoel dat de andere artsen haar gaven. Er stonden foto's in vergulde lijstjes op zijn bureau. Ze keek daar steeds naar en was begonnen details ervan te onthouden. Een opengewerkte zilveren broche. Een rozenknop. Een gebloemde zonnehoed. Paarlen oorknopjes. Een suède jasje. Een koningsblauwe japon. Een glimlachende vrouw van middelbare leeftijd op een tuinstoel, een ernstig kijkende jongeman in de toga van afgestudeerde studenten die met opgeheven kin poseerde, een perkamenten rol in zijn hand, en dezelfde man, ietsje ouder, op een studiofoto met zijn vrouw en baby. Catherine wist dus dat dokter Newell vader en grootvader was. Dat alles bij hem volmaakt was. Een volmaakt gezin met volmaakte kinderen, die probleemloos waren opgegroeid, volmaakte partners hadden gekozen en volmaakte baby's hadden gekregen. Een gezin zoals je op cornflakedozen en in televisiereclames zag.

'Mevrouw Madigan? Ik vroeg hoe het met u is.'

'Met mij? Goed. Het gaat om de baby,' zei ze monotoon. Op haar schoot sliep de engelachtige Bria als een roos. Elke keer dat ze met haar de spreekkamer van de dokter binnen ging, ontspande het rigide lijfje zich, werden haar zeekleurige ogen wazig, zakten de oogleden dicht en sperde het rozenknopmondje zich geeuwend open. Binnen twee seconden sliep ze, alsof ze wist dat ze hier niets meer te vrezen had van haar moeders onhandige verzorging. Ze moest zelfs een paar keer wakker gepord worden opdat de dokter haar kon onderzoeken, wat Catherine het gevoel had gegeven dat ze zich vreselijk aanstelde.

'Weet u, baby's voelen het aan als hun moeder niet happy is,' zei dokter Newell met een vriendelijke blik in zijn donkerbruine ogen. Hij wreef zijn handen tegen elkaar en glimlachte haar vaderlijk toe. 'Als u ongelukkig bent, is de baby dat ook.' Hij wachtte, haar uitlokkend tot een ontboezeming. Ze keek naar de ring aan zijn pink, een gouden ring met een agaat, zo te zien. Een parelgrijze draaikolk in blauw steen, alsof er een geest in opgesloten zat, een meisje gevangen onder het ijs. Ze maakte in gedachten een lijstje van de onoverkomelijke oorzaken van haar misère. Een moeder die geen ruimte voor haar had overgelaten, een rampzalig huwelijk met een man van wie ze niet hield, en een ongeplande baby die haar enige uitweg had geblokkeerd. 'Als de moeder gelukkig is, is haar baby dat ook, mevrouw Madigan,' verduidelijkte de arts nog eens extra. Hij zei het opgewekt, alsof hij een advertentie citeerde, en meteen was ze met haar nichtje Rosalyn op het bed aan het springen, om beurten reclameslogans declamerend. Ze was die dag zo gelukkig geweest. Haar geluk had geleken op geslaagd deeg dat blijft rijzen en rijzen tot je bang bent dat het uit elkaar zal barsten. Als de moeder gelukkig is, is haar baby dat ook. De opmerking van de arts herinnerde haar eraan, voor zover dat nodig was, dat ze ook op dit punt had gefaald. Haar onvermogen om zich een dappere houding aan te meten, was zelfzuchtig. Haar onvermogen om, omwille van haar kind, haar mistroostige misère om te zetten in stoïcijnse opgewektheid, had haar de zoveelste onvoldoende opgeleverd.

Ze had Bria willen zogen, ook al had haar moeder koeltjes gezegd dat flesvoeding veel praktischer was. 'Jij hebt ook geen borstvoeding gekregen, Catherine,' zei ze preuts toen ze haar in het ziekenhuis kwam opzoeken. 'Ik had echt geen zin in dat onduidelijke gedoe. Met flesvoeding weet je tenminste zeker dat je kind alles krijgt wat het nodig heeft.' Ze stond bij het raam haar lippen te stiften toen ze dat zei. Ze was voortdurend met haar uiterlijk bezig. Poeder, haar, oorbellen, kraag, ceintuur, schoenen. Rechttrekken, gladstrijken, instoppen, schikken, draaien, kijken. Alsof ze een mannequin was die over de catwalk moest lopen. Catherine kon wel gillen, gillen dat ze moest ophouden, ophouden en dichterbij komen, dichterbij komen en kijken, kijken naar de prachtige baby die ze ter wereld had gebracht, naar het kleine wonder, en haar bij haar naam noemen, Bria, in plaats van aldoor het geslachtloze woord *kind* te gebruiken.

Haar moeder had liever een naam gehad als Jane, Elizabeth of Ann. En voor een jongetje Henry, David of Timothy. Degelijke, normale namen, zei ze. Toen Catherine haar timide had verteld dat ze voor een meisje Bria hadden gekozen en voor een jongetje Carrick, had haar moeder haar wantrouwend aangekeken. 'Wil je dat het kind straks op school wordt gepest? Want dat krijg je als je het een rare naam geeft. Dat geef ik je op een briefje.'

'Het zijn Ierse namen, moeder,' had ze verdedigend uitgelegd, met trillende lippen. 'Sean wil graag een Ierse naam.' Haar moeder had één wenkbrauw opgetrokken en afkeurend gesnoven, al was het niet duidelijk of haar afkeuring Sean gold of de namen.

Op de kraamafdeling had ze Catherine's pogingen om haar kleindochter de borst te geven aanschouwd met een uitdrukking die grensde aan walging. 'Ik begrijp waarachtig niet waarom je je al dat gedoe op de hals haalt.' Ze wendde haar blik af van de naakte borst van haar dochter, van de zaadparel van melk die aan de rode, gezwollen tepel hing. 'Als je het kind de fles geeft, weet je zeker dat het alle benodigde vitaminen krijgt.' Ze haalde appels, sinaasappels en druiven uit haar boodschappentas en schikte ze op de schaal op het nachtkastje, waarop een paar verfrommelde wikkels van chocoladerepen lagen als zondige bewijsstukken. 'Goede voeding is noodzakelijk om het kind een goede start te geven.'

'Maar alles wat ze nodig heeft, krijgt ze van mij,' bracht Catherine ertegenin, haar ogen zo roze als die van witte muizen omdat ze sinds de geboorte aldoor moest huilen. Sean was de bevalling misgelopen. Hij had beloofd dat hij erbij zou zijn, in de verloskamer, als een moderne vader, maar hij was te laat geweest. Het enige wat ze bij haar man nauwkeurig kon voorspellen, was zijn onbetrouwbaarheid. Later was hij komen aanzetten met een grote, hardroze beer, een goedkoop, ordinair ding, en een doos pure chocola met paranoten. Ze lustte geen pure chocola en ook geen paranoten. Ze werd al misselijk als ze ernaar keek, zo kort na de inspanningen van de bevalling en de geboorte. Hij had gezegd dat ze een flinke meid was, had Bria op zijn arm genomen en gezegd dat zij ook een flinke meid was. 'Zo mooi als een sprookjesprinses,' zei hij slijmend. Maar Bria was geen sprookjesprinses, ze was een levensechte baby die gevoed en verschoond moest worden, die behoefte had aan liefde en aandacht, een baby die zowel een moeder als een vader moest hebben, een vader met een vast inkomen om de rekeningen te betalen. Hij was regelrecht naar de pub gegaan, om de baby te dopen, had hij met een knipoog gezegd. Maar de baby was hier bij haar, niet in een smerige, rokerige pub, waar volslagen vreemden dubbele cognacjes voor hem kochten, hem op zijn schouder sloegen en feliciteerden met zijn dochter.

Ze kreeg een pijnlijke melkklierontsteking. Haar borsten waren nu slingerende, kloppende, gezwollen aanhangsels. De tepel van haar linkerborst was zo gekloofd dat er een straaltje bloed uit sijpelde. Verpleegsters deden eensgezinde pogingen haar melk op gang te krijgen door in de pijnlijke tepels te knijpen en ze in het gretig zoekende mondje te duwen, maar het haalde allemaal niets uit. Ze deed haar best, maar het lukte niet.

'Waarom gedraag je je zo halsstarrig?' vroeg haar moeder kribbig terwijl Bria al zuigend steeds begon te huilen om de wrede ontbering waaraan ze werd onderworpen.

'Omdat dit iets is wat ik wil doen,' zei Catherine met de stem van het eeuwig opzijgeschoven meisje dat ze nog maar amper was ontgroeid.

'Je krijgt veel sneller regelmaat als je het kind de fles geeft,' zei haar moeder zakelijk, alsof de zaak daarmee beslist was, alsof haar baby een hondje was dat afgericht moest worden. Uiteindelijk was het geen kwestie van volharden geweest, maar van overleven. Wilde ze soms dat het kind doodging van de honger? Dus had ze zich gewonnen gegeven. Ze had blikjes met poedermelk gekocht, de steriliseermachine gevuld, het flesje en de spenen erin ondergedompeld, en gehoopt dat een volle maag automatisch een tevreden baby zou opleveren.

En nu, terwijl ze heen en weer loopt en de kleine wijzer van de klok naar de vier ziet kruipen en Bria nog steeds jengelig en klaarwakker is en zijzelf duizelig van vermoeidheid, weet ze dat het niet zo eenvoudig is. De behoeften van haar dochter zijn veelomvattend, zo veelomvattend dat ze vreest dat ze nooit pienter genoeg zal zijn om ze allemaal te doorgronden. Op dit moment maakt ze zich zorgen om de hitte en de aanhoudende luieruitslag. Vertwijfeld besluit ze Bria in bad te doen, ook al is het midden in de nacht. Ze vult het gele plastic babybadje met lauw water, zet het in de badkamer op de vloer, trekt Bria haar kleertjes uit en laat haar voorzichtig in het water zakken. Haar dochter reageert onmiddellijk. Ze zet grote ogen op van verbazing, houdt op met jengelen en kijkt belangstellend om zich heen. Daarna slapen ze allebei twee uur aan één stuk door, zij aan zij in het tweepersoonsbed. Bij het eerste kreetje van Bria schrikt Catherine wakker en is de magie weer verdwenen. Ze is zo moe dat het lijkt alsof haar huid niet meer past, zo moe dat haar hoofd te zwaar lijkt om het van het kussen te kunnen optillen, zo moe dat het zonlicht dat binnenkomt pijn doet aan haar ogen.

'Voor een baby is een duidelijke routine het allerbelangrijkste.'

De woorden van haar moeder achtervolgen haar als ze rondloopt zonder te weten wat er nu op het programma zou moeten staan. Als ze de trap af sukkelt, valt de post op de mat. Er zit een brief bij met het poststempel van New York, waar Rosalyn nu woont. Ze maakt hem niet open. 'Niet nu,' fluistert ze als ze hem weglegt. Ze weet dat hij vol staat met de opwindende dingen die haar nichtje doet. De andere envelop maakt ze wel open – de laatste aanmaning van de elektriciteitsmaatschappij. De rekening voor het gas moet ook nog betaald worden. Ze vraagt zich af hoe het zal gaan met haar en Bria in dit krakkemikkige huis, zonder warm water, zonder gas, zonder licht, zonder koelkast. Haar wereld zal elke dag iets verder krimpen. En als ze de huur niet betalen, zal de deurwaarder uiteindelijk iemand sturen om hen op straat te zetten. En dan? God verhoede dat ze bij haar ouders moeten intrekken.

Gezeten aan de keukentafel, met Bria lurkend aan haar flesje op haar schoot, staart ze naar de ongeopende brief van haar nichtje. Het ongeluk op het ijs – er zijn dagen dat ze zich afvraagt of het niet beter was geweest als ze was gestorven. Niet Rosalyn, natuurlijk. Zij verdiende het in leven te blijven. Zij is als een van de heldere sterren waar ze naar keken door het dakraam van Boszicht. Ze is op weg naar roem, heeft iets van haar leven gemaakt, is een getalenteerde fotografe. Maar voor Catherine waren alle sombere voorgevoelens op die dag uitgekomen, toen haar bevroren benen in het ijskoude water fietsten en ze geen centimeter vooruitkwam. Haar nichtje Rosalyn was het waard gered te worden. Zij niet. Dat was wat ze had gezien toen ze die glimp had opgevangen van de Dood aan de overkant van de vijver. De dood van haar nichtje zou vele levens kapot hebben gemaakt: dat van haar ouders, haar broer, haar vele vrienden en vriendinnen. De funderingen van Catherine's eigen familie zouden hebben staan schudden van verdriet. Hoe weerzinwekkend zou het zijn geweest om Rosalyn te moeten begraven in de harde aarde, waar ze overgeleverd zou zijn aan de wormen. De goden zouden woedend hebben gebulderd als haar flonkerende licht was gedoofd. Donderslagen zouden de hemel hebben doen beven.

Maar wat zouden die goden voor *haar* hebben gedaan? Wat zou er gebeurd zijn als zij die dag was gestorven, als zij degene was geweest die onder het ijs was verdwenen? Niets. Helemaal niets. Haar moeder zou zich voor haar begrafenis stijlvol hebben gekleed en haar ogen voorzichtig hebben gebet opdat haar mascara niet zou vlekken. Ze zou grote zorg hebben besteed aan haar uiterlijk. Elegant, chic, met hoog getoupeerd haar, dat in het gareel werd gehouden met haarlak. Iedereen zou vol bewondering naar haar hebben gekeken. Dina Hoyle zou een rouwmoment in haute couture zijn geweest. Haar broer zou ronkend zijn komen aanrijden op zijn motorfiets, samen met de anderen een paar onbeduidende gebeden hebben gepreveld en snel weer zijn teruggekeerd naar zijn donkere, groezelige garage. Haar vader zou het meeste verdriet hebben gehad, maar zelfs hij zou dat verborgen hebben. Hij zou misschien iets meer van het Londense vuil in zijn gesteven witte zakdoek hebben gesnoten en een paar hardnekkige tranen hebben moeten wegpinken, maar hij zou dat gedaan hebben achter zijn krant in de forensentrein naar station Waterloo, alsof hij zich ervoor moest schamen dat het hem iets deed dat hij haar had verloren. En Rosalyn? Ja, die zou verdrietig zijn geweest en op de gedenkdag van haar dood ruimte hebben gemaakt in de drukke agenda van haar leven om bloemen op haar graf te leggen. Maar dat was alles. Het wak in het ijs zou zijn dichtgevroren en dan zou niemand meer hebben kunnen zien dat er in die vijver een meisje was gestorven, dat daar een einde was gekomen aan het leven van Catherine Hoyle.

En ze is die dag ook gestorven, iets in haar is gestorven. Als een ballon waar een piepklein gaatje in zit, is ze sindsdien heel langzaam steeds meer leeggelopen. Het maakt niet uit of de Don Quichot die zich haar echtgenoot noemt, thuis is of niet, want ze heeft een beschamend geheim. 'Ik hou niet van hem,' zegt ze op een schuldbewuste fluistertoon tegen de lelijke muren. 'Ik hou niet van je vader,' zegt ze met haar mond op Bria's roodblonde krullen. Ze kust het topje van het kleine hoofdje, het zijdezachte haar. 'Als je vader thuis is, zit hij alleen maar te drinken en te zaniken over zijn onhaalbare dromen. Hij vecht tegen windmolens. Hij vindt het leuk om jou te knuffelen en straalt daarbij als vuurwerk aan de nachtelijke hemel. Hij maakt rare geluidjes tegen je en nestelt je in zijn armen. Maar, kleine schat, net zoals dat vuurwerk is het na het O! en Ah! snel uit met de pret. Dan komt de cognacfles weer op tafel. Je hebt het slecht getroffen met je ouders en daar heb ik oprecht spijt van, Bria Madigan.'

Maar terwijl de woorden zich op haar lippen vormen, vormt zich daar tevens een andere waarheid. Haar dochter is het enige deel van haar dat echt is, vlees en bloed, een sprankje hoop, ook al herinnert ze haar er dagelijks aan hoe diep ze is gezonken, hoe weinig tijd ze nog heeft voordat ze voorgoed onder het ijs zal verdwijnen. Ze houdt van Bria, natuurlijk houdt ze van haar, maar ze had in de misplaatste veronderstelling geleefd dat een kind haar tot gezelschap zou zijn, dat het haar zou redden van haar beknottende eenzaamheid. Na de geboorte van de baby is het ravijn waarin ze zit echter alleen maar dieper geworden en begint ze ervan overtuigd te raken dat er een wonder nodig is om haar eruit te krijgen. Door het moederschap is ze eenzamer dan ooit en als dit zo doorgaat, zal ze in een kluizenaar veranderen. Ze weet dat het erg is om zo te denken, onvergeeflijk zelfs, maar het is nu eenmaal zo. Ze is gekluisterd aan Bria's onophoudelijke eisen terwijl ze geen flauw idee heeft wat het kind wil.

Ze heeft gelezen dat de meeste moeders snel leren de ingewikkelde communicatie van hun pasgeboren baby te doorgronden, dat ze de manier van huilen en de stemmingen algauw weten te interpreteren. Dat heeft haar er alleen maar nog sterker van overtuigd dat zij geen goede moeder is. Niet dat ze ooit iets zou doen wat Bria kan schaden, en ze neemt haar de doorwaakte nachten en de vermoeidheid die dan overdag haar deel is, ook niet kwalijk, maar ze heeft in het park de gezichten van andere moeders gezien – stralend van trots als ze hun baby aan hun borst drukken, in de kinderwagen wiegen, of alleen maar met hun kleine op schoot zitten, als voorbeelden van ultieme tevredenheid. Hoe kan Catherine aan deze vrouwen, deze modellen voor 'Madonna met kind', opbiechten dat zij tot nu toe alleen maar een allesverterend gevoel van ontoereikendheid heeft ervaren? En de lage dunk die ze van zichzelf heeft, wordt nog eens extra gekruid door het voortdurende prikken van haar ogen en het brok in haar keel, de voorboden van een nieuwe stroom tranen.

Bria is een mooie baby, dat ziet Catherine zelf ook wel. In tegenstelling tot wat men denkt, zijn niet alle baby's mooi. Op de kraamafdeling van het West Middlesex Hospital heeft ze bijzonder lelijke baby's gezien, met rode gezichtjes, kaal en gerimpeld, als oude kaboutertjes. Bria heeft de onweerstaanbare ogen van haar vader geërfd, het pigment van de irissen blauw of groen, afhankelijk van het licht. Ze heeft bleek, teer, roodblond haar dat in haar nek lieftallig krult. Ze heeft een schattig wipneusje en een mooi roze mondje. Maar ze is onrustig, ongedurig, huilerig en ze slaapt bijna nooit, misschien omdat het gebrek aan zelfvertrouwen van haar moeder op haar inwerkt.

'Hier hebben we niks aan,' zegt Catherine nu tegen hen beiden. 'We schieten er niks mee op als we hier blijven zitten en medelijden met onszelf hebben. Frisse lucht en lichaamsbeweging, is wat dokter Newell ons zou aanraden.' Een kwartier later zit ze op een bankje in het park. Ze duwt de kinderwagen zachtjes heen en weer en geniet van de ongekende rust. Het loopt tegen het middaguur en het is bloedheet. Ondanks het mooie weer zijn er niet veel mensen buiten. Een man van middelbare leeftijd wandelt met een zwarte labrador rond het speelveld, een paar meisjes fietsen over de verharde paden, een groep jongens is aan de overkant van het veld aan het voetballen en een grijsharige vrouw, misschien een toegewijde oma, duwt een kleuter op de schommel.

Catherine snakt naar iemand om mee te praten. Ze vraagt zich weleens af of ze haar stem zal kwijtraken, of ze het praten aan het verleren is. Zo moet het zijn voor alleenstaande bejaarden, die dagenlang met niemand contact hebben. Als ze tegen Bria praat, is het net alsof haar stem op een spookachtige manier tegen de lelijke muren van het rijtjeshuis in Hounslow afketst. Ze voelt zich dan belachelijk, alsof ze een gesprek voert met zichzelf. En naarmate Bria's blauwgroene ogen sprekender worden, is het alsof de baby doorkrijgt wat voor iemand deze nepmoeder is.

Catherine ziet een vrouw aankomen. Ze heeft het aantrekkelijke gezicht van een elfje, kort zwart haar en een slank postuur. Haar gebloemde tuniek spant om haar zwangere buik. Catherine schat dat ze ongeveer zes maanden zwanger is. Ze gaat ervan uit dat ze gewoon zal langslopen, maar de vrouw blijft staan om in de kinderwagen te kijken.

'Wat een snoezige baby,' zegt ze glimlachend. 'Is het een jongen of een meisje?'

'Een meisje,' antwoordt Catherine met het gevoel dat ze een gelofte van stilte verbreekt.

'Wat dom van mij. Ik had het kunnen zien aan de roze beer op het dekentje. En ze is zo schattig. Veel te schattig voor een jongetje.' Haar stem klinkt hees, als van iemand die veel rookt.

'Ik weet wat je bedoelt. Toen ik in het ziekenhuis alle baby's naast elkaar in hun wiegjes zag, vond ik ze er allemaal identiek uitzien, als kleine hermafrodieten. Waar... waar hoop jij op?' vraagt ze aarzelend. Ze vindt dit altijd een enge vraag. Aan de ene kant lijkt het te persoonlijk, te intiem om over zoiets te beginnen tegen een volslagen vreemde. Daarnaast is ze ook altijd bang dat ze een enorme blunder zal begaan door aan te nemen dat een vrouw zwanger is terwijl die alleen maar een beetje dik is.

Weer glimlacht de vrouw naar haar. En Catherine, die rechtstreeks oogcontact tot nu toe heeft gemeden, kijkt haar dapper aan. Wat haar meteen opvalt, is het buitengewone aspect van haar grote, charismatische ogen: de irissen hebben verschillende kleuren, het ene oog is stralend lichtblauw, het andere heeft een zachte donkerbruine kleur. 'Ik zou graag een zoontje willen,' zegt de vrouw bedachtzaam. Ze richt zich op en houdt haar hand boven haar bijzondere ogen terwijl ze voor zich uit staart. 'Warm, hè?' zegt ze dan. Catherine knikt. Ze ziet dat de punten van haar haar blond zijn, uitgegroeid blond. Ze is ook ouder dan ze aanvankelijk had gedacht, wat te zien is aan de lijntjes rond haar ogen, op haar voorhoofd en langs haar mond. 'Al mag je dat eigenlijk niet zeggen, geloof ik. Of je liever een jongetje of een meisje hebt.'

'Hoe bedoel je?' vraagt Catherine, die de draad van het gesprek kwijt is.

'Nou, je weet wel... het juiste antwoord op de vraag of je een jongetje of een meisje wilt, is dat het je niet uitmaakt zolang de baby maar gezond is. Het is godslasterlijk om moeilijk te doen over de sekse. Je moet gewoon dankbaar zijn dat het kind niet twee hoofden en een staart heeft.' Ze kijkt weer naar Catherine, alsof ze tot bezinning komt. 'Dat hoor ik tenminste aldoor van mijn arts. Die geeft me een tik op mijn vingers als ik zeg dat ik dolgraag een jongetje zou willen.'

'O, op die manier,' zegt Catherine. 'Ja, ik heb verpleegsters gehad die zo waren, toen ik voor mijn echo ging. Waar ga jij bevallen?'

'In het Kingston Hospital. Waar heb jij je baby gekregen?'

'West Middlesex.'

'Goed ziekenhuis?'

'Redelijk. De vroedvrouw was aardig, maar als ik eraan terugdenk... Het leek alsof er geen eind aan kwam. Aan de bevalling, bedoel ik.'

'Ik zie er vreselijk tegenop. Ik heet Mara, tussen haakjes.' Ze steekt haar hand uit en als Catherine naar voren leunt om haar een hand te geven, ziet ze de afgebeten nagels. Ze zien er aandoenlijk uit, kinderlijk. Toch schat ze dat Mara dik in de dertig is.

'Catherine. Aangenaam.' Ze hoopt dat de ander niet in de gaten heeft hoe verguld ze hiermee is, hoe ze zich op dit flintertje sociaal contact stort zoals een uitgehongerde man zich op een brood zou storten.

'Vind je het goed dat ik even bij je kom zitten?' vraagt Mara beleefd.

Weer moet Catherine zich inhouden om niet op te springen en van pure blijdschap een dansje te maken. 'Tuurlijk.' Ze klopt uitnodigend naast zich op de bank. Mara gaat moeizaam zitten, waarbij ze een hand in haar rug drukt.

'Mijn enkels worden dik als ik lang sta. Ik ben pas kortgeleden gestopt met werken en ik moet zeggen dat het een hele opluchting is. Ik werkte in een winkel en tegen sluitingstijd had ik benen als een olifant.'

'Is dit je eerste baby?' vraagt Catherine. Ze denkt heimelijk dat ze wel wat oud is voor een eerste kind.

'Ja, ik weet het. Ik ben laat getrouwd,' antwoordt ze, haar gedachten lezend. 'Eerlijk gezegd begon ik al te denken dat ik gedoemd was een oude vrijster te worden, dat de ware Jacob nooit zou komen.' Ze legt haar hand op haar buik en draait haar voeten heen en weer. Catherine ziet de glans van een mooi gouden enkelkettinkje en vindt dat haar benen er helemaal niet gezwollen uitzien. 'Maar toen ontmoette ik Stewart en ik moet zeggen' – ze slaat kuis haar ogen neer – 'dat hij het wachten waard was. Hij werkt voor een architectenbureau. Het heeft lang geduurd voordat ik zwanger werd en hij is in de zevende hemel. Hij heeft een boek gekocht met allemaal namen en leest me dat 's avonds in bed voor.' Ze legt, nogal verrassend, haar hand op de mouw van Catherine's bloes en laat haar stem dalen tot een samenzweerderige fluistering. 'Gisteravond, vlak voordat ik het licht uitdeed, zei hij dat hij Peregrine een prachtige naam vindt. Het moet niet gekker worden! Ik ga mijn poot stijf houden, hoor, met gezwollen enkels en al. Is dit ook jouw eerste?'

'Ja.'

'Hoe heet ze?'

'Bria. Mijn man, Sean, heeft de naam gekozen. Hij is namelijk een Ier.' Ze hoopt dat de teleurstelling over haar huwelijk en moederschap niet op haar gezicht is af te lezen.

'Wat een mooie naam,' zegt Mara bewonderend. 'Als Stewart op zulke namen zou vallen, zou ik niet zo in paniek zijn, maar voorlopig blijf ik op mijn hoede.' Aan de overkant van het speelveld brengt de man met de hond zijn arm naar achteren om een bal te gooien terwijl de labrador kwispelstaartend en enthousiast blaffend om hem heen drentelt. In de speeltuin zet de oude vrouw de kleuter in een wandelwagentje. Bria wordt in haar kinderwagen wakker en kijkt met knipperende oogjes naar de pluimage van zachte witte wolken aan de blauwe hemel. 'En Sean, je man? Geniet hij van het vaderschap?'

'Ehm... dat geloof ik wel. Hij werkt in Londen en maakt lange dagen. Soms redt hij het niet om naar huis te komen. Hij heeft een flat waar hij dan overnacht.' Ze trekt aan een losse draad aan een van de knoopsgaten van haar manchetten, waardoor het stiksel losraakt.

'Ach jee. Dat moet voor jou wel eenzaam zijn. Vind je dat niet erg?' Catherine slikt. Naast haar kamt Mara met haar vingers door haar korte haar en duwt haar pony op. In Catherine's ogen wellen zomaar opeens tranen op, alsof iemand een kraan heeft opengedraaid. Ze kan ze niet tegenhouden. 'Huil je? Wat is er?' vraagt haar nieuwe vriendin bezorgd.

Alsof er een knop is omgedraaid, staat Catherine weer in het ijzige water van de vijver te staren naar Rosalyn, terwijl er vanuit het sneeuwlandschap rondom hen blauwe lichtvlekjes op haar afkomen. Ze klauwt aan de koude lucht, vecht zich een weg door haar sprookje, schreeuwt naar Rosalyn, roept tegen haar nichtje dat ze nooit meer met haar zal praten als ze niet tot het einde toe luistert. Haar hoofd doet pijn van het verpletterende gewicht van de bittere koude. Het doet pijn van de moeite die het haar kost om met haar verarmde verbeeldingskracht sprookjesfiguren te verzinnen, en van de geestelijke inspanning om te proberen een symfonie van geluiden en gevoelens te creëren. Ze moet Rosalyns aandacht vasthouden om haar nog een paar seconden langer bij de afgrond vandaan te houden, terwijl aan de overkant van de ijsvloer, waarin steeds meer scheuren komen, de Dood vanonder zijn capuchon naar haar loert, wachtend op het moment dat ze verzwakt, het moment waarop haar stem het begeeft, het moment waarop hij Rosalyn kan grijpen en tegen zijn lege borstkas drukken. Ze had toen bijna gefaald, en dat is nu weer zo. Alleen is nu zijzelf degene die onder het ijs dreigt te verdwijnen.

'Sorry. Neem me niet kwalijk. Ik stel me aan,' zegt ze snikkend. Ze pakt het zakdoekje dat ze thuis voor alle zekerheid in de zak van haar rok had gedaan. 'Ik schaam me dood.'

'Ben je mal,' zegt Mara begrijpend. 'Je ziet er afgepeigerd uit. Vergeet niet dat ik ook zwanger ben. Ik heb nog geen baby, maar ik weet hoe het is als je niet voldoende nachtrust krijgt en evengoed probeert om alles te doen wat je doen moet.'

Ze legt haar hand op haar schouder. Catherine voelt de bemoedigende druk van die afgekloven vingers. En dan stroomt alles er in één keer uit: dat ze geen oog meer dichtdoet; dat ze hele nachten op is vanwege Bria; dat ze niet weet wat ze moet doen; dat ze aldoor bang is dat de baby ziek is; dat Sean er nooit is en dat hij te veel drinkt als hij al een keertje thuis is. En het geld, de stijgende schulden die dreigen, de onbetaalde rekeningen, de aanmaningen, het gokken, de huur die nog betaald moet worden. Het enige wat ze Mara niet vertelt, is dat haar hele leven een leugen is.

Midden in haar ontboezeming wordt Bria onrustig en begint ze te huilen. Catherine wil al opstaan om haar verdrietige dochtertje uit de kinderwagen te tillen als haar metgezel vraagt of zij het mag doen. Ze knikt een beetje onzeker. Mara komt moeizaam overeind, tilt de baby uit de wagen, legt haar tegen haar schouder en wrijft over haar ruggetje alsof ze haar hele leven niet anders heeft gedaan. En haar dochter wordt zowaar stil en kijkt over Mara's schouder nieuwsgierig naar haar moeder.

Wat lief van haar dat ze haar sust, denkt Catherine, niet alsof ze haar nog maar net heeft leren kennen, maar alsof ze al jaren dikke vriendinnen zijn. Sterker nog, ze lijkt zich niets aan te trekken van alle beschamende dingen die ze heeft opgebiecht, zelfs niet dat Sean zo veel drinkt, wat ze tot nu toe aan niemand anders heeft verteld. Misschien komt het doordat Mara zo veel ouder is dan zij, meer levenservaring heeft en mannen beter kent, dat Sean met al zijn tekortkomingen haar niet van haar stuk brengt. En dat ondanks het feit dat ze zelf is getrouwd met een man die duidelijk een voorbeeldige echtgenoot is. Catherine voelt zich meteen een stuk beter en krijgt weer hoop voor de toekomst. Mara woont niet al te ver bij haar vandaan, vertelt ze, en zou het leuk vinden als Catherine eens bij haar op bezoek kwam, zodra ze daaraan toe is. Maar tot dan, en omdat deze vriendschap nog maar net is begonnen, kunnen ze elkaar morgenochtend hier in het park weer treffen. Ze spreken een tijd af en voordat ze afscheid nemen, bedankt Catherine haar nadrukkelijk.

'Ben je mal. Je hebt net zoveel voor mij gedaan als ik voor jou. Ik vond het reuze gezellig om met je te praten.' Ze buigt zich over de kinderwagen en kietelt Bria onder haar kin. 'En ik vond het ook leuk om met jou kennis te maken, jongedame, ook al heb je op mijn nieuwe tuniek gekwijld.'

'O, sorry,' zegt Catherine meteen.

'Geeft niks. Ik beschouw het gewoon als een voorproefje van wat me te wachten staat.'

Ze lopen in tegengestelde richting weg, Catherine naar de straat, Mara dwars over het veld naar de tunnel achter het verpleeghuis. Na een paar meter blijft Catherine staan en draait zich om. Ze kijkt over het groene gras naar de weglopende Mara. Ze heeft nieuwe energie gekregen en voelt zich optimistisch. Ze heeft een nieuwe vriendin, een empathische vrouw, een vrouw die ook voor het eerst zwanger is, al verkeert zij in gelukkiger omstandigheden. Dankzij haar durft ze te geloven dat alles beter kan worden, dat het de moeite waard is tegen de scheuren in het ijs te vechten.

19

Dinsdag 10 augustus

DE MARKT IS AFGELADEN MET KLATERGOUD. IN ELKE GANG, OP ELKE kraam, uit elke hoek schittert het geflonker je tegemoet. Het neonlicht voegt er een paarse glans aan toe waardoor Owens ogen branden. Klatergoud, pyriet, waardeloze troep. Prullen. Daarmee is zijn leven nu gevuld, met waardeloze prullen. Dat hij zich er ooit door heeft laten verblinden! Naomi gedraagt zich teruggetrokken sinds hun terugkeer uit Italië. Elke nacht is ze aan het slaapwandelen en de dingen die ze zegt als ze zich in die tranceachtige staat bevindt, laten hem niet los. De zieke baby die ze moet laten ophouden met huilen, de man genaamd Walt die gestraft moet worden, de priester die haar heeft geopend om haar met roet bedekte verdorven ziel te vinden, het zuiveren van haar zonden in het koude water van de zee. Hij houdt zichzelf voor dat het alleen maar nare dromen zijn, ongegronde, duistere fantasieën. Niettemin maakt hij zich zorgen om haar excentrieke gedrag.

Alsof hij haar geestverwant moet zijn, krijgt hij zelf ook weer last van nachtmerries, waardoor hij overdag bovenmenselijke moeite moet doen om wakker te blijven. Het slaaptekort maakt hem kribbig en hij houdt het alleen vol omdat hij weet dat Sean donderdag terugkomt. Mensen slenteren langs de kraam terwijl de muziek bonkt in zijn vermoeide hersenen. Hij voelt zich plakkerig, draaierig, gaat gebukt onder het juk van de aanhoudende warmte. En van alles is er steeds meer, meer toeristen, meer hoertjes, meer teleurgestelde en verslagen mensen op pelgrimstocht om hun leven een beetje glans te geven, mensen die willen geloven dat de glitter aan hen zal blijven plakken, dat ze hier, in deze onderwereld, zo rijk zijn als koningen. Klatergoud. Niets dan klatergoud. Een kluis vol klatergoud. Als je het deksel van dit blik zou afnemen en de zonneschijn zou binnenlaten, als je het echte goud zijn werk zou laten doen, zou je in een oogwenk zien wat het in werkelijkheid is. Goedkoop nepgoud dat al zwart wordt voordat je de bovenste tree van de trap hebt bereikt, voordat je je voet op de stoep hebt gezet.

Als hij om halfzeven thuiskomt, is Naomi er niet. Hij gaat onder de douche, maakt een broodje klaar en zet de televisie aan. Als zijn gedachten afdwalen, zet hij de televisie weer uit. Vandaag zinkt hij echter niet weg in uitputtende herinneringen aan de dag waarop Sarah is verdronken, maar wordt hij teruggevoerd naar het jaar voor het ongeluk, naar een mooie zomerdag die ze in de achtertuin doorbrachten. Zijn moeder heeft het zwembadje gevuld en Sarah zit erin, te midden van kleurige plastic speeltjes: een groen gietertje, een blauw emmertje, een familie gele eendjes, een rode boot. Ze dobberen om haar heen als planeten rond de zon. Ze heeft een bikinibroekje aan dat opzij met strikjes is vastgemaakt. Zijn moeder zit, gekleed in een katoenen jurk met een slappe strohoed op haar hoofd, in een ligstoel een boek te lezen. Ze heeft de jurk tot boven haar knieën opgetrokken om haar benen te laten bruinen. Zijn vader is in de schuur stekjes aan het planten. Owen heeft ook zijn zwembroek aan, maar heeft geen zin om in het zwembadje te spelen. Hij vindt dat kinderachtig. In plaats daarvan heeft hij een hut gemaakt door een geblokt tafelkleed over de onderste takken van een dennenboom te hangen. Hij heeft een stevige metalen emmer gevuld met water en maakt in zijn hut zandtaarten in oude bloempotten. Hij heeft er zo'n schik in dat hij zich er bijna voor geneert. Het is een kunst om de modder precies goed te krijgen, niet te nat, want dan wordt hij nooit hard, maar ook niet te droog en kruimelig, want dan valt de taart uit elkaar. Plotsklaps wordt het tafelkleed opzij getrokken en verjaagt het zonlicht de koele schaduwen.

'Wat doe je?' vraagt Sarah. De topjes van haar schouders zijn roze verbrand, evenals haar knieën.

Hij houdt zijn armen beschermend boven zijn kostbare voorraad zandtaarten en fronst zijn wenkbrauwen.

'Niks. Ga jij maar in het zwembad spelen.'

'Maar ik wil met jou spelen,' zegt ze koppig. Straaltjes water lopen van haar af in zijn mooie schuilplaats en als ze gaat zitten, plakken er dennennaalden aan haar armen en benen waardoor ze in een klein bosmonster verandert.

'Goed dan. Maar dan moet je wel mijn waterdrager zijn,' zegt hij tegen haar.

'Wat is dat?' Haar vochtige blonde haar plakt aan haar gezicht en haar wangen zijn roze van de warmte.

'Iemand die emmertjes water voor me uit het zwembad haalt.'

Ze denkt daarover na. Dan vraagt ze: 'Waarom?'

Nu spreidt hij trots zijn armen om haar zijn culinaire meesterwerken te laten zien, drie taarten, keurig naast elkaar, smaakvol versierd met twijgjes en blaadjes. 'Om zandtaarten te maken,' zegt hij op gedempte toon. Vol verbazing kijkt ze naar de magnifieke creaties. 'Kijk, in deze kom meng ik het deeg, met deze lepel, zie je wel?'

Haar mondje krijgt de bekende koppige stand. 'Ikke doen! Ikke niet water halen.'

Hij zucht. 'Maar water halen is heel belangrijk werk. Daarom wil ik zo graag dat jij het doet,' zegt hij gewiekst.

Ze denkt weer na, met haar hoofd schuin, terwijl ze op een lok nat haar sabbelt. 'Ikke deeg maken,' zegt ze dan, irritant hardnekkig.

Hij houdt zich met alle macht in. Als hij zijn stem verheft, zal zijn moeder van haar boek opkijken om te vragen wat er is. En als Sarah dan zegt dat ze van haar broer het deeg voor de zandtaarten niet mag maken, zal ze hem een standje geven en zeggen dat hij niet zo lelijk moet doen tegen zijn kleine zusje. Hij probeert Sarah met iets anders te verleiden. 'Weet je wat? Jij mag mooie blaadjes en takjes zoeken om de taarten te versieren.'

Haar onderlip trilt nu. 'Ikke deeg maken,' jengelt ze.

'Waarom moet jij altijd je zin krijgen?' roept hij gefrustreerd en daarop volgt het standje van zijn moeder dat hij al had verwacht. Nijdig loopt hij met een emmertje in zijn hand naar het badje om water te halen. Als hij terugkomt, heeft Sarah van zijn mooiste taart een hoed gemaakt die ze in haar natte haar smeert. Met haar andere hand slaat ze op een van de andere taarten. 'Laat dat!' roept hij. Hij grijpt de taart en begint hem weer in model te brengen, maar hij weet eigenlijk al dat het spel voorbij is, dat alles bedorven is. Sarah doet toch niet wat hij zegt. Van de zandtaarten is niet veel meer over en het plezier dat hij had in het perfectioneren van zijn creaties is verdwenen. Om een absurde reden krijgt hij tranen in zijn ogen. Hij komt overeind, al moet hij gebukt blijven staan vanwege de lage takken van de boom. Het geeft niet, troost hij zichzelf. Het zijn alleen maar zandtaarten. Het is niet zo dat ze een van zijn modelvliegtuigjes heeft gebroken, of in zijn schoolschriften heeft zitten kliederen, of zijn laatste *Dandy* heeft verstopt. Maar om onduidelijke redenen brengt dit hem meer van streek dan die drie dingen samen.

Diezelfde avond maakt zijn moeder schuimgebakjes. Owen is haar aandachtige, eenkoppige publiek. Hij mag graag toekijken, zwijgend aan de keukentafel gezeten, als zijn moeder in een tovenares verandert. Als ze deksels van potjes draait, kopjes bloem, suiker of rijst afmeet, eieren breekt, boter aan blokjes snijdt, groenten en vlees hakt, de hitte van de gasvlam regelt, roert, mengt en sprenkelt. Soms werkt ze van een recept. Dan bewegen haar lippen als ze geluidloos de toverspreuken leest op de pagina's van een boek dat open op het aanrecht ligt, haar goudomrande leesbril halverwege haar neus. Soms lijkt ze instinctief te werken, een snufje van dit, een drupje van dat. En als een echte goochelaar laat ze haar trucjes gepaard gaan met een zwierige zwaai van een theedoek of een ovenwant als ze geurige schalen op de tafel zet en hem verwent met cakejes en koekjes, pudding en vlaai, soesjes en jam.

Maar de goocheltruc van de schuimgebakjes vindt hij het allermooist. Hij voelt zich alsof hij getuige is van een wetenschappelijk experiment als de eierschaal wordt opengetikt en het eigeel kunstig in een deel ervan wordt opgevangen, terwijl het transparante eiwit elastisch in een kom glijdt. Met een garde begint zijn moeder dan het eiwit te klutsen, steeds feller, tot de garde in de rondte draait als een op hol geslagen draaimolen. Heel lang blijft het eiwit een vuilwitte dril waarop zich voortdurend blaasjes vormen. Elke keer komt er een moment waarop hij ervan overtuigd is dat de truc is mislukt. Ook nu houdt hij zijn adem in en precies op dat moment gebeurt het. Plotsklaps verandert de schuimende dril in een stevige witte massa met hoge pieken, de bergtoppen van de Alpen, denkt hij bij zichzelf.

Soms stelt hij vragen. Meestal beginnen die met 'waarom'. Zijn moeder beantwoordt ze allemaal geduldig. Hij heeft zelfs ideeën over het toevoegen van ingrediënten, al zegt hij dat niet. Nu en dan vertelt ze hem een regel. Hij heeft vrienden die postzegels verzamelen. Hijzelf is een hartstochtelijke verzamelaar van 'regels', dingen die je moet doen en dingen die je nooit mag doen. Hij schrijft ze op in het schrift dat hij daar speciaal voor heeft gekocht.

'Je moet ervoor zorgen dat er geen enkel deeltje van de eierdooier in het eiwit komt, Owen. Want als dat gebeurt, kun je kloppen wat je wilt, maar zal het eiwit nooit stijf worden.'

Sarah heeft geen belangstelling voor koken, al mag ze graag de rauwe cakemix uit de schaal likken, waarbij ze de lepel en haar vingers luidruchtig afzuigt. Ze kleurt plaatjes in haar kleurboeken of speelt met poppen als hun moeder aan het koken is. Op de dag van het zandtaartenincident beseft Owen dat hij niets om tuinieren geeft, zoals zijn vader. In de tuin vindt hij het veel leuker om zandtaarten te maken dan groenten te telen. Daarentegen is hij wel geïnteresseerd in de bereiding van de groenten, in alle verschillende recepten die er bestaan, alle toverformules. Hij vermoedt, zo klein als hij is, dat er veel meer recepten zijn dan zijn moeder kent. Bij aardrijkskunde op school heeft hij laatst bedacht dat als alle landen op de wereld zo van elkaar verschillen, er waarschijnlijk ook verschillen zijn in wat de mensen eten.

Nu zegt hij, een beetje slijmend: 'Ik vind het leuk om te kijken als u kookt. Ik wil later kok worden, net als u, mama.'

Zijn moeder luistert niet bewust. 'O ja, lieverd?' zegt ze vaag. 'Wat leuk.'

Maar zijn vader luistert wel. Hij is net binnengekomen met een mand groenten uit de tuin. 'Jongens horen niet in de keuken. Koken is voor meisjes.' Hij gaat op zijn hurken zitten en tikt met zijn wijsvinger op Sarahs neus. Ze lacht hem stralend toe en steekt haar armpjes naar hem uit. Het is alsof Owen een klap in zijn gezicht heeft gekregen. Zijn wangen gloeien van schaamte. Hij klemt zijn kaken op elkaar en wou dat hij niets had gezegd. Hij neemt zich ter plekke voor zijn domme regeltjesschrift te verscheuren. Maar dan komt zijn moeder onverwachts voor hem op.

'Dat is niet waar, Bill. Sommige van de beroemdste chefs zijn mannen. Als Owen later chef wil worden, mag hij dat van mij.'

Owen weet niet over welke chefs ze het heeft, maar dat maakt niet uit. Weer krijgt hij een kleur, nu niet van vernedering, maar van trots. En als zijn vader weer iets wil zeggen, snijdt zijn moeder hem de pas af, wat zelden voorkomt. 'Waag het niet een domper te zetten op zijn enthousiasme, Bill.' Later komt ze achter Owen staan, drukt een kus boven op zijn hoofd en houdt hem een warm schuimgebakje voor om in te bijten. Hij hapt er heel langzaam in. Zoetigheid, licht als lucht, tuimelt en sprankelt en smelt op zijn smaakpapillen, zodat hij zich voelt alsof hij de liefde zelf eet.

Dit is de verrassende herinnering die uit de kast komt rollen op deze warme zomeravond in 1976. Er is uiteindelijk niets van gekomen, omdat niet lang daarna de klokken stil waren blijven staan toen Sarah verdronk en alles ophield. Maar nu ontbrandt er een klein, uitdagend vlammetje in zijn binnenste. Waarom zou hij geen kok worden? Hij kan in elk geval proberen er meer over te weten te komen, uitzoeken of het een kinderlijke gril was of dat hij aanleg, talent, een gave heeft voor koken. Hij zou graag willen bewijzen dat zijn vader het mis had, maar nog meer zou hij willen bewijzen dat zijn moeder gelijk had. Zodra dit allemaal voorbij is, en dat duurt nu niet lang meer, zodra hij Londen kan verlaten, kan hij proberen werk te krijgen in restaurants, niet alleen in Engeland, maar ook op het vasteland, waar de mediterrane gerechten zo vers en smakelijk heten te zijn.

Hij zit hierover te peinzen als Naomi het kralengordijn wegduwt. Hij kijkt op zijn horloge en ziet verbaasd dat het over negenen is. 'Waar heb jij gezeten?' Hij probeert een luchtige toon aan te slaan, maar zijn stem klinkt scherp en achterdochtig.

'Ik ben een eindje gaan wandelen.' Ze haalt haar schouders op en strijkt met haar vrije hand haar verwarde haar naar achteren.

In haar andere hand heeft ze een boodschappentas, ziet hij. Hij kijkt onderzoekend naar haar op. Dan staat hij op, rekt zich uit en werpt een blik in de tas. Verbaasd over de inhoud kijkt hij haar weer aan. Er zit een kussen in, een van de kussens van de bank. Hij blijft naar haar kijken als ze het kussen nonchalant uit de tas haalt en op de bank gooit. Ze gedraagt zich alsof dit een normale gang van zaken is als je thuiskomt.

'Waarom heb je dat kussen meegenomen?'

Ze glipt langs hem heen naar de keuken, pakt de ketel, draait de kraan boven de gootsteen helemaal open en houdt de tuit van de ketel eronder. Water spat in haar gezicht, in haar neus en op het aanrecht. Ze giechelt, knippert met haar ogen en knijpt haar neus dicht. Ze draagt leggings en een blauw, roze en bruin gebloemde tuniek. Niet het soort kleding dan hij van haar gewend is. Hij kent haar gewoon niet terug. Ze loopt altijd in nauwsluitende kleren, spijkerbroeken die strak om haar slanke heupen en dijen zitten, T-shirts die zich spannen over haar kleine borsten, mini-jurkjes met een laag decolleté. Ze houdt van kleding die haar tengere figuur benadrukt, niet van dingen zoals deze ruimvallende tuniek.

'Wat heb je in godsnaam aan, Naomi?' Hij zegt het voordat hij beseft wat een onbeleefde opmerking dat is. Snel voegt hij eraan toe: 'Het staat je best, hoor... Alleen draag je meestal heel andere kleding.'

'Ik had zin in iets anders,' antwoordt ze effen.

Ze draait de kraan dicht, tilt de ketel op en schudt ermee. Het water klotst. 'Kopje thee?' vraagt ze.

Zij aan zij op de bank nemen ze kleine slokjes van de hete thee. Naomi rookt op haar gemak een sigaret, terwijl buiten de Londense nacht neerdaalt. Na een poosje zet ze een plaat op. Een nummer van de Beatles, 'Penny Lane', klinkt uit de speaker van de draaitafel. Ze zingt het mee. Owen zegt iets over de mannen die aldoor naar de marktkraam komen, Blue en zijn lijfwacht. 'Het zijn ruige types. Ziet Sean niet in welke risico's hij neemt door zich met die lui in te laten?'

Ze boetseert haar lippen tot een minachtend pruilmondje. 'Dat moet hij zelf weten. Zal ik iets te eten maken?' stelt ze voor als het nummer afgelopen is. Ze springt overeind en strekt haar hand uit naar zijn lege mok.

'Nee, dank je.' Hij kijkt naar het irriterende kussen, diepe tramrails geëtst tussen zijn wenkbrauwen. 'Waarom heb je dat kussen meegenomen toen je ging wandelen?' vraagt hij.

'Och, je weet wel.' Haar antwoord slaat nergens op en bereikt hem vanuit de keuken waar ze kastjes opendoet en met een klap weer sluit. 'We kunnen beter buiten de deur gaan eten. Wat vind jij, Owen? Zullen we onszelf eens trakteren?'

'Nee, daar heb ik geen zin in. Waarom heb jij dat kussen meegenomen?' herhaalt hij hardnekkig.

Ze aarzelt. 'O... ik... ik had...' Abrupt stopt ze weer. 'Dit is echt verschrikkelijk. We hebben niks te eten in huis en ik heb honger. Er zit niks anders op dan uit te gaan.' Ze slaat haar armen over elkaar. 'Ga je mee of niet?'

'Het kussen?' Hij houdt vol.

Ze slaat haar ogen ten hemel en slaakt een diepe zucht. Dan gaat haar blik naar de platenspeler. 'Er zit een kras in de plaat,' zegt ze klaaglijk als de muziek hapert. Ze loopt naar het raam en kijkt naar de met flonkerende lichtjes gesierde duisternis. 'Wat is alles 's avonds toch mooi. Alsof iemand een juwelenkist heeft geopend.' Het blijft stil. Dan zegt ze: 'Ik val om van de honger.' Ze grijpt haar tas van de eetkamertafel en verlaat de flat.

20

Woensdag 11 augustus

BRIGHTON BEACH. SEAN ZIT OP EEN BANKJE OP DE BOULEVARD. HIJ heeft zicht op het zuiden, op een zee geplaveid met goud. Zijn gezicht is rozig van de wind en zijn neus rood van de zon en de drank. Ondanks de hitte houdt hij zijn colbertje aan. In de binnenzak zit een dikke envelop met geld. De biljetten kraken als hij zich beweegt. Hij heeft zijn stropdas afgedaan en de twee bovenste knoopjes van zijn overhemd losgemaakt, maar dat is zijn enige concessie aan de hoge temperatuur. Het is druk aan de Britse Rivièra. Het kiezelstrand is overspoeld met verkoeling zoekende badgasten. In de grijsgroene zee wemelt het van de mensen, jong en oud, dik en dun. Sommigen puilen uit hun felgekleurde badkleding. Ze spelen in de branding, gooien strandballen, dobberen op luchtbedden, duiken in de golven. Ze wagen zich ver in het Kanaal, doorklieven het water met de borstslag, schoolslag of rugslag, sommigen liggend op hun zij, anderen peddelend als hondjes. Gezinnen bakenen stukjes strand af met kleurige badlakens, windschermen, picknickmanden en strandstoelen. Honden rennen blaffend op de branding af. Ook op de boulevard is het druk. Mensen puffen uit op een bankje, lopen op hun dooie akkertje te wandelen, slenteren gearmd, likkend aan een ijsje.

Aan Seans rechterhand heb je de West Pier, die grote sta-in-deweg met de terrassen die er nog steeds zo bedrieglijk comfortabel uitzien. Hij is er daarstraks langsgelopen en heeft gezien dat de hele pier gesloten is, omdat hij te zeer in verval is geraakt. Aan zijn andere kant heb je de Palace Pier, het mekka van de kitsch, het walhalla van de fruitautomaten en bingohallen, waar goedkope pluchen beesten in piramides staan opgesteld naargelang hun status als prijs. Daar voelt Sean zich thuis. De zee slaakt diepe zuchten, de kiezels rollen heen en weer, de zonaanbidders verbranden, lachende stemmen klinken op. De zeemeeuwen krijsen en slaan met hun vleugels. Een bejaard echtpaar komt naast hem zitten. Ze maken een papieren zak open en kauwen dan tevreden op broodjes tong, die ze wegspoelen met gemberbier. De vrouw trekt de korst van een boterham en gooit die naar een meeuw. Dat leidt tot een korte, felle schermutseling met veel gekrijs en pogingen indruk te maken, tot de broodkorst wordt meegepikt door een mopshond die aangelijnd langsdrentelt.

Sean houdt niet van meeuwen. Meeuwen zijn dieven. Hij kan zich nog goed herinneren hoe hele zwermen thuis in Ierland op de akkers neerstreken om zich te goed te doen aan de pas uitgestrooide zaadjes, waardoor de hele oogst in gevaar kwam. Hij is niet van plan zijn leven te verkwisten aan pogingen een karig bestaan te ontfutselen aan nukkige grond. Onder zijn opzichtige colbert zweet hij als een otter. Zijn huid prikt. De jeukende uitslag is een permanente bron van irritatie. Maar nu buigt hij zijn hoofd achterover en sluit zijn ogen tegen de zon. De binnenkanten van zijn oogleden zijn rood, als smeulende kooltjes. Er rust een dik pak geld, koele, knisperende bankbiljetten, op zijn hart. En wat had hij ervoor moeten doen? Een treinreisje maken, een kamer in een hotel nemen en op de pier een man treffen. Hij weet niet waar het geld vandaan komt. Drugs? Prostitutie? Afpersing? Hij is zo verstandig er niet naar te vragen. Catherine zou zeggen dat dit geld stinkt, maar voor Sean is geld altijd zuiver, iets wat nooit bederft. Het is onaantastbaar. Hij heeft eraan gesnuffeld en de mogelijkheden ervan geroken. Morgen overhandigt hij het aan Blue, en dan? Dan strijkt hij zijn commissie op en wacht geduldig tot het zijn beurt weer is. Hij legt zijn hand op zijn borst, op zijn hart, drukt zachtjes. Hij hoort een geknisper dat hem herinnert aan hoe vers stro knispert als je erin wegkruipt.

Het knisperende geluid schiet als een stroomstoot door zijn hersenen en zet geheugencellen in werking. En die toveren een tafereel tevoorschijn uit zijn jeugd. Een jongen die gaat liggen op vers stro, stro dat geurt naar het gras dat wuift in de bries die vanaf de rivier komt aanwaaien, de zanderige, zilte adem van de Shannon. De jongen kruipt er dieper in weg, trekt zijn knieën op en drukt zijn rug tegen de dikke buik van het varken. Hij voelt het snurkende gesnuif van het beest in die buik vibreren. Hij trekt de strodeken van warmte over zich heen en laat de modderige mestgeur diep in zijn longen dringen. Hij is erg gesteld geraakt op het grote, zwarte varken met de harde, borstelige haren en de snuffelende snuit die altijd glanst van het snot, net zoals de neus van zijn broer Emmet. Hij houdt van zijn lome gedrag, van hoe hij vliegen van zich af krijgt met een siddering van zijn romp of een flipperende beweging van zijn geaderde oren. Hij houdt van zijn intelligente kraalogen.

Hij heeft dit varken een naam gegeven: Derry. Hij weet dat Derry binnenkort geslacht zal worden en dat hij zal moeten helpen hem in bedwang te houden als het mes door zijn strakgespannen keel glijdt terwijl het arme beest gilt van angst. Hij weet dat zijn pa later zal pochen dat de slachting zo goed was verlopen, netjes en rap, en dat hij, Sean, de emmer onder de doorgesneden keel zal moeten houden om het bloed op te vangen. Hij vermoedt dat Derry zich sterker zal verzetten dan de vorige varkens, hij hoopt het, hoopt dat zijn hoeven nog minutenlang over de grond zullen schrapen voordat het leven uit hem wegvloeit en hij slap blijft liggen. Zijn pa kijkt elk jaar reikhalzend uit naar de dag waarop het varken geslacht kan worden. Sean ziet dat altijd aan de hebzuchtige glans die in zijn ogen verschijnt als hij naar het beest kijkt. Soms geeft hij het varken een extraatje: een appel, een wortel, een in jus gedoopt stuk brood. Dan knorren ze allebei, pa goedkeurend om de omvang van het beest, terwijl het varken met vochtige, snuivende grommen van extase het extraatje naar binnen schrokt. Maar de slachting zal niet netjes en rap verlopen. Dat weet Sean uit ervaring. Zijn handen zullen rood gekleurd worden door het bloed. Er zal bloed in zijn gezicht spatten en in zijn kleren dringen. De stank van de dood zal nog weken blijven hangen.

Hij denkt na over de cyclus van Derry's leven, herinnert zich wat een klein biggetje hij was toen hij arriveerde en hoe ze hem langzaam hebben vetgemest, hoe ze gewend raakten aan zijn geknor en zijn opgewonden gegil, hoe komisch hij eruitzag als hij hardliep, hoe heerlijk hij het vond om in de modder te rollen en hoe hij genoot als je hem krabde met een tak. En dan ziet hij in zijn herinnering een andere scène, waarin een pastei de hoofdrol speelt – de pastei waar Derry uiteindelijk in terecht was gekomen.

Zijn moeder had die gebakken. Ze kon goed koken. Ze hadden toen inmiddels een klein fornuis. Hij zat haar vaak te bespieden, te kijken wat ze deed in de keuken wanneer ze daar in haar eentje was. Hij gluurde dan door het raam boven de gootsteen. Hij vond het prachtig om te zien hoe ze constant in beweging was, nooit stilhield, altijd bezig was met snijden, hakken, schillen, wegen, wassen, schrobben, roeren. Haar lange, serge rok zwiepte als een bezem als ze heen en weer liep. Af en toe ging ze op de driepoot zitten om het vuur op te rakelen. Ze liet haar tong dan langs haar tanden gaan, op haar wangen verschenen blosjes en zweetdruppeltjes parelden op haar neus. De zilvergrijze kralen van haar rozenkrans liet ze door haar rode handen gaan.

'Wees gegroet Maria, vol van genade, de Heer is met U; gij zijt de gezegende onder de vrouwen.'

Vandaag staat het raam op een kier en ruikt hij haar zweet en de rook en de dampende zeepbellen in de emaillen gootsteen. Hij denkt aan de plek onder haar rok, de zachte, vochtige plek tussen haar benen, de zoute vochtigheid van die plek, waar hij ooit uit is gekomen.

'En gezegend is Jezus, de vrucht van Uw schoot.'

Met één hand doet ze brokken van Derry in de vleesmolen die

op de rand van de keukentafel geklemd staat, terwijl ze met haar andere hand aan de hendel draait. Hij ziet de roze vleeswormen wriemelend uit de gaatjes komen. Zijn moeder strijkt lokken van haar vette zwarte haar uit haar ogen en fronst haar borstelige zwarte wenkbrauwen als ze de wormen kruidt in de roomwitte porseleinen mengkom. Hij bespiedt haar weer als ze boter door een sneeuwwitte berg bloem kneedt, er een druppeltje water aan toevoegt en de massa met de houten deegroller bewerkt, er met haar hele gewicht op leunend, tot het een gladde plak is geworden. Hij kijkt naar haar als ze de massa Derry-wormen in een ovenschaal schept en dan voorzichtig de deegplak eroverheen tilt, de randen tussen haar vingertoppen geklemd. Tot slot prikt ze er met een vork wat gaatjes in en ze schildert de plak goudgeel door haar bakkwast in het opgeklopte schuim van een eierdooier te dopen. De pastei moet langzaam gaar worden. Na een uur komt hij terug om zich weer tussen de struiken onder het raam te verschansen. Het water loopt hem in de mond als de heerlijke geur in de zomerse warmte naar hem toe drijft. Als hij wegsluipt, valt hij in een bosje brandnetels. Eerst voelen de blaadjes fluwelig aan, dan verandert het fluweel in metaal dat gemeen over zijn kuiten en armen schraapt.

De volgende ochtend, na het melken, bespiedt hij haar weer als ze voor hem en Emmet boterhammen klaarmaakt om mee te nemen naar school. Hij ziet hoe ze dikke sneden brood en plakken kaas snijdt, en ze in het midden van twee vierkante lappen geruit katoen legt. Dan ziet hij haar naar de provisiekamer lopen, de deur opendoen, naar binnen gaan en terugkeren met de pastei. De korst heeft de kleur van de middagzon en als ze het mes erin zet blijft er een laagje transparante gelei aan het zilverkleurige lemmet plakken. Het water loopt hem in de mond. Ze snijdt een punt uit de pastei, legt die op een van de doeken en knoopt beide doeken dan dicht. Ze zet de pastei weer in de provisiekast en legt de lunchpakketjes op het donkere dressoir. Als ze hun pap tot op de laatste hap hebben opgelepeld lopen Emmet en hij naar het dressoir om de bundeltjes te pakken. Als ze dat ziet, staat ze snel op en pakt de bundeltjes zelf, in elke hand een. Sean weet in welke de punt pastei zit omdat hij heeft gezien hoe ze ze neerlegde. Die met de pastei heeft ze in haar rechterhand. Haar zonen staan voor haar, wachtend op haar zegen. Sean houdt zijn adem in. Zijn moeder kijkt hem recht in zijn opvallende ogen als ze hem het bundeltje geeft dat ze in haar linkerhand heeft. Dan kijkt ze naar Emmet en als ze hem het andere bundeltje geeft, komt er een zachte glans in haar ogen. 'Ku-kel-le-kuuuu!' kraait de haan op het erf.

De hele dag denkt Sean aan de pastei, aan hoe heerlijk die moet smaken en hoe de knapperige korst op je tong zal smelten. Hij ziet de sappige roze wormen, die samen met de stukjes wit vet zijn samengesmolten tot een stevige vleesmassa. Hij beeldt zich in hoe Emmet zijn bundeltje openknoopt, hoe zijn hebberige ogen gaan glinsteren als hij de pasteipunt ziet. Hij beeldt zich in hoe hij de pastei achter elkaar in zijn gulzige mond met de vooruitstaande tanden propt, als een varken, zonder stil te staan bij de smaak, de textuur, alle Derry-dagen die nodig zijn geweest om deze pastei te kunnen maken. De kaas op zijn brood ligt hard en bitter in zijn mond en het brood lijkt muf en zuur. Het is alsof het alle sappen aan hem onttrekt. Hij gaat naar de wc en spuugt het bewijs van de discriminatie uit, het knorren van zijn lege maag negerend.

Die dag leren ze op school dat er vroeger in Ierland wolven leefden. Toen de eikenbossen werden omgehakt en het land ontgonnen, zagen de hongerige wolven zich gedwongen op de landerijen naar eten te zoeken. Ze doodden koeien en schapen, en de boeren begonnen op hen te jagen tot ze volledig waren uitgeroeid. Sean stelt zich voor hoe het moet zijn geweest om die laatste wolf te zijn, groot, grijs en eenzaam, met een dikke staart, een lange snuit en spitse oren, en ogen zo scherp als onbeantwoorde liefde. Hij beeldt zich in hoe die wolf moet hebben gezocht naar zijn soortgenoten, hoe hij 's nachts had rondgezworven, zijn eenzame ogen zilverkleurig in het maanlicht, en hoe hij had gejankt van verdriet. Hij wil janken als die laatste wolf. Hij heeft daar zo'n dringende behoefte aan dat hij niet tot zondag kan wachten. Als iedereen naar bed is, als ze allemaal slapen, glipt hij naar buiten en sluipt door het maanlicht. Hij rent lichtvoetig over het donkere land tot hij bij haar is. De ambergele volle maan en de zeilende wolken worden weerspiegeld op haar gladde oppervlakte, die glanst als parelmoer. Hij gooit zijn kleren van zich af en laat zich in haar glijden. Ze kreunt. Koud en hard, als met spijkers van glas, grijpt ze zijn lichaam. Hij vult zijn longen als ballonnen en duikt, diep, steeds dieper, de duisternis in. Dan opent hij zijn mond en als ze bij hem naar binnen stroomt, jankt hij als die laatste wolf.

In Brighton is het naast Sean op het bankje een komen en gaan: een bejaard echtpaar, twee kibbelende jonge vrouwen, een man die water uit een fles over zijn hijgende hond sprenkelt, een gezin met twee kinderen die zich als lianen rond de smeedijzeren armleuningen slingeren. Hij weet dat het tijd is om te gaan, dat hij de trein moet halen, maar als hij door High Street loopt, treuzelt hij als een spijbelende schooljongen. Hij stapt een portiek binnen om een slokje uit zijn heupfles te nemen en begroet de kick die hij ervan krijgt als een dierbare oude vriend. Hij waant zich bijna in Zuid-Europa met al die caféterrasjes en mensen die als luie katten in de zon zitten. De envelop knispert weer. Er zit twintigduizend pond in, een kapitaal. De komende paar uur is hij een rijk man. Impulsief gaat hij op een van de terrasjes zitten om een ijskoud biertje te drinken. Als hij deze trein mist, neemt hij gewoon de volgende, of die daarna. Het maakt niet uit. Het heeft geen haast. Hij kan doen wat hij wil.

Zijn bestelling wordt opgenomen door een meisje met een witte lok in haar sluike bruine haar en een bril met vierkante glazen die een koperen glans hebben vanwege de zon. Misschien ligt het aan het weer, misschien aan het geld waar zijn hartslag dwars doorheen lijkt te gaan, maar weer kijkt hij achterom naar vroeger tijden. En nu denkt hij aan zijn opa, de vader van zijn vader, de opa die niet deugde. Zo werd hij door iedereen aangeduid: de opa die niet deugde. Sean had hem echter meegemaakt voordat het zover was, toen hij nog wel iets goeds in zich had. Hij was een keer op de boerderij komen logeren. Seans moeder was ziek geworden en in een ambulance naar het ziekenhuis gebracht.

Ze was in de achtste maand toen het gebeurde. Er gleden vaak kleine baby's uit zijn moeder. Elke keer dat ze zwanger werd, ging ze naar de kerk om tot God en de Here Jezus en alle heiligen te bidden het kind in haar te laten zitten. Thuis bad ze ook, op haar knieën voor het kleine altaar dat ze voor de maagd Maria had gemaakt, in de keuken. Haar knieën werden rood en rauw van al dat bidden, maar de ene na de andere baby gleed naar buiten, koppig weigerend in het warme rood van haar binnenste te blijven zitten. Sean vroeg zich af of de baby's hadden geweten wat voor leven hun op de boerderij wachtte, en er de voorkeur aan hadden gegeven terug te keren naar waar ze vandaan waren gekomen. Hoe dan ook, deze baby had het volgehouden en was gegroeid tot de buik van zijn moeder strakgespannen stond. Het was lente en ze had een bos veldbloemen geplukt: margrieten, klaprozen en boommalva. Ze zette de bloemen in een glazen pot op het altaar.

'Om haar te danken,' zei ze. Ze knielde op haar gezwollen knieën, begon te kreunen en kon niet meer opstaan. Zijn pa ging met haar mee. Emmet werd naar een oom en tante gestuurd. Sean moest achterblijven om voor de boerderij te zorgen en opa arriveerde in zijn gedeukte pick-up om hem daarbij te helpen. Zijn grootvader was een grote kerel die naar whisky, tabak, oud vuil en zweet rook. De weinige keren dat Sean hem had gezien, had hij altijd dezelfde kleren aan gehad, die eruitzagen alsof ze al jaren niet waren gewassen. Broekspijpen als boomstammen, stijf van het vuil, bretels vol olievlekken, een grauw, opgelapt overhemd, waarvan de knoopjes op zijn dikke buik niet dicht konden, besmeurd met vlekken van gemorst eten, en een oude, versleten hoed op zijn hoofd, een platte hoed met een smalle rand.

Maar het was Sean die al het werk deed, terwijl opa in de luie stoel bij de kachel zat met zijn pijp en zijn whisky. Toen Sean thuiskwam na een hele dag op de akkers te hebben gewerkt, was de fles halfleeg, had zijn opa de tabak uit de pijp op de keukentafel losgeklopt en was de kachel uit. Sean viel om van de honger en had gehoopt op een bord warm eten, misschien zelfs Colcannon, zijn favoriete maaltijd, bestaande uit aardappelpuree, kleingesneden kool en room, of een plak gekruide bloedworst. Omdat er niets klaarstond, begon hij in de kastjes te zoeken.

'Wat doe je daar?' vroeg opa lijzig vanonder zijn platte hoed. Sean schrok zich te pletter, want hij had gedacht dat hij sliep. Opa trok zijn hoed van zijn hoofd en tuurde naar hem met zijn ene goede oog. Het andere oog was een groenige vlek waar Sean doodsbang voor was.

'Ik heb honger,' antwoordde hij timide.

Opa hees zich uit de stoel en begon samen met hem in de kasten te zoeken. Ze vonden twee etiketloze blikjes. Opa maakte ze onhandig open met een zakmes dat opgedroogd bloed op het lemmet had. Sean pakte twee lepels en toen gingen ze aan de keukentafel zitten. In Seans blik zaten witte bonen, in dat van opa appelschijven die hij smakkend met zijn vlezige, natte lippen naar binnen werkte. Ze moesten oppassen dat ze hun mond niet openhaalden aan de puntige metalen randen. Halverwege wisselden ze. Daarna stak Sean een kaars aan. Zijn opa dronk nog een paar slokken whisky en liet een boer. Hij vertelde hem verhalen over hoe hij als matroos had gewerkt om gratis de Atlantische Oceaan te kunnen oversteken naar Amerika. Maar Amerika was hem niet bevallen. 'Je moest te hard werken voor te weinig geld. Geen leven voor een echte kerel.' Dus was hij teruggekeerd naar het groene land.

Later, toen Sean op het punt stond naar bed te gaan, zei opa: 'Heb je zin om een eindje te rijden, jochie?' Sean knikte, ook al vond hij het een beetje raar om zomaar in het donker rond te rijden. Ze reden een heel eind. De auto hoestte en sputterde en liet knetterende scheten, en Sean werd zo door elkaar gerammeld dat hij dacht dat hij uit elkaar zou vallen. Zijn opa leunde op het stuur en tuurde met zijn goede, roodomrande oog naar de ongeplaveide weg die zich voor hen uitstrekte. 'Weet je waar we naartoe gaan, jochie?' vroeg hij. Sean zei van niet. Zijn opa grinnikte en legde een groezelige vinger tegen zijn neus, een grote neus die scheef begon en in tegengestelde richting eindigde. Ze stopten bij een schuur waar nog meer auto's en pick-ups geparkeerd stonden. Toen hij uit de auto stapte, rook Sean olie, en liet hij een boertje dat de geur van bonen en appels had. Hij keek op en zag sterren van staal die in de gitzwarte wanden van de nacht waren getimmerd. De maan had de kleur van pompoenen en leek te deinen waardoor ernaar kijken hem hetzelfde duizelige gevoel gaf als wanneer hij een radslag had gemaakt.

Binnen brandden olielampen. In de schuur stonden mannen opeengepakt als sardientjes. Het vibrerende geluid van opgewonden stemmen steeg en daalde, en Sean zag geld van eigenaar wisselen. Aangezien zijn grootvader hem meteen leek te zijn vergeten, wurmde hij zich door de massa naar de voorste rij die rond een met zaagsel bedekte ruimte stond. Daar draaiden twee mannen met ontbloot bovenlichaam om elkaar heen als briesende stieren. Sean vond het net David en Goliath. David was klein en potig, met brede schouders en een borstelige bruine snor. Goliath was groot, had een lange nek en een kaal hoofd. Toen hij er de volgende dag aan terugdacht, kon Sean zich niet herinneren wie als eerste had toegeslagen. Hij wist alleen dat de hel opeens was losgebarsten en de schuur was gevuld met het kabaal van juichende stemmen en ophitsende kreten. De massa drukte in zijn rug. De geur van zweet en razernij, van walmende olie en koortsachtige dromen drong in zijn neus. De vuisten flitsten en de krakende klappen deden rillingen over zijn rug lopen. Bloeddruppels spatten tegen zijn wang. Kreunend en grommend werden de vuistslagen geïncasseerd. Een van Davids ogen zwol zo op dat hij hem niet meer kon openen, maar hij bleef vechten. Sean was ervan overtuigd dat Goliath als winnaar uit de bus zou komen, maar het was David die het gevecht won met een slimme hoekstoot die de reus niet zag aankomen. Terug op de boerderij kreeg Sean voor het eerst van zijn leven whisky te drinken. Het voelde alsof een hete sintel zijn keel schroeide.

'Lekker?' vroeg opa.

Hij schaamde zich rot, want hij vond het inderdaad lekker. Hij vond het zo lekker dat hij nog een slok nam. Opa wreef over zijn stoppelbaard en trok aan zijn pluizige grijze haren. Hij nam zijn neus tussen zijn wijsvinger en duim en bewoog hem heen en weer. Sean hoorde het bot kraken. Toen stak opa zijn grote hand in zijn zak en legde vijf briefjes van twintig op de keukentafel. 'Toen we vanavond vertrokken, had ik er hier maar één van,' zei hij. 'Ik heb gewed en gewonnen. Nu heb ik er vijf. Daar kun je iets van leren, jochie.'

Sean had nog nooit zo veel geld gezien. 'Hoe wist u dat de kleine man zou winnen?' vroeg hij slissend, terwijl hij slaperig in zijn ogen wreef en zich een beetje draaierig voelde.

Zijn grootvader trok zijn schouders op en liet ze als met een bons weer zakken. 'Ik heb erop gegokt. Vandaag ben ik een rijk man zonder dat ik daarvoor een vinger heb hoeven uitsteken.'

De baby, een meisje, werd doodgeboren. Sean had niet gedacht dat hij het zich zou aantrekken, maar toch had hij verdriet. Hij had een zusje verloren voordat hij haar had gekend. Ze werd begraven in een piepkleine doodskist. Ze lieten de kist in een piepklein graf zakken waar een houten kruis op werd gezet. Zijn moeder had haar de naam Molly gegeven. Sean vond het zielig toen ze werd begraven, wat vreemd was omdat hij haar helemaal niet had gekend. Na Molly kwamen er geen baby's meer. En hij zag zijn opa nog maar een enkele keer, gezeten aan een tafeltje voor een pub in Kildysart, drinkend uit een fles, zachtjes zingend. Tegen die tijd zei zijn pa dat het nu echt met hem afgelopen was.

In Brighton heeft Sean het biertje op en hij voelt zich alsof zijn hoofd op een koele, lichtgroene zee dobbert. Hij hoort de zeemeeuwen nog steeds tegen elkaar schreeuwen en krijsen. Hij betaalt de rekening en vertrekt. Op weg naar het station komt hij langs een bookmakerskantoor. Heel even aarzelt hij. Dan gaat hij naar binnen.

'Vandaag ben ik een rijk man zonder dat ik daarvoor een vinger heb hoeven uitsteken,' fluistert hij, en hij denkt aan de flonkering in zijn opa's goede oog.

21

Donderdag 12 augustus

MIDDAG. OWEN WORDT GEK VAN HET AFSTOMPENDE GEBONK VAN de bassen. En hij zal nooit meer klagen over saaie, grijze luchten en motregen. In de sauna van deze eindeloze hittegolf zijn dergelijke dingen droombeelden geworden, net zo zeldzaam en wonderbaarlijk als eenhoorns. Een zweetdruppel glijdt kriebelend tussen zijn schouderbladen naar beneden. Sean zou zo onderhand weleens terug mogen komen. Hij had gehoopt hem hier vanochtend vroeg al aan te treffen, zodat ze samen de kraam hadden kunnen openen, en dat hij dan misschien een vrije middag had kunnen nemen. Hij kijkt afwisselend op zijn horloge, waarop de wijzers hardnekkig blijven draaien, en naar de trap, die gedeeltelijk is overgoten met zonneschijn. Ze groeien als ze afdalen, de nieuwe bezoekers, schoenen, spijkerbroek, rokje, topje, en tot slot de gezichten die erbij horen. Hij kijkt uit naar het bekende goedkope kostuum en zijn hart mist een slag als hij opeens Blue ziet die laatdunkend de koopwaar van een naburige kraam betast, met zijn lijfwacht zoals altijd pal achter hem.

De vrouw achter de kraam kijkt nerveus en is duidelijk achterdochtig om de belangstelling die uit zo'n onverwachte hoek aan de dag wordt gelegd voor haar goedkope souvenirs. Owen voelt zijn hart bonken en krijgt koude rillingen terwijl hij hen gadeslaat. Met niet meer dan een nauwelijks merkbaar stootje en een zijdelingse beweging van zijn ronde, doffe ogen laat de lijfwacht aan Blue weten dat Owen hen heeft gezien. Blue heft zijn hoofd op, draait zich traag om en plakt de parodie van een glimlach op zijn gezicht. Het tweetal kuiert naar hem toe. Owen staat met zijn rug tegen de toonbank en verstijft als ze hem onderzoekend bekijken. Hij voelt de zenuwen van zijn vingers trekken, voelt de onrustige spanning in de pezen.

'Zou ik je even kunnen spreken?' vraagt Blue. Op Owens voorhoofd verschijnt automatisch een frons. Ze sluiten hem in, vormen een barrière tussen de marktkraam en de drentelende bezoekers.

'Waarover?' vraagt hij. Hij houdt zijn toon vriendelijk.

Blue grijnst als een roofdier. 'Niet over jou, maak je geen zorgen. Ik wil alleen maar wat informatie.'

Hij draagt een vleeskleurig overhemd waarvan de mouwen zijn opgerold en de bovenste knoopjes openstaan waardoor de vale huid van zijn borst zichtbaar is. Onder de neonlampen van de markt is het overhemd net een losse tweede huid. 'Warm voor de tijd van het jaar, hè?' Op de kruk ligt een krant die Owen heeft doorgekeken, op zoek naar baantjes bij restaurants. Blue pakt hem en begint zich koelte toe te wuiven. 'Het is hier om te stikken. Ik snap niet hoe je het uithoudt.' Hij likt aan zijn smalle lippen en trekt aan de voorkant van zijn overhemd. 'Me dunkt dat ze voor al die arme donders hier wel airconditioning konden regelen. Dat zou je zeker wel willen, hè? Lekkere koele lucht.' Hij tast naar zijn oorlel en draait aan het flonkerende oorknopje.

'Wat, eh... wat wilt u?' vraagt Owen hakkelend.

Blue's lijfwacht verjaagt twee Japanse vrouwen die de tassen op de hoek van de toonbank staan te bekijken. 'We zijn gesloten,' lispelt hij met zijn hazenlip en hij drijft de vrouwen met gespreide armen bij de kraam vandaan.

'Als u Sean moet hebben... die is er niet,' zegt Owen, steeds minder op zijn gemak.

Blue krabt bedachtzaam aan zijn spitse kin en wisselt een korte blik met de gorilla. 'Dat is jammer, want die moet ik inderdaad hebben. Sean. Je baas. De Ier. Hij is er met mijn geld vandoor.

Weet je toevallig waar hij is? Denk goed na voordat je antwoord geeft.'

Owen probeert te slikken, maar zijn mond is te droog. 'Hij... eh... hij zei dat hij een paar dagen weg moest. Hij heeft niet gezegd waar naartoe. Meer weet ik niet.'

Blue krabt zichzelf onder zijn overhemd. Het is net alsof hij zijn hand onder zijn huid heeft gestoken. Hij bekijkt Owen aandachtig zonder met zijn kille blauwe ogen te knipperen. 'Dat is spijtig,' zegt hij dan. 'Heel spijtig. Als hij belt, moet je zeggen dat ik hem op het spoor ben.' Zijn blik glijdt naar de gorilla.

Dan loopt hij weg, met zijn lijfwacht in zijn kielzog.

'Tot gauw,' roept hij over zijn schouder, en hij steekt met een achteloos gebaar zijn hand op.

Owen sluit de marktkraam vroeg. Naomi is er niet als hij thuiskomt. Hij maakt een kop koffie, gaat op de bank zitten en probeert na te denken. Hij doet erg zijn best om zich volwassen en verstandig te gedragen, maar de tranen van een kleine jongen die geen kracht meer heeft om te vechten, beginnen te vloeien. Hij laat ze komen om alle opgekropte, verwarrende emoties die nu al weken in hem opgesloten zitten, de vrije loop te geven. Als hij is uitgehuild, gaat hij naar de badkamer, waar hij zijn gezicht met koud water wast en stevig afdroogt, vastbesloten zijn kop er nu weer bij te houden. Sean heeft zich in de nesten gewerkt, dat is duidelijk. Owen heeft hem gewaarschuwd dat hij zich niet met onderwereldfiguren als Blue moest inlaten. Het is zijn probleem niet. Het zou ook zijn gebeurd als hij niet voor hem was komen werken. Hij besluit te wachten tot hij Sean heeft gesproken. Sean zal hem op een gegeven moment toch wel moeten bellen. Dan zal hij tegen hem zeggen dat hij vertrekt. Sean heeft al zijn problemen aan zichzelf te danken en moet dan ook zelf maar zien hoe hij ze oplost. En dat nieuwe begin dat Owen zichzelf heeft beloofd, die tweede kans, die gaat hij aangrijpen, hij gaat het proberen, of zijn vader dat nou goedvindt of niet.

Hij keert terug naar de zitkamer, gaat voor het raam staan en kijkt naar het gekrioel op straat. Dan laat hij zijn blik door de kamer gaan. Hij weet waarachtig niet wat hij hier doet, in deze kamer met het kitscherige kralengordijn, de rode lampionachtige lampenkap, de scheve poster van Jimi Hendrix en de lavalamp waarin de oranjebruine bubbels nu als rotte eierdooiers op de bodem van de glazen houder liggen. Zijn blik volgt de botergele zonnestralen die door de ramen naar binnen vallen, helemaal naar de blauwe lucht waarin vliegtuigen kruiselingse condensstrepen achterlaten.

Een halfuur later komt Sean thuis. Hij laat niet merken of het hem verbaast dat Owen op de bank zit in plaats van de marktkraam te bemannen. Hij vraagt ook niet waar Naomi is. Hij staart Owen alleen maar aan, zonder iets te zeggen. Hij ziet eruit als iemand die een zware griep heeft maar desondanks uit bed is gekomen omdat hij dringend iets moet doen. Hij maakt een uitgeputte indruk en zijn huid heeft een ongezonde glans. Zweet parelt op zijn neus en voorhoofd. Zijn bloeddoorlopen ogen houdt hij half toegeknepen, alsof ze het licht niet kunnen verdragen. Zijn handen heeft hij diep in zijn broekzakken gestoken. Tegen zijn gewoonte in draagt hij geen colbertje. Zijn kleren zien er verkreukeld en smoezelig uit. Alleen zijn haar is netjes gekamd, met brillantine, opdat er geen haartje de verkeerde kant op zal gaan staan. Owen is degene die de impasse doorbreekt door hem te vertellen dat Blue naar de marktkraam is gekomen.

'Hij zei dat hij je op het spoor is,' beëindigt hij zijn relaas.

'Sorry voor de overlast,' zegt Sean. 'Sorry dat ik je hierbij betrokken heb. Alles oké met jou?' Hij klinkt uitgeput, zijn stem is schor, maar je kunt horen dat hij het meent.

'Ja,' antwoordt hij. 'Ze hebben me niks gedaan.'

Sean ijsbeert rusteloos door de kamer, maar blijft bij de ramen vandaan. Hij zit voortdurend ergens aan te frunniken. Hij wrijft over zijn kin, krabt aan het plekje in zijn hals waar de uitslag nu vuurrood is, laat zijn knokkels knakken. Owen neemt uiteindelijk de leiding. Hij staat op, loopt door de kamer naar de eetkamertafel en gaat zitten. Sean volgt zijn voorbeeld. Zijn ogen drukken niets dan droefenis uit als hij hem aankijkt.

'Wat heb je gedaan?' vraagt Owen. Sean hapt naar lucht als een vis op het droge. 'Je kunt niet aan hen ontsnappen.'

Hij knikt. 'Ik regel wel iets. Ik heb wat pech gehad, dat is alles. En nu heb ik wat tijd nodig om na te denken.' Hij zit op de stoel met de scheur in de armleuning. Hij trekt aan het flapje van geel plastic.

'Waar is het geld van Blue?' Owen weet eigenlijk al wat het antwoord is.

'Ik krijg het heus wel terug.'

Er liggen drie van bamboelatjes vervaardigde placemats op de tafel. Sean pakt er een en begint hem te vouwen als een accordeon. 'Het... het was juist zo'n eenvoudig klusje. Een fluitje van een cent. Je neemt de trein naar Brighton, gaat naar de pier, neemt van een man een pakketje aan en levert dat af op een adres in Londen.' Hij praat zachtjes, met lichte zelfverachting in zijn toon. 'Dat was het enige wat ik hoefde te doen... een pakje doorgeven. Net zoals in dat spel dat kinderen op verjaardagen doen. Hoe heet het?'

'Weet ik niet. Pakje doorgeven?' zegt Owen.

'Denk je? Zou best kunnen. Pakje doorgeven.' Hij stopt en haalt diep adem. Naar de donkere kringen onder zijn ogen te oordelen, heeft hij de afgelopen nacht geen oog dichtgedaan. 'Het probleem is alleen dat ik dacht dat de muziek gestopt was,' gaat Sean door. 'Ik dacht dat ik aan de beurt was om het pakje open te maken.' Hij trekt zijn mond tot een ironische grijns en leunt naar voren. Zijn adem stinkt naar drank. 'Maar het is niet erg. Ik heb vrienden die me kunnen helpen. Het is maar geld. Een tijdelijk tekort. Ik kan dat makkelijk regelen,' vertrouwt hij hem op een fluistertoon toe.

'Je bent dronken,' stelt Owen kalmpjes vast.

'Niet zo dronken als ik zou willen zijn, ouwe jongen,' antwoordt Sean met iets van de oude vertrouwde flonkering in zijn ogen.

'Om hoeveel geld gaat het?'

Sean haalt een heupfles uit zijn zak, schroeft de dop eraf en neemt een slok. Hij knijpt zijn ogen dicht terwijl hij de dreun incasseert. Dan doet hij ze weer open. 'Dat gaat je niks aan. Ik krijg het heus wel terug. Geef me een dag of twee, dan is dit allemaal verleden tijd.'

'Ga alsjeblieft niet meer gokken.'

'Daar gaan we weer.' Sean legt zijn hand op die van Owen. Zijn huid is erg droog, als papier, droog en koud. 'Wat heb ik je gezegd? Het priesterschap, dat zou goed bij je passen. Je bent net als Emmet. Een zuur gezicht trekken, zonden tellen en aan andere mensen vertellen wat ze allemaal fout doen. Vanaf het allereerste moment dat ik je zag, wist ik dat je niet geschikt bent voor zakendoen. Heb ik gelijk?' Owen voelt zijn maag branden. Gal stijgt op naar zijn keel. Hij houdt zich met man en macht in bedwang om niet te gaan kokhalzen. 'Zeg maar niks. Het antwoord staat op je gezicht te lezen. Jij zou die rotzooi nog gratis weggeven als je de kans kreeg.'

Halve maantjes van zweet veranderen langzaam maar zeker in volle manen onder Seans oksels en op zijn borst. Diep onder het vernis van zijn vleierige gezwam bespeurt Owen, vaag maar herkenbaar, het zuur van pure angst. Sean heeft het monotone vouwen en ontvouwen van de placemat hervat. Zijn vingers glijden over de bamboelatjes om ze onbewust te tellen, zodat elke plooi een even groot aantal latjes bevat.

'In het begin ging het zo goed, maar toen veranderde dat opeens. Ik heb dapper volgehouden, ik zei aldoor tegen mezelf: als je deze nou wint, kun je ermee ophouden en naar huis gaan en dan hou je nog geld over ook. Ik zou er niet rijk van geworden zijn, maar ik had mijn vrouw en dochter in elk geval eens kunnen trakteren op een weekend in een luxe hotel.' Hij duwt de placemat driftig van zich af. Het matje glijdt van de tafel op de grond. Sean staat op. 'Nu weet je hoe het zit. En nu ga ik er niet met mijn vrouw, maar in mijn eentje een weekendje tussenuit. Ik heb tijd nodig om na te denken.'

'Sean, je weet dat ik vertrek. Ik kan niet langer blijven.' Owen is ook opgestaan. Ze kijken elkaar aan. 'Sorry.'

'O, dat zit wel goed. Ik begrijp het best. Maar blijf alsjeblieft dit weekend nog.'

'Nee, Sean. Ik moet echt gaan.'

'Alleen dit weekend, Owen. Dat is het enige wat ik verlang. Ik zal je goed belonen. Echt waar.' Om dat laatste moet Owen bijna hardop lachen. Alleen Sean, die tot aan zijn nek in de schulden zit bij een woekeraar, is in staat je zo'n aanbod te doen. 'Probeer het nog een paar dagen vol te houden. Ik kom zondag terug. Erewoord. Als je tot dan de kraam voor me zou kunnen beheren...'

Owen zucht. Hij wil nee zeggen. Hij wil zeggen dat Sean naar de maan kan lopen, dat hij het verder zelf maar moet uitzoeken. Maar hij kan dat niet zeggen. Iets weerhoudt hem ervan. Hij aarzelt en zegt dan: 'Meen je het echt?'

'Zo waar als ik hier sta,' zegt Sean.

'Heb je een telefoonnummer waar ik je kan bereiken?'

'Ik bel jou wel. Dat is makkelijker. Je weet het, ik blijf nooit lang op één plek. Ik heb tegen Catherine gezegd dat ze met Bria naar haar ouders moet gaan tot ik terugkom. Ik heb ook gezegd dat ze jou moet bellen als er iets is. Ik hoop dat je dat niet erg vindt.'

Hij knikt, blij dat Catherine en de baby in veiligheid zullen zijn. 'Maar maandag vertrek ik. Wat er ook gebeurt.'

'Snap ik. Fijn dat ik op je kan rekenen, Owen!'

Fijn dat ik op je kan rekenen. Bij het horen van die woorden neemt het verkrampte gevoel in Owens binnenste iets af. Veel later, lang nadat Sean is vertrokken, als Owen in bed ligt, komt Naomi thuis. Hij hoort haar rommelen in de keuken en de badkamer, de zachte geluiden die erop wijzen dat ze zich gereedmaakt om te gaan slapen. Dan wordt het weer stil, op het gerochel van de lekkende kranen na. Hij kan zich er niet toe brengen het leeslampje uit te doen. Veel is het niet, deze poel van licht, niet groter dan een schijnwerper op een verduisterd podium, maar hij kruipt er niettemin dicht naartoe, met zijn hoofd in het kussen gedrukt. Laat ze alsjeblieft niet komen, smeekt hij in stilte. Laat ze vannacht alsjeblieft niet komen. Ik wil de stem van Sarah niet horen. Hij speurt het schemerdonker af naar het Waterkind, maar moet zich er uiteindelijk bij neerleggen dat het er niet is. Het Waterkind is deze hele lange, warme zomer niet bij hem gekomen. Misschien heeft het hem in de steek gelaten. Misschien zal de volgende keer dat ze hem belagen de laatste keer zijn. Hij droomt dat ze hem vangen in een met zweet doordrenkt laken, dat ze hem door de ondoordringbare duisternis van diep water sleuren. Hij dreigt te verdrinken in een hel waar het krioelt van slijmerige zeeslangen als hij wakker wordt van haar stem. Hij hapt naar adem en gaat verward rechtop zitten. Ze zit op de grond naar hem te staren, net zoals de vorige keer.

'Je was aan het dromen, Owen.'

'O, sorry. Heb ik geschreeuwd of zo?' vraagt hij hijgend.

Ze houdt haar hoofd schuin en kijkt hem onderzoekend aan. 'Nee, je was aan het mompelen,' zegt ze zachtjes. 'Aan één stuk door.' Ze zwijgen en luisteren naar het amechtige gerochel van de kranen. Dan begint ze met haar voeten op de houten vloer te roffelen. Het holle geluid werkt op zijn zenuwen. Even plotseling als ze is begonnen, houdt ze ermee op. Ze draagt een vestje en een broek en verder niets. Hij ziet een pakje sigaretten op de grond liggen, met een aansteker erbij. Ze heeft een sigaret tussen haar handpalmen, onaangestoken. 'We hebben dus allebei last van nachtmerries.'

'Je was laat thuis,' zegt hij, al heeft dat er niets mee te maken.

'Ik was naar een vriendin, een nieuwe vriendin.'

Hij vertelt haar dat Sean zondag pas terugkomt, dat hij zich in de nesten heeft gewerkt en nu Blue geld schuldig is. Ze haalt onverschillig haar schouders op.

'Arme Sean,' zegt ze. Haar toon is in strijd met de woorden. 'Arme, arme Sean.'

'Volgende week vertrek ik.'

'Ik ben deze hitte zo zat,' zegt ze alsof ze hem niet heeft gehoord. 'Ik wou dat ik naar het meer kon afdalen en er poedelnaakt in duiken. Ik kan de schok van de kou bijna voelen. Weet je nog die avond dat ik in het meer ben gaan zwemmen, Owen? Onze laatste avond. Het koude, zwarte water. In deze hitte kan niemand slapen. Mijn vriendin ook niet. Ze heeft een baby die erg onrustig is. We zijn dus allemaal wakker. Jij, ik, mijn vriendin, haar baby.' Ze doet de sigaret terug in het pakje. 'Het is zelfs te warm om te roken.'

'Die vriendin van je... wie is dat?' vraagt Owen ongedurig. Hij strijkt een kreukel in het laken glad op zijn dijbeen.

'Zal ik het je dan maar vertellen?' zegt ze. 'Ik ben bij Catherine en Bria geweest.' Hij staart haar ongelovig aan en voelt weer de beklemmende angst die hem inmiddels bekend is.

'Catherine is erg eenzaam, zie je. Ja, vind je het gek. De hele dag in haar eentje in dat huis, met alleen de baby als gezelschap.'

'Weet ze wie jij bent?' vraagt hij, op heel zachte toon.

Ze glimlacht en tikt met een vinger op het pakje sigaretten voordat ze antwoord geeft.

'Nee. Voor Catherine ben ik Mara. Ik ben getrouwd met een architect en in verwachting van mijn eerste.'

'In verwachting?' herhaalt hij stompzinnig. 'Maar...' Dan heeft hij het door en zakt zijn mond open. Het kussen in de boodschappentas, de wijde tuniek.

'Voor haar doe ik net alsof, ik speel vader en moedertje. Bria is een dotje, zo kwetsbaar als een porseleinen poppetje en net zo mooi. Haar blonde haartjes zijn een beetje rossig en ze heeft de ogen van haar vader. Catherine zegt dat ze veel huilt, maar toen ik haar uit de kinderwagen tilde, gedroeg ze zich voorbeeldig. Zo klein, zo licht. Zolang ze nog zo klein zijn, moet je goed oppassen, want dan zijn ze erg kwetsbaar.' Hij onderdrukt een sterke aandrang haar de les te lezen. Hij voel instinctief aan dat hij voorzichtig moet zijn.

'Ik heb tegen haar gezegd dat ik op een jongetje hoop. Ik heb ooit een baby moeten verzorgen. Heb ik je dat verteld?' Hij schudt zijn hoofd. Ze is opgestaan bij deze onthulling en gaat nu op het voeteneinde van zijn bed zitten. 'Catherine heeft een kinderwagen met een piepklein matrasje en frisse, zachte, witte lakentjes met aan de randen geschulpt kant dat lijkt op de vleugels van engeltjes. En een dekentje zo zacht als dons, met een roze geappliqueerde teddybeer erop.'

'Waarom?' vraagt hij.

'Waarom wat?'

'Waarom ben je naar haar toe gegaan?' Hij wrijft over zijn gezicht alsof hij nog niet goed wakker is. Alsof hij niet kan bevatten wat ze zegt.

Haar mond verbreedt zich tot een glimlach. 'Ik was nieuwsgierig,' zegt ze.

'Maar je begrijpt toch wel dat dit niemand enig goed kan doen? Dat het alleen maar meer verdriet kan veroorzaken?'

'Ik wilde hen zien. Catherine en Bria, Seans baby.' Haar stem heeft nu een ruwe klank.

'En nu heb je hen gezien. Voel je je nu beter?' Hij onderdrukt zijn angst, houdt zichzelf wanhopig in bedwang. Catherine is een slachtoffer in deze hele affaire, net zoals hijzelf. En Bria? Bria weet nog van niks. Het idee dat Naomi haar heeft opgetild en geknuffeld, terwijl Catherine niet weet wie ze is, dat ze de vrouw is met wie haar man tientallen keren naar bed is geweest, vervult hem met afgrijzen. 'Geef antwoord,' zegt hij.

'Ik voel me als iemand die maanden jeuk heeft gehad en daar nu eindelijk vanaf is.' Ze brengt haar afgebeten nagels naar haar mond en tikt ermee tegen haar tanden, als een tandarts.

'Mooi zo. Dat is dus klaar. Je nieuwsgierigheid is bevredigd, dus hoef je er niet nog een keer naartoe te gaan.'

'Waarom maak jij je eigenlijk zo druk?' Er ligt achterdocht in haar timbre. 'Waarom ben jij zo bezorgd om Catherine?'

'Ik ben bezorgd om jullie allebei, omdat het voor jullie allebei slecht kan aflopen. Beloof me dat je er niet meer naartoe gaat.' Hij grijpt haar hand en als ze geen antwoord geeft, knijpt hij er iets te hard in. Ze slaakt een kreet en trekt haar hand terug alsof hij erin heeft gebeten.

'Als je het zo graag wilt. Het begon me toch al te vervelen,' zegt ze. Ze slaakt een zucht en kruipt naast hem op het bed. Dan begint ze weer te praten, op een strakke, monotone toon die ze nog nooit eerder heeft gebezigd. 'Jij wilt dus niet meer op de markt werken.

Sleutelhangers en tassen, gespen en haarknipjes. Allemaal rotzooi. Troep. Waardeloos spul dat in een of ander slavenhok in Hongkong wordt gemaakt.' Haar stem klinkt als onweer in de verte, het is een star gemompel, en ze laat haar vingers over het hoofdeinde van het bed heen en weer glijden. 'Ik stel me die reis weleens voor, Owen. Wist je dat?' Ze wacht niet op antwoord. 'Als ik op het krukje zit en naar de ordinaire koopwaar kijk die ligt te flonkeren onder die afgrijselijke lampen die het leven uit je zuigen, draai ik soms alles terug in mijn verbeelding. Eerst zit ik in de doos, in een krat in het ruim van een groot containerschip, opeengepakt tussen duizenden andere kratten. Dan word ik heen en weer geslingerd omdat het schip in een storm terecht is gekomen en over hoge golven moet klimmen.' Owen rilt onwillekeurig, maar Naomi, verzonken in haar gepeins, heeft geen erg in zijn reactie. 'Dan word ik uitgepakt door een zielig kind dat al om vijf uur zijn bed uit moest om te werken tot het weer donker is, een kind dat op een dun matrasje slaapt in een kamer met nog veel meer kinderen, een kamer die niet veel verschilt van deze. Daarna zit ik in een machine. Ik ben heet, vloeibaar metaal tussen de tandraderen en springveren van de machine waarin ik mijn vorm krijgt. En daarvoor... ach, daarvoor, Owen, zit ik in de grond, diep in de grond. Ik ben een brok metaal dat in het graf van een bergland ligt. En daar is het stil en vredig. Het enige geluid dat je hoort is dat van de maden die de kruimels van de aarde opzij duwen. Daar kom ik vandaan. Gedolven, gesmolten, gegoten, gevormd en bewerkt, om naar de andere kant van de wereld gestuurd te worden. Waarvoor? Om de marktkraam van een Ier wat flonkering te geven. En wij liegen vrolijk tegen goedgelovigen door hun te vertellen dat alles wat glanst goud is. Waar of niet, Owen?'

Ze draait haar hoofd om en richt haar ontwapenende ogen op de zijne. 'Ik heb ook een lange weg afgelegd. Had je dat al geraden? Ja, hè?'

22

Vrijdag 13 augustus

DE WARMTE MAAKT HET ER NIET EENVOUDIGER OP OM BRIA STIL TE krijgen. Het is geen weer om te knuffelen, geen weer om een baby in een dekentje te wikkelen en knus in je armen te wiegen. Zelfs warme melk lijkt haar te irriteren. Het is weer een zware nacht van eindeloos rondlopen, wiegen, zuchten en huilen. Soms zit Catherine te wiegen zonder dat ze haar baby op schoot heeft, alsof zij degene is die gesust moet worden, en niet Bria. Het is over vieren als het hikkende gehuil eindelijk afneemt, de pauzes tussen de huilbuien langer worden en haar dochter uiteindelijk in slaap valt. Catherine is oververmoeid maar klaarwakker, en heeft het gevoel dat ze het ruisen van het bloed in haar aderen kan horen. Ze zet een stoel naast de wieg en gaat naar haar dochtertje zitten kijken. Ze is zo mooi dat het haar de adem beneemt. De liefde die ze voor haar voelt, is als een zwaartekracht. Bria is het centrum van een draaikolk, de kern van haar leven.

Buiten zingt de snelweg zijn onophoudelijke klaagzang. Het licht dat door het open raam naar binnen begint te komen, is grijsblauw. Het doet haar denken aan het zwembad. Ze mist het zwemmen. Ze neemt zich voor er weer mee te beginnen en Bria mee te nemen. Ze wil haar dochter leren van het water te houden, in plaats van eronder gezogen te worden. Ze had nu eigenlijk bij haar ouders moeten zijn. Sean had gezegd dat ze moest gaan. Hij had het haar laten beloven. Ze had gelogen. Maakt niet uit. Hij loog ook de hele tijd tegen haar. Ze heeft geen zin in het gepreek van haar moeder over wat je wel en niet moet doen om een kind naar behoren groot te brengen, geen zin in het gezeur over hoe zij juist nalaat wat ze zou moeten doen en doet wat ze zou moeten laten. Hij heeft zich in de nesten gewerkt, haar man. Hij is dom bezig geweest, ondoordacht en roekeloos. Ze voelt dat intuïtief aan. Niet dat hij geen poging heeft gedaan haar een rad voor ogen te draaien door zijn toon vederlicht te houden. Voor haar was het echter zo klaar als een klontje en terwijl ze naar hem luisterde, streden woede en medelijden in haar hart om voorrang.

'Je hoeft je echt geen zorgen te maken, Catherine. Ik heb alles onder controle. Het is slechts een kwestie van even iets overbruggen.'

Ze had gedacht: hoe breed is de kloof die je moet overbruggen, Sean? Als die kloof te breed is, zul je niet in staat zijn een brug te slaan. Zeg nou maar eerlijk, het is geen kloof, het is een ravijn, en je hebt ons erin laten storten. Toch had ze slechts gezegd: 'Echt waar?'

'Natuurlijk, lieveling. Maar ik had liever dat jij naar je ouders ging. Een paar dagen maar.' Ze had daar geen antwoord op gegeven. 'Catherine? Beloof je dat je met Bria naar je ouders zult gaan?'

'Goed,' had ze dof gezegd.

'Grote meid.' Toen hij dat had gezegd, *grote meid*, had ze bijna tegen hem gesnauwd dat ze geen meisje was maar een vrouw, en dat ze een man naast zich nodig had.

'Waar ga je naartoe?'

'Naar een oude kennis van me. Ik ben terug voor je het weet.' Daarop was een stilte gevolgd waarin alleen het geluid van hun ademhaling te horen was, als die van duikers die door een mondstuk in- en uitademen.

'Heeft ze een telefoonnummer, die kennis van je?'

'Nou zeg, dat is niet aardig van je. Het gaat om zaken, zeg ik je. Bel Owen maar als je iets nodig mocht hebben. Je kunt naar de flat bellen of naar de markt. Oké?'

'Oké.'
'Catherine?'
'Ja?'
'Geef Bria een knuffel van me en zeg tegen haar dat haar papa meer van haar houdt dan ze ooit zal weten.'

Catherine heeft gelezen dat het orkest bleef spelen toen de *Titanic* verging. Ze vindt dat krankzinnig. Zou het niet beter zijn geweest als ze hadden geprobeerd te verzinnen hoe ze de ramp konden overleven? Maar stel dat het een hopeloze zaak was, dat alle hoop echt was vervlogen en dat ze dat wisten, diep in hun hart, alsof het als een feit in de naderende ijsberg stond gebeiteld? Ze hadden een keus gehad. In paniek raken en als kippen zonder kop gaan rondrennen, of doen alsof er niets aan de hand was, hun waardigheid behouden en moed tonen. Zij kiest ervoor om niet naar haar ouders te gaan. Bria beweegt zich in haar slaap. Haar gesloten oogleden hebben de zachte blauwpaarse kleur van lavendel. Er zit wat opgedroogde melk op haar rozenmondje. Haar wangen hebben blosjes. Haar vochtige krullen rusten op het matras van het bedje. Het lijkt ongelooflijk dat er uit de brokstukken van haar leven zo'n wonderbaarlijk kind is voortgekomen.

Maar naarmate het licht in de kamer sterker wordt, heeft ze het eigenaardige gevoel dat ze vanuit de diepte naar boven zwemt, dat ze oprijst naar de oppervlakte, waar ze weer vrij kan ademen. Vandaag is een bijzondere dag, anders dan alle dagen die eraan vooraf zijn gegaan, omdat ze vandaag in het park heeft afgesproken met haar vriendin Mara. Ze kent haar nog maar een week, maar in die korte tijd is haar kijk op het leven veranderd van hopeloos in hoopvol. Nee, ze heeft echt geen zin om haar moeder in vertrouwen te nemen en dan een storm van verwijten te moeten incasseren. Ze praat liever met haar nieuwe vriendin over het laatste fiasco van Sean. Tegen haar kan ze vrijuit praten, wat ze niet gewend is, waardoor het iets weg heeft van het leren van een vreemde taal. En daarna zal ze zich zo licht als een veertje voelen, net zoals elke dag deze week.

‘Hé, Owen, wanneer komt Naomi nou eens terug?’ vraagt Enrico als Owen is afgedaald naar de bedompte spelonk van de markt.

‘Binnenkort. De vakantie heeft haar goed gedaan.’

‘Zie je wel? Ik wíst dat ze het daar fijn zou vinden.’

‘Ja, het was geweldig. Nogmaals bedankt dat je het had geregeld. Je familie is erg aardig.’ Zijn ogen moeten na het zonlicht nog wennen aan de schemering. Het gezicht van de Italiaan is een onduidelijke vlek, op de opspringende paarse kralen en de vlassige oranje sik na.

‘En wie is knapper om te zien, mijn broer Lorenzo of ik?’ Hij lacht snuivend.

‘Ik zou onmogelijk tussen jullie kunnen kiezen.’ Enrico heeft zijn hand op Owens schouder gelegd, waardoor die niet kan doorlopen. ‘Lorenzo en je vader hebben het huis heel mooi opgeknapt.’

‘Maar veel geld zal het niet opleveren en het toeristenseizoen is te kort. Uiteindelijk zal hij vertrekken, net als ik. Heb je Teodora nog gezien?’ Hij lacht en grijpt naar de medaillon van Sint-Christoffel. ‘Het spook van het meer?’

Owen verbijt zich als hij terugdenkt aan de dronken seks met Naomi op de oever van het stuwmeer. Hij heeft een seconde nodig om zich te herstellen. Hij zou een snedig antwoord moeten geven, maar weet niks te bedenken. ‘Jammer genoeg niet,’ zegt hij uiteindelijk. Hij wrijft zijn zweterige hand af aan de achterzak van zijn spijkerbroek. ‘Toen wij er waren, heeft geen enkel spook zich laten zien.’

Enrico haalt zijn schouders op. ‘Maar je hebt toch wel in het meer gezwommen?’

‘Nee, want ik kan niet zwemmen.’

‘Was het warm? Ik wil wedden dat het daar nog warmer was dan hier.’

‘Ja, het was erg warm.’ Hij bijt op zijn onderlip en zegt dan: ‘Naomi heeft wel gezwommen.’

‘Ik had niet anders verwacht.’

‘Volgende week is ze er weer, dan kun je het verder allemaal aan haarzelf vragen. En nu moet ik nodig onze kraam openen.’

Enrico grinnikt en doet een stap opzij. Als Owen wegloopt, roept hij hem na: 'Bravo, Owen. Je hebt bewezen dat je een echte vent bent.'

Later kijkt Owen naar zichzelf in de spiegel boven de toonbank, op zoek naar die echte vent, maar hij ziet alleen het warrige blonde haar en de bezorgde ogen van een jongen. Zijn gezicht wordt gedeeltelijk aan het oog onttrokken door kaarten met glanzende haarknipjes. Hij voelt opeens een sterke aandrang die op de grond te smijten en kapot te trappen. Vanwege zijn nachtmerries en Naomi's zorgwekkende ontboezemingen heeft hij vannacht amper geslapen en nu hij in dit benauwde hol terugdenkt aan haar woorden, wordt zijn angst niet minder, maar juist groter.

'Ik wilde hen zien. Catherine en Bria, Seans baby.'

Hij heeft het gevoel dat hij iets zou moeten doen. Maar wat? Zo veel geheimen en hij heeft niemand met wie hij erover kan praten, niemand bij wie hij zijn hart kan uitstorten, niemand om zijn zorgen mee te delen. De leefomstandigheden in deze hel zijn onmenselijk. Het voelt alsof er helemaal geen luchtcirculatie is, geen ventilatie, dat iedereen probeert dezelfde beperkte hoeveelheid samengeperste lucht in te ademen. Door de warmte is de stank van ongewassen lichamen, zweet, wierook, leer en plastic net zo penetrant als die van bedorven vlees. Hij wou dat Sean er was. Hij heeft besloten hem te vertellen wat Naomi heeft gedaan zodra hij hem weer ziet. En dan moet Sean zelf maar weten wat hij eraan doet. Na de ontboezemingen van gisterenavond bevindt Owen zich in een soort ban van onheilspellende voorgevoelens en is hij er definitief van overtuigd dat Naomi niet goed bij haar hoofd is. Aan haar belofte dat ze de belachelijke vertoning niet zal voortzetten, hecht hij niet veel waarde. Hij troost zich met de gedachte dat de moeder en haar baby vandaag in elk geval geen gevaar lopen. Ze zijn niet in Hounslow. Sean zei dat Catherine bij haar ouders zou gaan logeren, buiten Naomi's bereik. Het is trouwens zijn probleem niet. Het is hun probleem. Waarom zou hij zich er druk over maken? Over een paar dagen is hij hier weg. En over een paar maanden zal hij zich hun namen waarschijnlijk niet eens meer herinneren. Naomi, Sean... Catherine... Catherine en Bria.

De ochtend kruipt voorbij en de ondergrondse markt is zo claustrofobisch als een kerker. Hij stuurt een klant weg. 'Nee, we hebben ze niet in die kleur. U moet in het volgende gangetje zijn. Volgens mij hebben ze ze daar wel.' Hij praat al net zo als Sean.

Vermoeid steunt hij op de toonbank, met hangend hoofd, zijn armen gestrekt en vingers gespreid. Als postduiven keren zijn gedachten toch weer terug naar Catherine en Bria. Zintuiglijke herinneringen krijgen de overhand – de manier waarop Catherine's tranen zijn overhemd vochtig hadden gemaakt, en hoe Bria precies in de holte van zijn gebogen arm had gepast. Hij slaat een hand voor zijn ogen en knippert heftig om niet te gaan huilen. Dan buigt hij zijn hoofd achterover en laat zijn blik over het betonnen plafond gaan. Het wazige, witte licht ketst af tegen de tl-buizen. Gary Glitter begint toepasselijk te kwelen dat hij de *leader of the gang* is. Hij moet zich een beetje in de hand zien te houden en zijn verbeelding niet zo met hem op de loop laten gaan. Hij staat hier doemscenario's te verzinnen terwijl er alleen maar sprake is van begrijpelijke nieuwsgierigheid en misschien van wrok. Meer niet. Als Sean belt, zal hij het hem vertellen. En als hij niet belt, vertelt hij het hem zondag. Het is nergens voor nodig om zo in paniek te raken.

'Ben jij van deze kraam?' vraagt een Amerikaanse stem achter hem. Meer uit gewoonte dan omdat hij een ijzeren zelfbeheersing bezit, is hij binnen de twee seconden die Clark Kent ervoor nodig heeft om Superman te worden, weer de vriendelijke verkoper die snel de haak pakt om een handtas naar beneden te halen waar de klant naar wijst. Het is een grote, Amerikaanse vrouw met een futloos, geblondeerd permanent, een rimpelige huid en fletse, hebberige ogen. 'Mooie tas. Vind je niet, Ada?' Met een handbeweging tovert ze een kleinere versie van zichzelf tevoorschijn. Owen houdt zijn verkooppraatje, gevuld met overdreven vleierij en de verzekering dat ze nergens anders zo'n goede deal kan krijgen. En het ís ook een koopje voor de prijs die hij ervoor vraagt. Hij heeft net het geld weggestopt dat ze hem heeft overhandigd, als hij Blue op zich af ziet komen, zijn gezicht verwrongen van woede.

Mara heeft de touwtjes in handen. Ze is erg op Naomi gesteld maar weet dat het haar aan de noodzakelijke besluitvaardigheid ontbreekt. Ze heeft samenwonen geprobeerd, een halfslachtige regeling, en de ervaring heeft haar geleerd dat dat niet werkt. Het probleem is dat Naomi zich laat inpakken door de Blinden. Ze verweert zich niet tegen hen en doet ook nooit iets terug. Wat ze nodig heeft, is meedogenloosheid. Mara is de gepersonifieerde meedogenloosheid. Sterker nog, Naomi heeft alles aan haar te danken. Als zij niet af en toe maatregelen nam, zou Naomi nog steeds weifelen en nooit iets bereiken. Mara zit in de trein naar Hounslow waar ze heeft afgesproken met hun nieuwe vriendin, Catherine. Tegenover haar zit een vrouw met een huilende baby. De vrouw kijkt naar haar bolle buik en glimlacht haar zusterlijk toe. Mara streelt bedaard haar bolle buik. Als haar baby er eenmaal is, zal hij niet huilen. Zij krijgt een bijzondere baby, niet eentje zoals het rood aangelopen wicht dat tegenover haar krijsend ligt te spartelen. Het is alsof het schrille gegil in haar hoofd gevangenzit, als een nijdige wesp die zijn angel in haar gedachten steekt en zijn gif in haar hersencellen spuit. Ze begrijpt niet dat de andere passagiers zich er niet aan storen. Zijn dat soms ook Blinden, die doen alsof, altijd doen alsof, dag en nacht, stug volhardend in hun komedie? Wat het gehuil van Baby betreft heeft juffrouw Elstob dovemansoren.

'De baby heeft koorts,' zegt ze tegen haar. 'Ze heeft koorts. Voelt u maar aan haar voorhoofd hoe heet dat is.'

'Bemoei je met je eigen zaken, Mara, en vertel mij niet wat ik moet doen,' zegt juffrouw Elstob en ze begint haar te slaan tot het bloed in haar oren suist en haar oorschelpen gloeiend heet en gezwollen zijn, als soesjes vers uit de oven.

Maar vandaag wordt ze wakker met het gevoel dat er iets gaat gebeuren, iets bijzonders, iets waardoor de discipline van haar bestaan voor altijd veranderd zal worden. Niet dat daarvoor een aanwijsbare reden is. In de slaapkamer staan dezelfde zes bedden, allemaal met een bobbel onder de deken. Buiten staat de zon op zijn vertrouwde plek aan de hemel. Baby huilt in het ledikantje naast haar en juffrouw Elstob is beneden in de keuken luidruchtig bezig. De grote vakantie is begonnen en het weeshuis zit helemaal vol, zo vol dat je je nek breekt over de kinderen. Ze droomt ervan alleen te zijn, helemaal alleen, op een plek waar je naar je eigen gedachten kunt luisteren zonder dat die als brandhout aan stukjes worden gehakt. In het kolenhok hoort ze haar gedachten soms zo luid als een kanonschot, vooral 's nachts. Maar het kolenhok is geen goede plek. Het is er smerig. En terwijl de stem in haar hoofd dendert, wordt zij zelf ook helemaal smerig. Het kolengruis kruipt in haar open wonden en maakt ze blauw, waardoor ze er bont en blauw uitziet als ze haar er eindelijk weer uitlaten.

Maar het is al een tijd geleden sinds ze haar erin hebben gestopt. Ze is braaf geweest. En als Baby niet de hele tijd lag te krijsen, zou ze dat ook wel blijven. Kort na het ontbijt stroomt het huis opeens leeg. Alle kinderen hollen naar buiten en juffrouw Elstob ook. Ze hebben haast omdat er ergens opschudding is. In huis Zeven is een van de grootste jongens, die al zo groot is als een man, een pestkop genaamd Arthur Datcher, driftig geworden. Hij was opeens tekeergegaan tegen de huismoeder, juffrouw Lister. Dat is ook al zo'n gemeen wijf, een lelijk wijf met een kropgezwel waardoor ze eruitziet alsof er een heel ei in haar slokdarm is blijven steken. Hij begon tegen haar te schreeuwen en toen begon zij net zo hard terug te schreeuwen en sloeg ze hem in zijn harde, vierkante gezicht. De jongen die het kwam vertellen, zei dat Arthur toen een hoge borst had opgezet, als een kalkoen, en paars was aangelopen. Het gebeurde tijdens het vaatwassen en toen had Arthur een vork gegrepen. Hij hield die niet vast als een vork, zei de jongen. Hij hield hem vast als een dolk. Heel langzaam draaide hij zich om in de hoek waar hij stond.

Zijn neusgaten werden zo groot als kersen. Hij staarde indringend naar juffrouw Lister en schraapte als een stier met zijn voet over de vloer. Zijn ogen puilden uit en hij begon te kwijlen. Juffrouw Lister bleef tegen hem schreeuwen tot ze er hees van werd. Opeens ging hij in de aanval. Hij vloog op haar af en stak haar met de vork. Ze stortte neer met de vork in haar wang.

'Hij stak die vork in haar gezicht alsof ze een tomaat was,' vertelde de jongen. 'Je had het moeten zien! Ze ligt gillend over de grond te rollen.' Hij zei dat er een ziekenauto onderweg was en de politie ook, en dat ze Arthur zouden meenemen en hij riep opgewonden dat ze moesten komen kijken. Nadat hij weer was weggerend, hoorde Mara alleen nog maar het roffelen van schoenen op de houten vloer, ook die van juffrouw Elstob. Ze holden allemaal naar buiten om te gaan kijken.

Mara heeft geen idee hoelang ze weg zullen blijven, maar het huis is nu zo hol als een schelp. Haar stem echoot een beetje als ze iets zegt. Ze is nog nooit in een grot geweest, maar heeft gehoord dat er in een grot altijd een echo is. Baby ligt boven in haar ledikant nog steeds te huilen. Het geluid is echter ijler geworden, alsof de baby haar stem aan het verliezen is, net zoals juffrouw Lister. Mara kijkt om zich heen en maait met haar armen door de lege ruimte. Er is opeens zo veel ruimte beschikbaar. Ze pakt de schort van juffrouw Elstob en trekt hem aan. Hij is haar te lang, als een avondjurk, maar dan van de verkeerde stof.

'Ik ga spelen dat dit mijn huis is en ik Moeder ben. En dat Baby mijn baby is,' zegt ze hardop, ook al is er niemand aanwezig. Ze gaat naar boven en zegt tegen Baby: 'Omdat ik nu Moeder ben, is het mijn taak ervoor te zorgen dat je ophoudt met huilen.'

Baby kijkt naar haar met spleetoogjes waar gele slaapjes aan vastgeplakt zitten. Haar neus is verstopt met dik, groen snot zodat ze hijgt en snuift om adem te halen. Haar mond staat wijd open om ruimte te maken voor alle kreten die zich naar buiten persen. Haar gezicht is zo rood als een appel en zo gezwollen als een grapefruit. Haar bruine haar plakt aan haar schedel alsof het erop is getekend.

'Arme Baby,' zegt Mara. 'Moeder is er nu om voor je te zorgen.' Ze tilt Baby uit het bedje. Baby voelt heet aan en wringt zich in alle bochten. Ze stinkt naar plas en haar zware, doorweekte luier zakt van haar af. Ze draagt Baby naar beneden, naar de badkamer. Daar trekt ze haar het nachtponnetje uit, verwijdert de luier en legt haar op een handdoek op de grond. Er zijn twee badkuipen, een kleine voor baby's en een grote voor de andere kinderen. Het babybad is een witte emaillen tobbe die op hoge, taps toelopende, metalen poten staat. Omdat het op die poten staat, kun je er rechtop naast staan om Baby in bad te doen. Bij het hoofdeinde van het bad zitten twee glanzende, zilverkleurige kranen in de muur. Boven die kranen is een zeepbakje van wit porselein aan de muur geschroefd en in het bakje ligt een stuk zeep. Mara draait alleen de koude kraan open, helemaal open, zodat het water er met kracht uit stroomt. Het is net een waterval. Ze heeft tijdens een wandeling een keer een waterval gezien. Het gaat zo snel dat het bad al vol is voordat ze er erg in heeft.

'Nu gaat Moeder ervoor zorgen dat je het niet meer zo warm hebt,' legt ze aan de baby uit. 'Dit is een soort watermedicijn en als ik je er weer uit haal, ben je helemaal beter. Dan hoef je niet meer te huilen en kun je slapen. En dan kan ik ook slapen.'

Baby blijft jammeren. Ze schopt met haar dunne beentjes en zwaait met haar dunne armpjes. Mara tilt haar op en houdt haar boven het ijskoude bad. Dat valt nog niet mee, omdat de baby zich kronkelt als een aal om te zien wat zich onder haar bevindt. 'Een, twee, drie,' telt Mara en dan laat ze Baby zakken. Als de billen en de rug van de baby het ijskoude water raken, springt ze omhoog als een kikker. Ze is glibberig van het zweet en Mara moet haar stevig vasthouden om haar niet te laten vallen. Baby spartelt zo tegen dat ze haar naar beneden moet duwen, in het water, helemaal naar beneden tot op de bodem van het bad. Ze is veel sterker dan Mara had gedacht. Mara heeft al haar kracht nodig om haar in bedwang te houden. Niettemin ziet Baby er heel lief uit in het water, want haar bruine haar golft als wier, zilveren luchtbelletjes bedekken haar gezicht alsof er glanzende kraaltjes op zijn geplakt en ze kan haar ogen wijd opensperren nu de kleverige slaapjes zijn weggespoeld.

Dat is het moment waarop de deur wordt opengegooid en juffrouw Elstob in de deuropening verschijnt. Een ogenblik lijkt het alsof ze uit steen is gehouwen. Dan schiet haar magere lichaam naar voren als een zweep. Ze grijpt Mara bij haar haar en slingert haar door de kamer. Dan steekt ze haar knokige armen in het water en tilt Baby eruit, een slap figuurtje waar zilverig water van afdruipt, de liefste, rustigste baby die Mara ooit heeft gezien.

Ze legt Baby op de handdoek en drukt op haar kleine ribbenkast. Juffrouw Elstob vertrekt haar gezicht alsof ze wil gaan gillen en er verschijnt een web van rimpels op haar voorhoofd. Een heleboel gezichten stapelen zich op in de deuropening, want de kinderen zijn teruggekomen. Net zoals de jongen die Arthur had beschreven, kijken ze met ogen op steeltjes en hun mond wijd open, en ze maken vage gebaren. Ineengedoken, met haar handen tegen haar gebroken hoofd geklemd, ziet Mara dat Baby begint te spugen. Zilver water spuugt ze. En dat zilveren water komt niet alleen uit haar hoestende mond, maar ook uit haar neus, samen met waterig snot. Dan begint Baby schokkerig te huilen. Het klinkt alsof er met een strijkstok steeds kort over vioolsnaren wordt gestreken. Moeder wikkelt haar in de handdoek en geeft haar aan een van de oudere meisjes.

'Haal een deken voor haar! Snel! En breng haar naar de ziekenkamer,' beveelt ze. Dan draait ze zich weer om naar Mara, lijkbleek van woede. Als Mara dat witte gezicht ziet, weet ze dat dit nog erger is dan de ergste vorm van woede. Dit is wat na het rood aangelopen gezicht komt. Dit is zo heet dat alle kleur eruit is gebrand.

'Wat was jij met de baby aan het doen?' vraagt ze met een stem die kraakt als een slecht afgestelde radiozender.

'Ik wilde haar afkoelen,' piept Mara. 'Ze had het zo warm vanwege de koorts.'

Hele plukken haar worden uit haar hoofd getrokken als juffrouw

Elstob haar naar het kolenhok sleept. Haar schedel bloedt als de deur wordt dichtgegooid en het bloed druipt langs haar wangen als de sleutel wordt omgedraaid. Ze legt haar handen rond haar hoofd en beeldt zich in dat ze het repareert, dat ze de onderdelen van haar schedel weer aan elkaar lijmt. Haar handen worden plakkerig van het bloed. Door de deur heen hoort ze hoe de kinderen haar uitschelden.

'Babymoordenaar.' 'Mara is gek.' 'Mara is een moordenares.' 'Ze heeft de baby laten verdrinken.'

Ze smijt kooltjes tegen de deur om hen duidelijk te maken dat het haar niets kan schelen en als antwoord slaan de kinderen op de deur. Dan begint ze te graven, stukje bij beetje graaft ze zich in onder de berg kolen. Als ze op haar vingers zuigt, proeft ze kolengruis met bloed. Ze wilde Moeder zijn, dat is alles, ze wilde alleen maar Moeder zijn en dat Baby van haar was. Dan gaat Owen niet weg. Dan blijft hij om haar te helpen voor Baby te zorgen en dan zijn ze een gezin, Moeder, Vader en Baby. Ze houdt van Owen en hij van haar. Hij mag haar nooit verlaten en met iemand anders meegaan, zoals Walt. Ze moet ervoor zorgen dat ze hem niet gaat vervelen, want dan gooit hij haar weg. Ze denkt aan hoe ze hem met haar dijen in zich had vastgehouden, haar lichaam nat en glad van het meer. Ze denkt aan de huilende baby en hoe ze soms in verwarring raakt, waardoor het lijkt alsof het huilen uit haarzelf komt, dat zij de huilebalk is. Ze denkt aan Moeder, niet de huismoeder maar de echte, die haar had achtergelaten en was doodgegaan.

Ze sluit haar ogen en ziet lippenstift op de randen van Moeders voortanden, glanzend roze, en hoe haar hoofddoek fladdert in de wind en hoe de zon op haar zonnebril weerkaatst, en gouden knopen op het uniform van de soldaat, en de zoute smaak van de zee op haar tong, toen die haar in haar wiegende grijsgroene armen had gedragen en al het slechte uit haar had gezogen, de kolen in haar had verpulverd en het smerige roet had veranderd in glanzend wit zand. Het laatste wat ze hoort voordat het roet haar bedekt, is de hoge fluittoon waarmee de trein het station binnen rijdt. Of is het weer het snerpende gekrijs van de baby dat in haar hoofd snijdt, waardoor ze zo'n verschrikkelijke hoofdpijn krijgt?

Owen staat te trillen van angst. Zijn hart bonkt, al zijn zintuigen staan op scherp en hij is misselijk. Hij zou misschien geprobeerd hebben ervandoor te gaan, als hij had gedacht dat zijn benen hem konden dragen en hij een kans had te ontsnappen. Aangezien hij weet hoe gevaarlijk het is om een aanvallende hond je rug toe te keren, blijft hij naar Blue en zijn gorilla kijken. Hij staat met zijn rug tegen de toonbank, zijn handen om de rand geklemd. Vandaag snuffelt het tweetal niet bij andere kramen. Ze dringen dwars door de massa winkelende mensen en verkopers heen, de ongelukkigen die hen voor de voeten lopen ruw opzij duwend. Ze zijn eender gekleed in een donkere broek, een overhemd met lange mouwen en een stropdas, maar zonder colbert. Blue springt lenig op de hoge kruk. De gorilla blijft naast hem staan.

'Heb je iets van Sean gehoord?' vraagt Blue zonder inleiding. Zijn blauwe ogen dringen als laserstralen in die van Owen.

'Nee,' liegt Owen. 'Dat heb ik u gisteren al verteld.'

Blue trekt zijn stropdas wat los. De blauwe en goudkleurige strepen doen Owen denken aan de stropdas van zijn schooluniform. 'Dat was gisteren. Dit is vandaag. Er kan in vierentwintig uur veel veranderen,' zegt hij met nauwelijks verhulde dreiging in zijn stem. Hij maakt het bovenste knoopje los.

'Hij is maandag vertrokken en zei dat hij donderdag terug zou komen. Dat heb ik u al verteld. Maar hij is nog niet terug.'

Blue vernauwt zijn ogen en strijkt met zijn vinger over zijn weke mond. 'Hoe heet jij?' vraagt hij zachtjes, terwijl hij over zijn lippen blijft strijken.

'Owen.' Zijn benen trillen zo dat hij bewust zijn spieren spant om ze stil te krijgen.

'Nou, Owen, jouw baas heeft mijn geld. Vrij veel geld. Ik wil dat geld terug hebben. Snap je?' Hij laat zijn hand zakken en slaat een stofje van zijn broekspijp.

Owen knikt. 'Ik snap het, maar ik weet nergens van. Ik werk hier alleen maar parttime.' De hoge klank van zijn stem en de snelheid waarmee hij de woorden eruit gooit, verraden hoe bang hij is.

'Ben jij niet erg snugger, Owen?' vraagt Blue.

'Hoe bedoelt u?'

'Ik bedoel of jij niet snugger bent,' herhaalt hij effen. Owen haalt zijn schouders op. 'Je vertelt me namelijk niet wat ik wilde horen en dat is niet slim.' Hij laat zijn tanden knarsen. De lijfwacht jaagt een paar klanten weg.

'Als ik iets wist, als ik wist waar Sean was, dan zou ik u dat heus wel vertellen.' Hij likt aan zijn droge lippen, slikt en kucht.

Blue haalt nadenkend diep adem, bekijkt hem van top tot teen, doet zijn ogen dicht en dan weer open. 'Je stelt mijn geduld op de proef.'

Owen zucht zogenaamd kribbig en krabt op zijn achterhoofd. 'Ik snap niet wat u nog meer van me wilt. Ik heb u de waarheid verteld.'

'Dat hoop ik voor jou, Owen. Dat hoop ik van harte.'

'Echt, ik wou dat ik – ' Hij krijgt geen kans de zin af te maken. Op een teken van Blue doet de lijfwacht een stap naar voren en stompt Owen keihard in zijn maag. Owen slaat dubbel en zijn adem stroomt tot aan de laatste atoom uit zijn lichaam. Hij probeert nieuwe lucht in zijn dichtgeklapte longen te zuigen, maar hapt tevergeefs naar adem. Zijn longen weigeren uit te zetten. Hij ziet de wazige vorm van zijn eigen schoenen voor zijn ogen dansen. Hij stikt. Donkere sterren komen op hem af. Hij wankelt en valt bijna om, maar voelt een hand die hem in zijn kraag grijpt en hem overeind houdt als een marionet. Hij staat op het punt het bewustzijn te verliezen. Zo dadelijk smelten die sterren samen tot een glinsterende zwarte maan die de hele wereld zal verduisteren. Maar dan slaagt hij erin een beetje lucht naar binnen te krijgen. Langzaam, met de helse pijn van messteken, beginnen zijn longen zich te vullen. Hij begint spastisch te hoesten, zijn adem uitstotend met raspende geluiden. De hand laat hem los. Wankelend blijft hij staan. Tranen stromen over zijn wangen terwijl hij moeizaam lucht in- en uitademt. Hij voelt zich alsof iemand met een scherp tandrad over zijn middenrif raspt. Maar hij kan weer helder zien. Gezichten buigen zich naar hem toe en starre ogen houden zijn blik vast.

'Begint er iets te dagen?' vraagt Blue. Owen brabbelt iets zonder woorden te kunnen vormen. Zijn mond beweegt, maar er komt niets verstaanbaars uit. Blue haalt een zakdoek uit zijn broekzak en vouwt hem bedaard open. Met veel omhaal bet hij zijn voorhoofd en hij veegt zijn handen af alvorens de zakdoek weer weg te bergen. Hij bekijkt zijn nagels.

'Zeg maar tegen Sean dat verstandige mensen zich aan hun afspraken met Blue houden. Zeg maar dat we terugkomen en dat hij maar beter ook kan terugkomen, *met* het geld. Zeg tegen hem dat niemand mij ongestraft een oor aannaait.' Het ene moment klinkt zijn stem zo zoet als honing, het andere moment schril als dat van een varken dat op het punt staat geslacht te worden. Hij blikt in de spiegel boven de toonbank om te zien of zijn melkboerenhondenhaar nog in model zit. Dan houdt hij zijn hoofd schuin en kijkt hij weer naar zijn nagels.

'Verdorie. Ik heb een ingescheurde nagel,' mompelt hij verongelijkt. 'Zul je niet vergeten mijn boodschap door te geven, jochie?'

Owen knikt woordeloos. Hij begint nu te beven door de uitwerking van de schok. Het duo loopt naar de trap, die Blue met twee treden tegelijk bestijgt. De eigenaars van de naburige kramen houden hun ogen afgewend. Ze kennen de reputatie van Blue, en die is zo geducht dat ze er wel voor oppassen hierbij betrokken te raken. Het duurt nog een paar minuten voordat Owen zich voldoende heeft hersteld om te kunnen nadenken. Hij droogt de tranen op zijn gezicht en telt zijn ademhaling tot zijn hartslag is bedaard. Dan begint hij systematisch de koopwaar op te bergen, ondanks de pijn die vanuit zijn middenrif door zijn hele lichaam trekt en elke ademhaling bemoeilijkt. De muziek blijft schetteren, de bassen blijven bonken, en het neonlicht bestookt zijn ogen als hagelstenen, terwijl hij mechanisch de koopwaar in de kartonnen dozen doet en die in de ruimte onder de toonbank zet. Dit was de laatste strohalm. Hij heeft besloten de sleutels in de flat achter te laten en onmiddellijk te vertrekken. Als dat betekent dat hij op de vlucht slaat, dat hij zich als een lafaard gedraagt, dan zij dat zo. Gedreven door angst wil hij nog maar één ding: ervoor zorgen dat hij uit Londen wegkomt, zo ver mogelijk bij Blue en zijn maten vandaan, en zover mogelijk bij Naomi, Sean en deze vunzige markt vandaan. Hij bevestigt het hangslot aan de deurtjes en laat zijn blik nog één keer door de glitterende grot gaan. Dan draait hij zich om naar de zonovergoten trap.

'Owen, kom gauw. Er is telefoon voor je. Het is de vrouw van Sean.' Hij draait zich om en ziet Cat, Catalina, de lange, donkerharige, Spaanse vrouw van de kraam die het dichtst bij de toiletten staat. 'Ze klinkt hysterisch. Ik geloof dat er iets is met hun baby.' Meteen sprint hij weg, zigzaggend door de gangetjes, onthutst kijkende bezoekers ontwijkend. Hij voelt zich als een pinball die tegen alle obstakels van het spel opbotst als hij door de drukke markt rent om zo snel mogelijk bij de telefoon te komen.

'Hé, kijk een beetje uit!' roept iemand hem na. Een verkoper vloekt en maakt een obsceen gebaar.

'Hé, zeg, wat denk je wel! Je kunt me niet zomaar wegduwen!' Owen ziet in een flits een glanzend, roze minirokje, een met lovertjes bezaaid topje en grote, met zwarte eyeliner aangezette ogen. 'Klootzak!' roept ze hem na. Cat volgt hem door de klapdeuren naar de betonnen toiletruimte. Met haar kin wijst ze naar de telefoon die aan het koord hangt te bengelen.

'Als je me nodig hebt, roep je maar,' zegt ze en dan laat ze hem alleen. Aan de ene kant van het vertrek zijn vier smalle toilethokjes. Ertegenover is een wastafel en daarnaast de muurtelefoon. Hij loopt ernaartoe en neemt de hoorn angstvallig in zijn hand, alsof hij bang is dat iemand hem heeft volgepompt met nitroglycerine.

'Catherine, Catherine, met Owen. Wat is –' Ze valt hem in de rede met een hysterische woordenstroom die hij slechts met moeite kan volgen. 'Wie heeft haar meegenomen? Wie heeft Bria meegenomen?' Maar hij weet dat al, hij weet wie haar in handen heeft. En daardoor weet hij ook dat de baby in levensgevaar verkeert.

Hij luistert naar een herhaling van het verhaal van de vorige avond, verteld vanuit een ander perspectief, dat van een moeder die vreest voor het leven van haar baby. De waterval van woorden, de geur van het oprispende maagzuur achter in zijn keel, en de naam, Mara. Een vriendin, een zwangere vrouw die ze in het park heeft leren kennen. Catherine had eigenlijk bij haar ouders moeten zijn. Sean had gezegd dat ze moest gaan. Maar ze had er geen zin in gehad. En nu... de vloer en muren lijken te trillen door het gebonk van de muziek, een eindeloze drumsolo. Het verhaal heeft een extra hoofdstuk, waarin Mara mee teruggaat naar Catherine's huis, waar ze samen praten. Ze is zo aardig, zo vriendelijk dat ze haar volkomen vertrouwt. Ze zegt dat Catherine een poosje zou moeten gaan slapen, dat zij wel op Bria kan passen. En ze is zo moe, zo verschrikkelijk moe, en de zorgzame ogen stellen haar keer op keer gerust tot ze erin toestemt. Mara is beneden met haar baby. Ze hoort haar een slaapliedje zingen. En ze valt in slaap. Moge God het haar vergeven. Ze valt in slaap. En als ze wakker wordt, is Bria verdwenen. De vrouw heeft haar meegenomen. Ze heeft haar baby ontvoerd. Hierop volgt een ademloze stilte, de stilte van het moment voordat het mes van de guillotine valt. Het gebonk gaat meedogenloos door. En dan schiet Catherine's bloedstollende gegil uit de hoorn van de telefoon de kale toiletruimte in.

'Catherine, luister naar me. Ik weet wie het is. Ik weet wie Bria in handen heeft,' zegt hij op ferme toon, zijn blik gericht op een prullenbak van gaatjesplastic in de hoek van het vertrek, waarin een glanzend, wit zakje voor maandverband langzaam van bloed verzadigd wordt.

'Waar is ze? Waar is mijn baby, Owen? Waar is ze? Vertel me waar ik haar kan vinden!'

Heel even wordt hij overmand door angst. Hij laat de telefoon vallen en blijft ernaar staren als hij aan het koord heen en weer slingert. Hij kijkt naar de schaduw die hij op de betonnen vloer en muren maakt. 'Owen! Owen!' De gedempte, ijle kreten klinken alsof ze hem vanuit een ander universum bereiken. Met tegenzin pakt hij de hoorn weer. Hij probeert iets te zeggen, maar zijn lippen weigeren dienst. De deur zwaait open en een vlaag koelere lucht komt binnen. Een grote man met een kaalgeschoren hoofd en een dik, groenig litteken dat als een hagedis op zijn wang ligt, kijkt onaangedaan naar het tafereel dat zich voor hem openbaart. Met een onverschillige blik in zijn te dicht bij elkaar staande middelgrijze ogen kijkt hij naar Owen. Dan gaat hij een van de hokjes binnen en een paar seconden later hoort Owen het klateren van zijn urine in het toilet.

Eindelijk komen de woorden los. 'Mara is Naomi, Catherine. Het is Naomi. Zij heeft je baby. Zij heeft Bria.'

'Naomi? Waarom zou zij...' Ze zwijgt als de ene gedachte leidt tot de volgende. Dan: 'Waar? Waar? Waar, Owen?' Catherine's stem is net een harde schoen waarmee ze hem schopt en hij krimpt in elkaar van pijn. De man stommelt het hokje uit terwijl hij nog bezig is zijn gulp dicht te maken. Hij grijnst hem veelbetekenend toe en keert zonder iets te zeggen terug naar het marktgewoel. 'Waar?' vraagt ze nogmaals, nu op een heel andere toon, hol en triest. 'Vertel me waar ze is. Vertel het me alsjeblieft.'

'Ik weet het niet zeker. Misschien in de flat in Covent Garden. Ze zal haar geen kwaad doen. Dat weet ik zeker. Ze zal goed voor haar zorgen. Ik kan het nu niet uitleggen, maar je moet me geloven. Heb je nog meer mensen gewaarschuwd, Catherine?' Hij ziet al een massa politiewagens kriskras voor het kleine rijtjeshuis in Hounslow staan. In dat geval zal de zaak snel uit de hand lopen. En als Naomi zich in het nauw gedreven voelt...

'Nee. Alleen jou. Ik weet niet waar Sean is. Ik heb mijn ouders ook niet gebeld. Ik wilde jou eerst spreken.'

'Bel de politie nog niet, Catherine. Dat is heel belangrijk. En blijf waar je bent. Ik ga Bria zoeken. Ik zal haar veilig en wel bij je terugbrengen. Ik bel je zodra ik nieuws heb. Blijf bij de telefoon.'

Catherine's stem klinkt zo ijl als pluis. 'Breng haar terug!' smeekt ze. 'Breng haar terug, Owen!' En in één klap glijdt hij van de ladder der jaren af naar een winderig, gouden strand. Hij kijkt neer op Sarah. Haar huid heeft een mistigblauwe teint, als de schaduw van de vleugels van de naderende nacht op een besneeuwd landschap. Er zit zand in haar natte krullen, korreltjes glanzend zand. Haar ogen zijn gesloten en de oogleden hebben een paarsig grijze kleur. Haar mond staat een klein beetje open zodat Owen haar kleine voortandjes kan zien. Zijn vader staat naast haar, in zijn druipend natte, verfomfaaide kleren. Zijn grote handen hangen langs zijn lichaam en gaan open en dicht. Zonlicht schijnt op zijn kalende natte hoofd en geeft het een glans. Zoute druppels zeewater rollen over zijn wangen en mengen zich met zijn tranen. Owens moeder zit op haar knieën naast Sarah en houdt haar gerimpelde stervormige handje vast. Ze heft haar hoofd op. Haar ogen vinden die van haar man, zijn vader.

'Geef me haar terug!' sist ze. 'Geef me haar terug!' Hij keert terug naar het heden. Daar is een ander kind verdwenen en huilt een andere moeder: 'Breng haar terug!'

'Ja, ik zal haar terugbrengen,' zegt hij tegen Catherine. 'Ik bel je zodra ik nieuws heb.'

Hij hangt op, gooit boven de gootsteen snel wat koud water in zijn gezicht en holt naar buiten. Het lijkt bijna aanmatigend dat het zo'n mooie dag is, dat de Londenaren tussen wie hij zich door wringt, als zonnebloemen hun gezicht opheffen naar de zon. Zij zitten, gekleed in luchtige zomerkleding, op terrasjes en laten de tijd achteloos tussen hun vingers door glijden, terwijl hij moet proberen een vermiste baby te vinden. Met trillende handen duwt hij de voordeur van het flatgebouw open. Als hij hijgend op de derde etage aankomt, heeft hij zijn sleutel al in zijn hand. De deur is van binnen vergrendeld.

'Naomi? Naomi? Ik ben het, Owen.' Hij klopt op de deur. 'Naomi, laat me erin.' Hij is een acteur die de belangrijkste rol van zijn leven speelt. Hij houdt zijn stem bedaard en vriendelijk en legt zijn oor tegen de deur. Ingespannen luistert hij of hij een baby hoort. Het is volkomen stil. Dan hoort hij Naomi vragen: 'Ben je alleen?'

'Ja,' bevestigt hij opgewekt. 'Helemaal alleen.' Opgelucht hoort hij dat de grendel wordt weggeschoven. De deur gaat op een kiertje open. Ze heeft gehuild. Het wit van haar ogen is waterig roze. Haar mascara is in zwarte strepen uitgelopen. Haar oogleden zijn besmeurd. Haar dikke haar zit helemaal in de war. Ze draagt weer een tuniek, viscose met een druk patroon en een brede kanten kraag. Haar kussenbuik wordt in de kier van de deur wat geplet.

'Mag ik binnenkomen?' vraagt hij zachtjes. Ze rekt haar hals om langs hem heen te kijken. Hij schudt zijn hoofd. 'Ik heb niemand bij me, Naomi.' Ze snuft en strijkt met de rug van haar hand langs haar neus. Even kijkt ze hem in de ogen, alsof ze zoekt naar sporen van een leugen achter de zich vernauwende pupillen. Dan stapt ze opzij en opent ze de deur. Hij gaat naar binnen. Ze gooit de deur meteen weer dicht en schuift de grendel erop. Ze sloft langs hem heen. De deuren van beide slaapkamers staan open en hij kijkt snel naar binnen of hij Bria ziet. Geen baby te bekennen. Hij loopt door het kralengordijn naar de zitkamer, die overgoten is door hard daglicht. Vanaf de straat stijgt het vertrouwde geraas van het verkeer op. Hij ziet niets bijzonders. Alles ziet er nog precies zo uit als hij het vanochtend heeft achtergelaten. Er is ook niets bijgekomen – geen baby.

'Ik ben zo moe,' mompelt Naomi suffig en ze zakt neer op de bank. Weer haalt ze de rug van haar hand langs haar neus. 'Ik moet gaan slapen.' Onbewust strijkt ze over haar ingedeukte kussenbuik. Owen zakt op zijn hurken en legt zijn hand op haar knie. Ze staart er wezenloos naar, kijkt dan op en ziet zijn gezicht.

'Naomi, waar is de baby?' Ze knippert een paar keer op die trage manier die haar eigen is. Dan sluit ze haar ogen.

'De baby?' herhaalt ze met vage verwondering.

'Ja. Bria. Wat heb je met haar gedaan?' Hij houdt zijn toon beleefd, alsof hij vraagt of ze toevallig weet waar ze een jas of een paar schoenen heeft gelaten.

'O, mijn baby is dood,' fluistert ze, met een glimlach, blij dat ze hem van dienst kan zijn. Ze buigt haar hoofd opzij en haar ogen gaan weer open, maar ze staart wezenloos voor zich uit. Dan slaakt ze een diepe zucht, gaapt en krabt met haar stompe vingers op haar hoofd. 'Ik mocht mijn baby niet houden.' Ze buigt zich dichter naar hem toe. 'Laten we gaan slapen, Owen.'

'Naomi, vertel me waar Bria is.' Ze heeft een grijze legging aan, maar geen schoenen. Hij ziet een paar rode pumps onder de franje van de plaid uitsteken. Ze begint aan een gaatje in de knie van haar legging te pulken. Haar wenkbrauwen trekken samen tot de vertrouwde, scheve rimpel.

'Maar het geeft niet, want ik heb een nieuwe. Bria. Bria. Mooie naam, hè?' zegt ze voor zich uit. 'Nu zijn we een gezin, Owen. Een echt gezin. Ik ben de moeder. Jij de vader. En Bria de baby.'

Heel even denkt hij aan Catherine, de echte moeder van Bria, die nu naar de telefoon zit te staren. En hij denkt aan Sean, haar vader, waar die ook mag zijn en wat die ook aan het doen is. Hij zegt, op iets nadrukkelijker toon: 'Ja, Naomi. Maar waar is onze baby? Waar is Bria?' Ze probeert haar pink door het gaatje te duwen. 'Luister. Ze is nog klein. Er moet iemand op haar passen. Haar moeder maakt zich zorgen. Daarom moet je me vertellen waar ze is. Dan kan ik haar naar huis brengen.'

Ze kijkt hem met uitdrukkingsloze ogen aan. 'Ik ben de moeder,' zegt ze. 'Dit is ons huis.'

'Ja, dat weet ik!' Ongeduld beïnvloedt zijn timbre en hij pauzeert even om zijn stem weer in bedwang te krijgen. 'Maar zeg nou waar je haar hebt gelaten. Waar heb je onze baby gelaten?'

Ze lijkt daar diep over na te denken. Onderhand strijkt ze met beide handen onbewust over haar met veren gevulde buik. Dan versombert de blik in haar tweekleurige ogen. 'Ik had zo'n verdriet,' zegt ze, half binnensmonds. 'Niemand hield van me, niemand luisterde naar me. Ze stopten me in het kolenhok en daar was het heel erg donker en heel erg vies.'

Owen voelt plotseling zijn maag knorren en beseft dat hij de hele dag niet heeft gegeten. Zijn hele maagstreek is gekneusd en gevoelig. Hij strijkt zijn haar naar achteren. Frustratie en misselijkmakende angst vechten in hem om voorrang. 'Waar is Bria?' Ze staart hem aan als een nurkse tiener. In de stilte wordt hij zich bewust van het druppelen van de lekkende kranen, een geluid waar hij zo aan gewend is geraakt dat het even duurt voordat het tot zijn bewustzijn doordringt. Naomi laat zich lusteloos naar achteren zakken en wijst met haar hoofd naar het kralengordijn. 'Bria is in het bad, Owen. Ik heb haar in het bad gelegd,' zegt ze liefjes. 'Ze was stout, ze was heel stout en ze huilde de hele tijd, dus heb ik haar in het bad gelegd zodat ze kan afkoelen en ophouden met huilen.'

Hij komt wankelend overeind. Het is net alsof hij geen geraamte meer heeft dat hem overeind kan houden. Hij slaat zijn handen voor zijn mond en kijkt op Naomi neer. Ze staart naar de muur, naar de scheve poster van Jimi Hendrix, terwijl ze prevelend een liedje zingt. Hij laat zijn handen zakken. 'Jezus, wat heb je gedaan, Naomi?' Ze geeft geen antwoord. Hij loopt als een robot tussen de klikkende kralen door en blijft aarzelend staan voor de gesloten deur van de badkamer. Hij voelt de verlammende angst van het jongetje op het strand, de allesoverheersende aandrang om te vluchten. Maar met de moed van een man draait hij aan de deurknop en hij duwt de deur langzaam open. Hij ziet de wc, de wastafel, het medicijnkastje met de gebarsten spiegel, het bad. In het bad ligt een groene deken, een dikke, doorweekte deken. Vanwege de lekkende kranen loopt het bad langzaam vol.

Hij loopt ernaartoe en dwingt zichzelf naar beneden te kijken. Met ingehouden adem bukt hij zich. Hij laat zijn hand met gespreide vingers over de dikke richels van de wollen stof gaan. Er staan plasjes water tussen de plooien, als kleine getijdenpoelen. Nu klopt hij zachtjes op de deken en laat zijn handen over het ruige wollen landschap glijden. Hij voelt iets zachts, als zeep, een voetje. Hij grijpt het kletsnatte doodskleed en pelt het laagje voor laagje weg tot hij de baby ziet. Bria. Ze ligt op haar rug in een paar centimeter ijskoud water. Ze ziet er levenloos uit. Haar huid is wasbleek, haar lippen zijn blauw. Angstvallig betast hij haar kleine bovenlichaam en dan verzamelt hij al zijn moed om zijn hand plat op het natte, roze pyjamaatje te leggen. Door het natte katoen heen voelt hij een onregelmatig getik, de trillingen van een hartslag. Ze leeft nog! Hij schuift zijn hand onder haar lichaam, steunt met zijn andere hand haar hoofdje en tilt haar voorzichtig op. Hij drukt haar tegen zijn borst en loopt snel naar zijn slaapkamer.

Bria's hoofdje rolt opzij en een flauwe zucht ontsnapt aan haar mondje. Er hangt een fopspeen rond haar hals, met een plaatje van een koe die over de gouden sikkel van de maan springt. De speen is gedeeltelijk bedekt met het waterige geel van babyspuug. Haar ogen zijn gesloten, haar zachte haar zit tegen haar schedel geplakt en ze is zo koud als de dood. Hij legt haar op het bed en trekt snel haar kleertjes uit. De luier is loodzwaar van het water. Hij doet zijn kast open en grijpt een dik, donkerblauw sweatshirt. Hij heeft ergens gelezen dat je een onderkoelde baby het snelst weer op temperatuur krijgt met je eigen lichaamswarmte. Hij gooit zijn T-shirt van zich af en omvat Bria met de warmte van zijn lichaam. 'Bria... Bria... kom terug,' fluistert hij, haar tegen zich aan drukkend, alsof hij haar op die manier kan dwingen in leven te blijven. Onderhand wrijft hij haar armpjes en beentjes om de doorstroming van het bloed te bevorderen. Als ze zich eindelijk begint te bewegen, legt hij haar weer op het bed en wikkelt haar in het sweatshirt. Haar oogjes gaan even open als hij haar weer optilt. Dan zakken de oogleden weer toe. Hij wil Catherine bellen, maar als hij uit zijn slaapkamer komt, staat Naomi achter het kralengordijn.

'Waar ga je heen, Owen?'

Hij wil Bria's leven niet langer op het spel te zetten door in de buurt van deze krankzinnige vrouw te blijven, dus draait hij zich om naar de deur van de flat, schuift de grendel weg en doet de deur open.

Naomi houdt haar hoofd schuin. Haar uitgegroeide haar is bijna helemaal zwart. Haar tweekleurige ogen hebben een wazige blik. 'Owen?'

'Naar buiten. Ik ga naar buiten.'

'En neem je onze baby mee?' vraagt ze.

'Ja.'

'Kom gauw terug.' Als hij de trap afdaalt, roept ze hem na: 'Want we zijn nu een gezin. We moeten bij elkaar blijven, wat er ook gebeurt.'

Catherine zit nu al zo lang naar de telefoon te staren dat die, net als een woord dat je te vaak zegt, een onwezenlijk, onherkenbaar ding is geworden. Het is alsof de tijd tot stilstand komt. Ze zit tussen de muren van een huis dat haar niets zegt. Al haar hoop is gevestigd op een man die ze maar één keer heeft ontmoet. Ze weet niet waarom ze juist hem vertrouwt. Het leven van haar baby is nu van hem afhankelijk. Ze had haar ouders moeten bellen, en de politie. Maar om onduidelijke redenen had ze zich gedwongen gevoeld Owen te bellen en hem te vragen haar baby terug te brengen. Bria is dood. Verstandelijk weet ze dat. Haar baby is dood. Ze moet dat aanvaarden. Maar haar hart smeekt: alsjeblieft, alsjeblieft.

Ze zit in de gang, kijkt om zich heen, al haar zintuigen op scherp. De voordeur is geel geschilderd, mosterdgeel. Onder die opperhuid zitten vast nog meer lagen verf, levens van andere mensen die zijn overgeschilderd. Het behang op de muren heeft een patroon van elkaar overlappende roomwitte, bruine en beige ruiten. Ze wordt duizelig als ze ernaar kijkt. Op de vloer ligt zeil: moddergroene zeshoeken. Het namiddaglicht toont geen medelijden met het ongeliefde huis. Het belicht de kinderwagen, de lege kinderwagen die er verloren bij staat. Vanochtend lag er een baby in. Nu is hij leeg.

Catherine is bekend met de dood. Ze weet dat je het ene moment vrolijk door de sneeuw kunt hollen en het volgende moment onder het ijs gezogen kunt worden. Ze weet dat de dood een zachte stem heeft, zacht maar vastberaden. De dood is eenvoudig. De dood is een kwestie van pech. Je wordt erdoor gepakt als je het helemaal niet verwacht. Ze dacht dat het niet uitmaakte, dat het allemaal niets uitmaakte. De afgrijselijke dagen waar ze doorheen moest zien te komen, deden haar terugverlangen naar het wak. Ze wilde zich aan de dood overgeven. Ze voelde de greep van de koude klauwen en was er blij om. Ze dacht dat er aan haar leven niet veel meer te redden viel. En toen kwam Bria.

En dus wacht ze, gezeten op het hek van de tijd, afwachtend naar welke kant ze zal vallen. Haar gehoor is gevoelig. Onduidelijke stemmen dringen door bakstenen en cement, muziek dreunt, het verkeer houdt een oeverloos debat gaande, de remmen van een bus piepen en zuchten, een claxon toetert, automotoren ronken als betonmolens. Dan remt er eentje af en stopt voor nummer 17, een portier wordt dichtgeslagen, voetstappen naderen. Ze voelt een idiote aandrang om zich op de grond te laten vallen, haar armen beschermend rond haar hoofd te leggen en te wachten tot de bom ontploft. Er wordt geklopt. Er wordt op haar deur geklopt.

'Catherine. Catherine.' Weer wordt er geklopt. 'Ik ben het. Owen. Ik heb Bria. Ik... ik heb haar teruggebracht. Ik heb haar teruggebracht, Catherine.' Ze weet niet of ze in staat is op te staan, of haar benen haar kunnen dragen. 'Catherine? Ik heb Bria. Catherine?'

Ze komt in etappes overeind, als een zwakke, oude vrouw, en loopt naar voren, met haar arm tegen de muur, dicht bij de muur zodat die de obstakels in haar binnenste kan gladstrijken. Ze sukkelt tot aan de voordeur en drukt haar gezicht tegen het sierglas in de bovenste helft van de deur. Ze ziet hem aan de andere kant van het glas, ziet de vorm van zijn gezicht door de ijslaag heen. Blond haar, blauwe ogen, rood haar, groene ogen. Alles golft. Hij bukt zich om op dezelfde hoogte als zij te komen. Als het glas er niet tussen zat, zouden hun lippen elkaar raken. Ze staart naar zichzelf, in hem weerspiegeld, en hij staart naar zijn spiegelbeeld, op haar geprojecteerd, Waterkinderen, gelijkgestemde zielen. Een moeder die haar kind heeft verloren. Een kind dat zijn moeder heeft verloren. Ze komen boven en halen gelijktijdig adem. In het tijdsbestek van een seconde ontstaat er iets uit het niets, en de splinter van ijs die in hun beider harten zat, begint te smelten.

'Catherine, alles is in orde. Doe de deur maar open.' Zijn lippen beroeren het glas als hij praat. Hij wacht. Bria wurmt in zijn armen. Ze is weer op temperatuur en heeft honger. Catherine denkt: ik ga flauwvallen. Maar ze valt niet flauw. Ze legt haar hand op de deurkruk, draait eraan, en trekt. De deur gaat met een schokje open. Armen die niet van haar zijn, komen vanzelf omhoog en worden uitgestoken. Haar adem stokt in haar keel, zodat ze kracht moet zetten om hem uit te stoten. Hij legt de baby in de armen die niet van haar zijn en dan schiet de adem los, en daarmee de kreet.

'Bria!'

Later denkt hij na over de manier waarop de baby haar vasthield en niet andersom. Weer ziet hij het botergele licht dat naar binnen stroomde toen ze de deur opendeed, en hoe het haar rode haar de gloed van goud gaf. Hij denkt aan haar dromerige groene ogen, zo zacht omlijst door de lichtbruine wimpers en wenkbrauwen. Hij herinnert zich hoe zijn lichaam zich ontspande toen hij zag hoe ze zich over haar baby ontfermde. Tot op dat moment had hij niet beseft hoe hard en hoekig zijn eigen lichaam was. Ze spraken in halve zinnen, in woorden, in gebaren, een dialoog vol daden. Ze belde haar vader en zei dat ze dacht dat Bria ziek was. Hij kwam hen halen en zei dat hij hen naar de dokter zou brengen. Ze stemde erin toe een poosje bij hen te blijven. Voordat Owen vertrok, pakte ze zijn hand en hield die secondenlang vast. Toen gaf ze hem het telefoonnummer van haar ouders.

Op de terugweg naar Londen denkt hij aan de lekkende kraan, aan hoe snel het waterniveau was gestegen en hoe weinig tijd er over was geweest. Hij denkt aan hoe makkelijk je kunt verdrinken, hoe een klein meisje dat op een zonnige zomerdag naar het blauw van de zee drentelt, kan worden gegrepen en binnen een paar seconden naar haar dood worden gesleurd. Een poosje loopt hij door de stad. Hij ziet jonge vrouwen in vrolijke zomerjurkjes lachen en babbelen, hun haar optillen, gearmd lopen, naar een bus rennen, in een taxi stappen, fietsen. Hoe zou Sarah er nu hebben uitgezien? Wat voor soort jonge vrouw zou ze zijn geworden? Hij had niet geweten hoezeer je iemand kon missen, die je niet echt had gekend. Zouden ze vaak hebben gekibbeld, gelachen, elkaar hebben geplaagd? Zouden ze elkaar een bijnaam hebben gegeven? Zou ze steun bij hem gezocht hebben en hij bij haar? Zouden delen van hun verstrengelde leven verlopen zijn alsof ze met aan elkaar gebonden benen een wedstrijd liepen? Zou haar broer voor haar net zo belangrijk zijn geweest als haar afwezigheid voor hem was? Hij keert niet terug naar de flat. Hij stapt weer in de trein. Ditmaal reist hij naar het westen. Zijn bestemming is het noorden van Devon, een uitstapje naar het strand. Hij gaat op pelgrimstocht naar Saunton Sands, naar de zee die hem zijn zusje heeft afgenomen. Hij gaat terugbladeren in zijn leven en een boekenlegger plaatsen bij de laatste dag die hij met Sarah heeft doorgebracht.

23

OP DE BOERDERIJ WAS NIET VEEL VERANDERD. STERKER NOG, DACHT Sean, het leek net alsof hij in Doctor Who's Tardis door de tijd was gereisd. Zijn vader was dood en begraven. De man die zijn hele leven zo gezond als een vis en zo sterk als een os was geweest, was door een hersentumor geveld. Emmet, de tweede zoon, de favoriete zoon, het kind dat naadloos in het boerenland paste, had de boerderij overgenomen alsof het zijn geboorterecht was. Om zijn positie te versterken had hij een vrouw gehuwd, Grania Quinn, de vierde dochter uit een goed, gezond gezin. Haar kaaklijn was stevig. Haar wenkbrauwen waren gitzwart en dik. Op haar bovenlip zat dons dat er in de namiddagzon uitzag als een snor. Met haar brede heupen had ze hem moeiteloos twee zonen geschonken, Colum en Hugh, waarmee de juistheid van zijn keuze was bewezen. Zijn moeder zwaaide nog altijd de scepter in de keuken, alleen hadden ze nu een fornuis, elektra, een toilet in huis en stromend water, warm en koud.

Emmet had met diepgewortelde achterdocht gereageerd op zijn onverwachte verschijning en zelfs de fles Jameson's Whiskey had daar niets aan afgedaan. Hij was nog steeds bang dat zijn oudere broer zijn rechten zou opeisen. Zijn ogen waren vernauwd tot potlooddunne streepjes en zijn lippen waren strakgetrokken als de knip van een portemonnee toen hij hem op de landweg had zien naderen. Sean had in stilte gegnuifd om zijn achterdocht, maar toen hij zijn vermoeide ogen over de heuvels met het polvormige gras en de doelloos rondsjokkende, met vliegen bedekte koeien had laten gaan, was de grootte van zijn afkeer van deze schrale, nukkige grond nogmaals bevestigd. Emmet mocht wat hem betrof alles houden. Sean had het nooit willen hebben, geen enkel deel ervan; niet zijn moeder, aan wie alle goedheid was onttrokken tot haar verweerde huid zo gerimpeld was geworden als een gedroogde pruim en haar handen tot op het bot waren versleten; niet zijn vader met zijn lompe gang en de arrogante manier waarop hij bepaalde wat goed en slecht was, om vervolgens zijn boerengerechtigheid in praktijk te brengen met een gladde stok van berkenhout; niet zijn broer die elke zondagochtend braaf met zijn ouders naar de kerk ging om vervolgens de halve middag in het toilethok te gaan masturberen bij foto's van naakte vrouwen die hij had gevonden onder de takken van een onaangestoken kampvuur van hun buren.

Sean had tijdens de avondmaaltijd van vlees en aardappelen hoog opgegeven over zijn Londense succes, zijn snelgroeiende groothandel, zijn mooie echtgenote Catherine en zijn volmaakte baby Bria, terwijl Emmets nazaten hem nieuwsgierig bekeken en Emmets vrouw om de tafel liep om de borden, die in razend tempo werden geleegd, weer te vullen. De lepels schraapten over het aardewerk als krijt op een schoolbord. De adamsappels van zijn neefjes dansten als jojo's tijdens hun gulzige geschrok. En zijn moeder zat, met in haar lege ogen de onvoorwaardelijke verdraagzaamheid van een dier, eindeloos te kauwen op een stuk brood dat vanwege haar slechte gebit in melk was gedrenkt. Nu en dan had ze naar de man die in haar baarmoeder was gegroeid gekeken alsof hij van Mars afkomstig was. Emmet, gezeten aan het hoofd van de tafel, had met een zuur gezicht whisky gedronken uit een vettig waterglas, zijn eten gedachteloos naar binnen geschoven, en met zijn te dicht bij elkaar staande ogen sombere blikken geworpen op zijn oudere broer, die tegenover hem aan het uiteinde van de tafel zat. Als hij een kat was geweest, zou zijn staart getrild hebben en zou een zacht, waarschuwend gegrom achter zijn door nicotine gevlekte, vooruitstaande tanden hoorbaar zijn geweest.

Er werd voor Sean een bed opgemaakt op de bank in de kleine kamer naast de keuken, die zijn moeder altijd optimistisch 'de mooie kamer' had genoemd. De rest van het gezin sliep aan de andere zijde van het huis, in het staartstuk van de boerderij. Sean ging zitten en wachtte. Hij luisterde naar de huiselijke geluiden die geleidelijk wegstierven, een deur die werd dichtgedaan, iets wat over de vloer schraapte, de zware stem van zijn broer, en toen alleen nog het kraken van de wervels van de oude boerderij, het gemelijke gerochel van de waterleiding en het trage tikken van de klok op de schoorsteenmantel. Kort na middernacht nam een nachtelijk wiegelied bezit van de stilte – de wind die probeerde het raam op te tillen, het gekras van een uil, het krabbelen van klauwtjes achter het beschot, het klaaglijke loeien van een koe, en ja, net hoorbaar, het a-capellakoor dat naar hem toe dreef op de zich ontvouwende spinnakers van riviermist.

Hij had het boek bij zich en opende het in de kleine lichtcirkel van de lamp. De grijze kaft was versleten en omdat hij er zo vaak in had zitten lezen, waren de bladzijden flinterdun geworden. Hij bladerde erin, pauzerend bij de tekeningen, die opmerkelijke tekeningen die zijn jonge geest in vuur en vlam hadden gezet. Hij snoof de muffe geur op, een geur die hij honderd keer liever had dan het bouquet van dure wijn. Wie had kunnen denken dat het belachelijke mannetje met het ouderwetse badpak en de badmuts die eruitzag als een vliegenierskap hem stap voor stap naar een paradijs zou brengen. Met eindeloos geduld had hij hem geleerd hoe hij een Eva kon verleiden die het toonbeeld van vrouwelijke perfectie was. Weer hoorde hij haar zingen voor haar minnaar. Gehoor gevend aan haar roep pakte hij het boek, stopte het stripje met slaappillen, Mogadon, twintig stuks, diep in zijn broekzak, nam de fles Armagnac onder zijn arm en vertrok.

Toen hij de heuvel afdaalde, voelde hij de adrenaline door zijn lichaam stromen bij het vooruitzicht op de hereniging. In al die jaren was hij niets vergeten en zij net zomin. Hij herinnerde zich de striemen op zijn billen, zijn dijen en zijn rug, hoe ze hadden gebrand na een meedogenloos pak ransel van zijn vader. Hij bleef een ogenblik staan en zijn gezicht vertrok bij de herinnering aan de intense pijn. Dagenlang had het gevoeld alsof zijn naakte lichaam bedekt was met zwermen wespen die hem onophoudelijk staken. Uit de bloedende wonden was eerst een zwak, waterig soort bloed gekomen, vermengd met etter, maar dat was geleidelijk ingedikt tot een donkerrode drab. Uiteindelijk was die hard geworden en hadden zich korstjes gevormd waar zijn kleren aan bleef haken, waardoor ze soms van de wondjes werden gerukt die dan weer begonnen te bloeden. En de jeuk, later, als ze begonnen te genezen. Dit was allemaal onverbrekelijk met haar verbonden. De vernedering van zich te moeten uitkleden voor zijn pa, die met een rooie kop stond te wachten, zijn pa die zichzelf had benoemd tot rechter en beul. En het vonnis, de marteling die hij moest verdragen zonder te huilen, troost puttend uit de gevoelens van zelfloutering waar hij later van was doordrongen.

Het was een koele, vochtige nacht. Het waas van de motregen werd verlicht door de maan, waardoor het leek alsof hij door een sprookjeslandschap liep, behangen met sluiers van doorzichtige organza. Boven zijn hoofd een armeluishemel met wolkenflarden die werden beroerd door dwarrelwind. De maan was zo geel als de dikke room die als een zon kwam bovendrijven in de nog warme melkemmers van zijn jeugd. De aanblik maakte herinneringen los aan de geuren van de melkschuur; de maagdelijke scherpte van de traag op gang komende dag; het genoeglijke knisperen van het stro, verstoord door de hete stoom van de adem van het varken; de neerspattende poep waar de aloude stank van de ingewanden van de aarde vanaf walmde; de smaak van zijn eigen ademhaling, nog zurig na de onbeweeglijkheid van het slapen; het 'siss, siss' van de blauwig witte straaltjes melk in het schuim in de emmer; en de binnendringende koude die hem noopte dichter naar de warmte van de stugbehaarde flank te leunen, terwijl het domme dier geduldig toestond dat hij met zijn onhandige, stijve vingers aan haar tepels trok.

Zijn gezicht is nat als hij bij zijn maîtresse arriveert, het branden van zijn ogen geblust door het genezende stoombad van iepenschors. Nee, hij denkt niet aan haar greep als hij uit het nu dikkere gordijn van motregen tevoorschijn komt. Hij zakt neer op het randje strand, in zijn spijkerbroek en doorweekte schipperstrui, zijn schoenen en zijn sokken. Hij voelt zich bij haar vergeleken veel te aangekleed en vraagt zich af of ze hem nog wel zal herkennen nu zo'n groot deel van haar is weggevloeid naar de zee.

'Ik ben niet op de fiets gekomen,' mompelt hij timide, alsof hij haar geheugen wil opfrissen. Mistsluiers hangen boven de zwarte oppervlakte, als een zachte, doorzichtige avondjapon, die hier en daar een glimp van haar donkere lichaam laat zien. Zijn hart is zo vol dat er geen ruimte is voor woorden, maar het prachtige aan haar is dat dat niets uitmaakt, dat ze zijn intiemste gedachten kan lezen alsof het haar eigen gedachten zijn. Hij daalt af naar waar ze het zand en de kiezels glans geeft en ermee flirt met haar natte strelingen. Hij gaat zitten, stuntelig, komt te hard neer op de kiezels, met zijn stuitje op de akelige, puntige steentjes. Als hij zijn schoenen in het water doopt, kruipt ze verleidelijk, zalvend als balsem, in zijn nylon sokken. Hij leunt naar voren, trekt de schoenen zonder de veters los te maken van zijn voeten, neemt ze in zijn hand, gooit ze zo ver mogelijk over het water en luistert met genoegen naar het gespetter waarmee zij ze verwelkomt. Ze speelt er eventjes mee, maakt van een van de schoenen een bootje dat ze eerst een veilige overtocht garandeert, maar dan met een geniepige golfslag en haar gulzige zuigkracht zomaar laat vergaan.

Hij ontkurkt de cognac, brengt de fles naar zijn mond en neemt een lange teug die hij regelrecht in zijn keel laat glijden waardoor hij seconden later pas de terugslag voelt als een hete vlam in het zachte vlies van zijn strot. Hij zet de fles voorzichtig neer tussen de scherpe steentjes van het gruizige strand. Dan steekt hij zijn hand in zijn zak en haalt hij het stripje eruit. Hij drukt de witte pilletjes eruit en legt ze in de bevende palm van zijn hand, buigt zijn hoofd en likt ze op, vier, twee, een, drie, en zo verder, tot ze allemaal verdwenen zijn. Als hij zit te kauwen, komt zijn moeder uit de nevel naar voren. Wezenloos vermaalt ze haar soppige wittebrood, als een herkauwende koe. Ze slikt en laat haar tandeloze mond openhangen. Woorden kruipen als dikke, witte maden over haar gebarsten lippen.

'Verdorven... abnormale jongen... naakt... schaamteloos... met God als zijn getuige... dook van de rotsen... de Shannon... een kwade geest in hem... mijnheer pastoor zegt dat het de duivel is... ransel de zonde uit zijn lijf... in de rivier stoeien met de duivel... een waterduivel.'

Als zijn smaakpapillen beginnen te gonzen van de bittere smaak en de aandrang om al zijn misère uit te kotsen te sterk dreigt te worden, grijpt hij snel de fles. Hij drinkt gulzig, maar zijn keel, verdoofd tegen de scherpte, voelt slechts een wollig krassen. Hij schudt de fles. Die is voor meer dan de helft leeg. Hij zet hem zorgvuldig weer neer, trekt zijn natte sokken uit en komt overeind. Hij ontdoet zich van zijn kleren. Eerst zijn slobberige, natte kabeltrui, wat hem verandert in een geschoren schaap. Dan zijn T-shirt. Terwijl de zachte regen op de kruisvormige stand van zijn schouders neerdaalt en in beekjes over zijn buik stroomt, worstelt hij met de gesp van zijn broekriem. Hij knippert regendruppels weg, of misschien zijn het tranen, en denkt aan alle gespen die hij op de markt heeft verkocht. In zijn verbeelding ziet hij er een hele berg van, glanzend in de zon, een schroothoop. Nu wijkt de riem gewillig uiteen en trekt hij de rits van zijn gulp naar beneden. Zijn spijkerbroek zakt in rimpels rond zijn blote voeten. Hij heeft geen onderbroek aan en als hij uit zijn spijkerbroek is gestapt, wat lastiger was dan hij had voorzien, is hij naakt en kan hij zich nergens meer verstoppen. De geniepige puntjes van het scherpe grind hebben nu vrij spel, maar het is alsof ze een andere man pijnigen, op een andere oever. Hij is... wat? Hij ademt... ademt... hij ademt zoals de koeien in het grauwe licht van de dageraad ademen in de melkschuur, met wilskracht en volharding, wilskrachtig en volhardend zuchtend.

Hij zal voor haar dansen, voor haar dansen in de regen. Hij is gebeten door de spin en zal dansen tot het gif uit zijn bloed is verdreven. De tarantella zal hij dansen. Hij begint, langzaam, langzaam, stap en stap en draai en val, en hef je armen en buig je achterover, en draai je hoofd, en klap in je handen en draai en buig en wentel. Geknakt als een grasspriet die door de harde vlagen van de noordenwind uit de grond is gerukt. Steeds sneller danst hij, immuun voor de scherpe punten die in zijn voetzolen dringen. Hij is Hans Christian Andersens kleine zeemeermin, alleen is hij een meerman, die over de scherpe punten van spijkers of messen moet lopen, en net als zij verdraagt hij de pijn gewillig voor zijn geliefde. Hij knielt en smeekt haar om vergiffenis dat hij haar heeft verlaten, dat hij zijn dromen niet heeft waargemaakt, vergiffenis voor Catherine die als een blok hout onder hem lag, voor Bria omdat hij wel van haar houdt maar niet genoeg, vergiffenis dat hij de honden en de paarden van zich heeft laten winnen, en dat hij zich heeft ingelaten met een crimineel die het merg uit zijn botten heeft gezogen.

'Voor dit alles en nog meer vraag ik je om vergiffenis, Shannon.' Zijn biecht, zwaar van tranen, valt op de kiezels, sijpelt erdoorheen en wordt opgezogen door haar zand.

Hij krabbelt overeind, bukt zich naar zijn fles, drinkt hem leeg en smijt hem door de nacht opdat hij een kristallen zaadje in haar baarmoeder kan laten groeien. Het is zijn voorbode, de knecht die voor zijn meester uit loopt om zijn komst aan te kondigen. Weer biedt hij haar zijn lichaam, in de rondte tollend met gestrekte armen, zoals hij als jongen deed. Als hij uiteindelijk blijft staan, buiten adem, duizelig, heeft de regendouche hem gewassen en is hij gereed voor haar.

'Heilige Maria, Moeder van God, bid voor ons zondaars, nu en in het uur van onze dood.' Hij aarzelt, weet opeens dat hij haar niet waard is, heft zijn zware hoofd op, er zeker van dat ze hem zal weigeren. Maar als haar zwarte armen hem wenken, met armbanden van maanlicht rond de polsen, beseft hij geschokt dat haar begeerte even groot is als de zijne. En als hij naar die koude armen waadt en neerstort in de glans van haar geheimen, glijdt ze gretig over hem heen. Hij kan niet langer wachten. Ze voelt het en zet haar stromingen voor hem open. En dan duikt hij, duikt hij in haar en breekt ze zijn val met haar zijdezachte water.

In haar volmaaktheid ligt zijn absolutie. Hij is nu even puur als de maagdelijke knaap die in alle onschuld bij haar was gekomen. Hij heeft zich door het leven aan haar laten onttroggelen. Hij heeft zijn enige ware liefde, zijn Shannon, in de steek gelaten. Maar hij zal zijn verraad goedmaken. Hij zweert het als hij naar haar diepten afdaalt. Hij zal zich volledig aan haar geven en alle anderen verzaken, tot in de eeuwigheid. Ze neemt hem mee en zegt dat hij zijn vermoeide hoofd op haar donkere boezem moet leggen. 'Ik ben zo moe, zo verschrikkelijk moe.' Ze weet wat hij denkt en lispelt tegen hem in de taal van de rivier.

'Heb me lief, Sean. Geef je over aan mijn stromingen. Dan zal ik je meevoeren naar mijn moeder, de zee. Want daar is al een bed voor je gespreid.'

24

HIJ WEET NIET ZEKER WAT HIJ HAD VERWACHT – DAT AL ZIJN VERdriet naar buiten zou borrelen, dat hij in onbeheerste woede zou uitbarsten, dat hij zo in de ban van zijn fobie zou komen dat hij het niet eens zou aandurven over het strand te lopen. Niets van dat alles. Vanwege de hitte is het druk in Saunton Sands. De hele middag zit hij op een duin gezinnen te bespieden, gezinnen voor wie de volmaakte dag niet in een tragedie zal eindigen. Het tafereel heeft de vrolijke zekerheid van een kinderschilderij: de brede penseelstreken van de blauwe hemel, de nog blauwere zee met de witgekuifde golven, de zon die schittert als het schild van een krijger, de kilometers zand met de kleur van zaagsel. Vrolijk gekleurde vlaggetjes, badkleding en picknickspullen zijn als het ware uitgestrooid over de collage. Het is een genot om ernaar te kijken. De verfrissende zeebries doet zijn haar opwaaien. Het geraas van de branding en de klaaglijke kreten van de zeemeeuwen vullen zijn oren – een vakantiesfeer.

Hij houdt zijn hand boven zijn ogen en probeert de plek met een X te markeren, maar kan zich niet herinneren waar het was, de plek waar de Abingdons al die jaren geleden hun windscherm hadden opgezet en waar Sarah was verdronken. En gek genoeg wordt hij er niet bedroefd van, maar blij. Er is zo veel zand verstoven sinds die zwarte dag, zo veel dat het een heel ander strand lijkt te zijn geworden, een schoongewassen strand. Hij neemt voor een paar dagen een kamer in een nabijgelegen hotel en zwerft daarna nog een weekje rond, overnachtend in pensions, voorttrekkend van stad tot stad. Hij steekt zich in goedkope strandkleding, een T-shirt en een korte broek. Tweemaal belt hij het nummer dat Catherine hem heeft gegeven, maar er wordt niet opgenomen. Hij wil horen hoe Bria het maakt, of ze volledig is hersteld, of Catherine het allemaal aankan, of Sean terug is en of die zijn problemen heeft opgelost. Hij heeft ook wat gewetensbezwaren aangaande Naomi. Dat ze geestelijk gestoord is, is hem duidelijk, en misschien kan iemand haar overhalen zich onder psychiatrische behandeling te laten stellen. Eerlijk gezegd zou hij niet meer naar de flat teruggaan als daar zijn fotoalbum en ingelijste foto niet lagen. De kleren en de weinige spullen die hij had meegenomen naar Londen kan hij best missen, maar de foto's zijn van onschatbare waarde.

Het zijn er niet veel, niet genoeg om het versleten, blauwe, leren album te vullen, maar juist omdat het er zo weinig zijn, hebben ze des te meer waarde. Een van zijn favorieten is een kiekje waarop Sarah door een rozentuin holt. Ze draagt een geruit jurkje met een ronde, witte kraag. Ze kijkt lachend om naar degene die de foto neemt, en haar blonde krullen dansen. Er zit een madeliefje in die krullen en ze is omringd door grote gele, roze en witte rozen die in volle bloei staan. Er is ook een foto van hen tweeën op een glijbaan. Hij zit op zijn hurken bovenaan, met gestrekte armen, en houdt haar handjes vast. Zij ligt op de glijbaan, roffelt met haar voetjes en roept dat hij haar moet loslaten. Op een andere foto zitten ze samen in het stenen boograam van een kasteel, met een gepaste uitdrukking van ontzag op hun gezicht. Er is een kiekje van het hele gezin, voor een tent, genomen tijdens een kampeervakantie. Zijn moeder zit op een vouwstoeltje met Sarah op schoot en Owen en zijn vader staan aan weerszijden van hen, met stoere poses. De foto van hem en zijn vader waar hij het meest van houdt, is er eentje waarop ze gehuld in stoomwolken naast een grote trein staan. Hij herinnert zich de hete, branderige stank nog precies.

Maar het allermeest houdt hij van de ingelijste foto van hem en zijn moeder, allebei dik ingepakt in een winterjas, met sjaal, wanten en muts, trots naast de sneeuwpop die ze hebben gemaakt. Zijn moeder staat achter hem, gebukt, met haar armen kruiselings over zijn borst, haar rozige wang tegen de zijne gedrukt. Hij houdt een wortel voor zijn neus, het meesterwerk imiterend dat ze samen hebben gecreëerd. En ze lachen zich allebei slap.

Hij herinnert zich het maken van de sneeuwpop nog als de dag van gisteren. Sarah was verkouden en mocht daarom niet buiten spelen. Ze zat plaatjes te kleuren voor de kachel. Zijn vader zat zaadcatalogi te bekijken. Zijn moeder was aan het bakken en de heerlijke geur van warme peperkoek vulde het huis. Er was een dik pak sneeuw gevallen en de ongerepte witte wereld was onweerstaanbaar aanlokkelijk voor een kleine jongen als Owen.

'Vader... zou u me willen helpen een sneeuwpop te maken?' vroeg hij aarzelend.

'Nu niet, Owen. Misschien na het eten.'

'Maar dan is het te laat,' zei hij bedrukt.

'Misschien morgen dan. We zullen zien.'

Het antwoord verbaasde hem niet, maar daarom was hij niet minder teleurgesteld. Landerig besloot hij dan maar *The Shooting Star* te gaan lezen, de laatste aflevering van Kuifje, en hij wilde het blad net pakken toen zijn moeder in de deuropening verscheen.

'Wat ben je nou toch weer een saaie vent,' zei ze met haar handen in haar zij tegen zijn vader. Toen keek ze naar Owen. 'Ik wil je wel helpen een sneeuwpop te maken,' zei ze. Haar bruine ogen glommen ondeugend.

'Echt waar?'

'Tuurlijk. We gaan de mooiste sneeuwpop van de hele wereld maken. Maar laten we ons dik inpakken, want zo te zien is het buiten knap koud.'

Ze haalde twee kooltjes voor de ogen, een wortel voor de neus en sperziebonen voor de mond. 'En,' fluisterde ze als een ondeugend schoolmeisje, 'een van de oude deukhoeden van je vader en die sjaal die oma voor hem heeft gebreid en die hij nooit om wil. Haal jij de bezem maar uit de schuur, dan krijgt hij helemáál een beroerte.'

Ze hadden gewerkt tot hun wangen gloeiden en hun neus zo rood was als die van Rudolph. Ondanks zijn wanten waren zijn handen gevoelloos geworden van de kou, maar onder zijn duffelse jas was hij zo warm als een vers kadetje. Toen hij zich bukte om nog een laatste portie sneeuw op de dikke buik van hun sneeuwman te plakken, liet zijn moeder wat sneeuw in zijn kraag glijden. Hij gilde van de schrik en raapte snel sneeuw bij elkaar om een levensgrote sneeuwbal te maken.

'Nee, nee, nee!' gilde ze toen hij haar najoeg door de tuin. 'Genade, Owen.' Maar hij gooide de sneeuwbal evengoed en raakte haar midden op haar rug. Toen ze de sneeuw van zich af schudde, was ze buiten adem van het lachen. 'Stouterd,' zei ze vol genegenheid. Het licht had inmiddels een blauwe teint gekregen en gaf haar bleke huid een aparte gloed, waardoor ze er heel mooi uitzag. Sarah en zijn vader stonden achter het raam naar hen te zwaaien, alsof ze hen eraan wilden herinneren dat zij ook nog bestonden. Owen had het idee dat ze een beetje jaloers waren dat zij zo'n pret hadden. En toen had zijn vader zijn fototoestel gehaald en de foto gemaakt waarop ze wang aan wang poseerden, hij met zijn oranje wortelneus. Daarna waren ze naar binnen gegaan en hadden ze warme peperkoek gegeten en chocolademelk gedronken met kaneel op het schuim gesprenkeld.

Toen ze hem een paar dagen later rond de sneeuwman zag lopen die in de zon aan het smelten was, kwam ze naar buiten om te vragen waarom hij zo sip keek. Hij keek naar haar op met tranen in zijn ogen en opeengeknepen lippen. 'Hij mag niet smelten, mama. We hebben hem samen gemaakt en ik wil niet dat hij verdwijnt. Het is niet eerlijk.'

Ze sloeg haar arm om zijn schouders en dacht na. 'Je moet het zo zien, Owen,' zei ze toen. 'Hij is eigenlijk geen sneeuwpop, hij is een waterkind dat opgesloten zit in dat grote, bevroren lichaam. De zon zorgt ervoor dat hij kan ontsnappen. Kijk maar. Zie je hem in die plas, zie je dat zilveren licht dat op de oppervlakte danst? Voel je hoe fijn hij het vindt dat hij bevrijd is?' Ze gaf zijn schouder een kneepje.

Het jaar daarop viel er veel te weinig sneeuw om een sneeuwpop te kunnen maken. Sarah zwaaide niet achter het raam en zijn moeder was nergens te bekennen. En het Waterkind was het licht dat ervoor zorgde dat de duisternis hem niet zou opslokken.

Eind augustus draait hij in een telefooncel nogmaals Catherine's nummer. Haar vader neemt op. Owen herkent de zware stem. Hij vraagt wie er belt.

'Owen Abingdon. Ik heb u een paar weken geleden ontmoet, bij Catherine thuis, toen Bria ziek was.'

'O ja, een ogenblikje, alsjeblieft.'

Een stilte en dan: 'Owen? Ben jij dat?' Ze klinkt opgelucht.

'Ja. Ik had al eerder gebeld, maar toen werd er niet opgenomen. Hoe is het met je?'

'Niet zo goed, eerlijk gezegd.'

'Is er iets met Bria?' vraagt hij ongerust.

'Nee, Bria is kerngezond. Het gaat om iets anders. Maar ik wil het je niet door de telefoon vertellen. Kunnen we ergens afspreken?' Ze spreken voor de volgende middag af in een café in de buurt van Covent Garden.

'Nog iets, Owen. Ik heb naar de flat gebeld. Ik moest je spreken. Ik dacht dat jij het was toen er werd opgenomen. Ik heb niet veel gezegd. "Owen, met Catherine." Zoiets. Toen ik besefte dat jij het niet was maar Naomi, heb ik meteen opgehangen.'

'Dat geeft niets. Ik regel het wel. Maak je geen zorgen,' zegt hij.

'Maar –'

'Maak je geen zorgen, Catherine. Ik bescherm je wel.' De dag daarop denkt hij over die woorden na als zijn trein Londen nadert. Hij mag niet vergeten dat ze getrouwd is, dat het niet zijn taak is haar te beschermen. Het begint erop te lijken dat het Britse klimaat permanent is veranderd, dat de mensen zich nooit meer zullen kunnen beklagen over het druilerige weer. Warme kruiken, brood roosteren in de open haard, bedsokken, paraplu's en regenhoedjes lijken tot het verleden te behoren. Souvenirs van een gematigd klimaat die nu thuishoren in de geschiedenisboeken, samen met de ijstijd. Het ventilatierooster naast zijn stoel zit klem. Na drie pogingen om het open te krijgen, geeft hij het op.

'Het blijft maar warm, hè?' zegt de man die tegenover hem zit. Het is een gezette man van middelbare leeftijd met een korte, volle baard en bruin haar dat dun wordt. Hij houdt van een praatje, zoals Owen algauw merkt. De man bolt zijn wangen en blaast de lucht weer uit, waardoor zijn dunne haar opwaait. 'Dat mensen nog kunnen werken in deze hitte... het is verschrikkelijk.'

'Het zal nu wel gauw gaan regenen,' zegt Owen zonder er zelf in te geloven.

De man slaat de manchetten van zijn blauw met wit gestreepte overhemd om en doet nog een knoopje open, waardoor een paar centimeter borsthaar zichtbaar wordt. 'Je zou bijna zin krijgen om lid te worden van een nudistenkolonie.' Owen glimlacht beleefd. 'Waar ik woon, is het asfalt letterlijk aan het smelten. Aan het smelten! Nou vráág ik je! Laatst lag mijn dochter in de tuin te zonnen en naar plaatjes te luisteren. Vijf van de platen trokken krom in de zon. Ze kon ze meteen weggooien. In de pubs komen ze bier tekort. Het lijkt het einde van de wereld wel.'

'Laten we hopen van niet.'

'In de ondergrondse vallen mensen flauw van de hitte. Akkers veranderen in dorre velden. Ik heb gehoord dat de waterreservoirs leeg raken. Om de haverklap is er ergens brand. En heb je al gehoord dat er een minister van Droogte is aangesteld? Dennis Howell. Bijgenaamd de Rainmaker. Alsof die iets kan doen. We hebben iemand nodig die wonderen kan verrichten, en snel!'

De Rainmaker. Owen denkt daarover na als hij naar het café loopt waar hij met Catherine heeft afgesproken. Er is een film met Burt Lancaster en Katharine Hepburn die *The Rainmaker* heet. Burt vertolkt daarin de rol van Starbuck, een oplichter, en hij vraagt zich wrang af of Dennis Howell beter geschikt is voor die rol. Hij is vroeg. Ze hebben om vier uur afgesproken, dus heeft hij nog een kwartier. Hij bestelt alvast een ijskoude cola. Als er dicht bij de staande ventilator een tafeltje vrijkomt, pikt hij het snel in. Hij is van plan om na hun gesprek naar de flat te gaan om te zien hoe het met Naomi is en zijn foto's en de rest van zijn spullen te halen.

Ze ziet er erg mooi uit als ze binnenkomt, in een jurk van kaaslinnen met geborduurde bloemetjes langs de hals. Haar haar strijkt langs zijn hand als ze gaat zitten. Het hangt los en wordt uit haar gezicht gehouden met een zonnebril die als haarband dient. Kleine gouden oorringen doorboren haar oorlelletjes. Ze bestelt een cola als de serveerster de bestelling komt opnemen.

'Hoe is het ermee?' vraagt Owen. 'Hoe is het met Bria?'

'Goed, dank je.' Maar haar ogen staan verdrietig. Ze raakt eventjes zijn hand aan. 'Ik ben zo blij je weer te zien, Owen.' De serveerster zet het flesje en een glas voor haar neer. Hij ziet dat haar vingers trillen als ze de cola inschenkt. Ze kijkt hem aan. 'Sean is dood,' zegt ze dan eenvoudig.

Het blijft stil terwijl hij dat onthutsende nieuws verwerkt. 'Jemig. Meen je dat? O, Catherine, wat spijt me dat voor je.' Hij gaat ervan uit dat Blue hem te pakken heeft gekregen, maar die veronderstelling wordt meteen tenietgedaan als ze hem vertelt dat Sean zelfmoord heeft gepleegd.

'Hij heeft zich verdronken, Owen. In de buurt van het huis waar hij is opgegroeid, in de rivier de Shannon. Midden in de nacht. Hij heeft slaappillen geslikt en een hele fles cognac leeggedronken en is toen in de rivier gedoken. Ik ben naar Ierland gegaan voor de begrafenis.' Hij slaat zijn handen voor zijn mond en haalt een paar keer diep adem. In elk geval weet hij nu dat hij niet door Blue is vermoord, dat hij uiteindelijk sneller is geweest dan de paarden en honden waarop hij had gegokt, en dat hij iedereen te slim af is geweest.

'Het was heel naar. Mijn nichtje Rosalyn was er speciaal voor overgekomen. Ik ben naar de plek gegaan waar het is gebeurd, een beschut stukje kiezelstrand waar de rivier als een eindeloze groene vlakte langs stroomt,' vertelt Catherine. 'Zijn moeder zei dat hij daar vroeger altijd naartoe ging, dat hij op die plek helemaal zelfstandig had leren zwemmen. In de Shannon.'

Hij knikt en denkt terug aan een nachtelijk gesprek met de dronken Sean. Mijn maîtresse, mijn groene maîtresse. Het valt mee dat hij niet van angst zit te beven als hij het zich inbeeldt – hoe de Shannon door Seans leven was gestroomd en hoe ze hem uiteindelijk had meegenomen. 'Mijn maîtresse, mijn groene maîtresse.'

'Mijn groene maîtresse? Wat wil dat zeggen?'

'Dat heeft Sean een keer gezegd. Ik denk nu dat hij de rivier, zijn rivier, bedoelde.'

Catherine knikt, neemt een slokje en zet haar glas weer neer. 'Zijn moeder zei dat het schandalig was, wat hij als jongen had gedaan. Dat hij zichzelf had leren zwemmen. Ze zei dat het onnatuurlijk en beschamend was. Een man uit het dorp had hem gezien, had hem van de rotsen in de Shannon zien duiken en was het haar komen vertellen. Toen heeft zijn vader hem afgeranseld. Zijn vader heeft hem afgeranseld omdat hij in de rivier ging zwemmen.'

'Wat afschuwelijk,' zegt Owen fluisterend.

'Hij is gecremeerd. Had ik dat al gezegd?' Ze staart voor zich uit.

'Nee.'

'Ze hebben me de urn met zijn as gegeven. Ik heb aan zijn moeder gevraagd of ze die wilde houden, maar ze zei van niet, omdat hij al genoeg problemen had veroorzaakt. Ze zei het zo onverschillig, alsof het haar niets kon schelen. Toen heb ik...' Ze stokt en tekent onbewust met haar pink de letter S op de tafel. Er ontsnapt haar een geluidje als haar adem stokt. 'Ik ben met de urn naar de Shannon gegaan, naar dat kiezelstrand, naar de plaats waar hij is verdronken. In mijn eentje. Ik ben op de rotsen geklommen waar hij vroeger vermoedelijk vanaf dook. En toen... heb ik het deksel van de urn afgenomen en zijn as in de rivier uitgestrooid. Ik zag hoe het werd meegenomen door het water. Ik heb het gedaan omdat... omdat ik geloof dat hij veel van die plek hield. Hij moet erg van de rivier hebben gehouden, als hij die plek heeft gekozen om zijn leven te beëindigen. Vind je het raar dat ik dat heb gedaan, Owen?'

'Nee, helemaal niet. Juist goed. Sean zou dat heel goed hebben gevonden.' Owen bedekt haar hand met de zijne. Haar hand is klein, koel en glad. Met haar andere hand rommelt ze in haar schoudertas en ze haalt er een boek uit, een versleten grijs boek. Het is niet groter dan een paperback en half zo dik. Uit de boekband steken losgerafelde draadjes en de kaft is verschoten. De rug is geknakt door het veelvuldige gebruik. Ze legt het met zorg tussen hen in.

Zwijgend buigen ze hun hoofd en kijken ernaar. Het is bijna alsof ze bidden. In een willekeurig café, ingeklemd tussen zo veel anderen. Een café vol pratende, lachende, kibbelende mensen, waar serviesgoed rinkelt, kopjes dampen, machines sissen, kassa's open- en dichtgaan, en stemmen stijgen en dalen. Op die plek zitten Owen en Catherine samen aan een tafeltje eerbiedig te staren naar een onbeduidend grijs boekje. Het had afkomstig kunnen zijn van een rommelmarkt of uit een liefdadigheidswinkel. Het had jaren op de stoffige plank van een winkel in tweedehandsboeken gelegen kunnen hebben. Of het kon door een achtjarig Iers jongetje gevonden zijn toen hij met Kerstmis stiekem in de koffer van zijn tante snuffelde, een jongetje dat zich bij kaarslicht had gebogen over de beduimelde pagina's en ervan had gedroomd de groene meesteres die de scepter zwaaide over al hun levens, te bedwingen. De Waterkinderen voelen hoeveel macht het boekje heeft. Owen weet dat hij, als hij het openslaat, de deur zal openen tot een andere wereld, een waterwereld, en dat hij vinnen zal moeten krijgen om die te kunnen betreden.

'Ze hebben het op de oever van de rivier gevonden. Hij had het onder zijn kleren gelegd. De grond was nat, dus is er vocht ingetrokken. Daarom zijn de pagina's zo gebobbeld. Maar je kunt alles nog lezen. En de tekeningen zijn ook nog scherp. Het is een instructieboek om te leren zwemmen. Het is erg oud. En erg ouderwets. Sommige van de tekeningen zijn heel mal.' Ze glimlacht. Owen stelt zich voor hoe de jonge Sean die tekeningen had bestudeerd, hoe zijn hart sneller was gaan kloppen in zijn magere borst toen hij het had aangedurfd zijn verbeelding te vrije loop te geven.

'Ik kan niet zwemmen,' bekent Owen. Hij ziet hoe de roterende ventilator haar haar steeds eventjes laat bewegen. Hij legt zijn hand op de zwembijbel en zweert de waarheid te vertellen. 'Mijn zusje is verdronken. Ze heette Sarah. Ze was bijna vijf. We waren een dagje naar het strand en mijn moeder had gezegd dat ik bij haar moest blijven, maar –'

'Ga door,' spoort ze hem aan. En dan vertelt hij haar alles.

Als hij is uitgesproken, zwijgen ze samen, hun gedachten volmaakt gesynchroniseerd, zwemmend door een zee van verdriet. Dan is het Catherine's beurt. Owen loopt met haar door de sneeuw. Hij laat zich hypnotiseren door de scherpe, monochrome kleuren. Hij deelt haar doelgerichtheid als ze voortsjouwen, deelt met haar de schoonheid van het ijzige eiland waarbij ze uitkomen. Hij ziet Rosalyn, schaatsend op het ijs, haar rode baret als een druppel bloed in het wit. En hij ziet de twee meisjes in een web van scheuren zinken.

'Ik dacht dat Rosalyn degene was die er permanente schade aan zou overhouden, maar ik was het zelf. Ik ben sindsdien eigenlijk langzaam gaan sterven. Als ik Bria niet had...' Ze hoeft de zin niet af te maken. Hij weet het, hij weet dat ze geen van beiden vastgebonden liggen aan de steiger van hun leven, dat er maar één onverwachte golf nodig is om hen voor altijd op drift te laten raken. Ze bladeren in het boek, bekijken de schetsen van de man die de zwemslagen demonstreert. Catherine slaat haar groene ogen op en ziet een helende glimlach rond Owens mond spelen. Met een trillende vinger traceert hij een van de schetsen en ze ziet een zweem van nieuwsgierigheid in zijn ogen. Hij bekijkt de man, half man, half vis, een meerman die hem uitdaagt.

'Owen, ik wil je nog iets vertellen.'

'Ja?' Hij voelt een steek van angst om wat ze hem gaat toevertrouwen.

'Ik... ik hoop dat je niet al te geschokt zult zijn.' Hij beweegt zijn wijsvinger op en neer over de condens op zijn glas en ademt oppervlakkig. 'Ik hield niet van Sean. En ik geloof dat hij ook niet van mij hield. Ik had niet met hem moeten trouwen. Mijn ouders hadden me overgehaald steno en typen te leren. Ik vond het vreselijk. Ik voelde me thuis al zo opgesloten en nu moest ik ook nog een beroep leren dat ik niet wilde. Door te trouwen kon ik ontsnappen.' Ze neemt een slok en klemt haar lippen op elkaar voordat ze doorgaat. 'Ik geloof dat hij zijn eigen redenen had om met me te trouwen. Hij dacht dat het hebben van een Engelse echtgenote uit de middenklasse het toppunt van respectabiliteit was. Hij was verschrikkelijk ambitieus en wilde zo graag zijn status verbeteren, maar het pakte helemaal verkeerd uit.' Ze haalt diep adem. 'Bria was niet gepland. Als ik niet zwanger was geworden, denk ik dat we een paar weken na de bruiloft al uit elkaar zouden zijn gegaan. Zo, nu weet je alles.'

Hij glimlacht haar geruststellend toe. 'Ik had al begrepen dat jullie niet gelukkig waren.'

'Ik ga opnieuw beginnen en ditmaal ga ik het goed doen.'

'Ik ook,' zegt Owen. Ze kijken elkaar aan en zeggen lange tijd helemaal niets. Het is niet nodig.

Dan: 'Ik moet Seans spullen uit de flat halen. De meubels zijn van de huiseigenaar, dus veel is het niet,' zegt ze. 'Ik vroeg me af of jij me daarbij kon helpen.'

'Weet je wat? Ik pak alles voor je in en bel je als ik ermee klaar ben. Dan kun je langskomen en laden we alles in een auto. Op die manier hoef je Naomi niet te zien. Goed?'

Ze knikt opgelucht. Dan zegt ze dat ze naar station Waterloo moet om een trein naar huis te nemen, naar het huis van haar ouders, die op Bria passen. Ze lopen er samen naartoe, slenterend vanwege de warmte. De forensen zijn al naar huis. Het is niet meer zo druk op straat. Het verkeer ronkt nog steeds, maar het is eerder een gezoem dan een gegrom. Het stof slaat neer. Door de lage stand van de zon schitteren de ramen van de hoge gebouwen alsof ze behangen zijn met feestlichtjes. Ze komen bij de brug, Waterloo Bridge. Owen blijft aarzelend staan. De Theems kijkt dreigend naar hem op, met sardonische humor in zijn trage gang. Catherine pakt zijn hand en dan leert hij over water te lopen, een stap, twee, drie, vier. Hij loopt wat wankel, maar dat is amper te zien. Ze omwikkelt de steen van zijn tegenstribbelende hand met het kalmerende, doelbewuste papier van haar eigen hand, en ze wint.

Midden op de brug blijven ze staan, de Waterkinderen, boven de gladde, donkere rivier die door de weerspiegelende ruiten is uitgedost in feestkleding. Ze kijken door hun oogharen. De parlementsgebouwen blikken op hen neer. Daar worden beslissingen genomen over belangrijke zaken, maar geen daarvan is zo belangrijk als wat er op dat moment op Waterloo Bridge wordt besloten. De Big Ben is zo vriendelijk de tijd te vertragen.

'Ik kan je leren zwemmen,' zegt Catherine, opkijkend naar Owen. 'Ik ben er erg goed in. We kunnen samen naar een zwembad gaan, dan kan ik het je leren.' Hij herinnert zich de lessen met zijn vader, de vernederende lessen, zijn gestuntel in het water, snakkend naar adem, hoe zijn vader naar de klok had gekeken omdat hij het zonde van zijn tijd vond. Hij kijkt nu naar de Big Ben. Die weigert zich te laten opjutten. Neem mijn tijd, zegt hij. Ga je gang. Ik heb alle tijd van de wereld. 'Bij mij ben je veilig. Erewoord.'

En Owen weet dat hij daarvan op aan kan, dat hij niet zal verdrinken als Catherine erbij is, dat het papier van haar vastberadenheid van hem een zeilboot zal maken en hem drijvende zal houden. Zijn tegenstribbelende hand vleit zich nu tegen haar wang. Hij buigt zijn hoofd, zij heft haar gezicht op en hun lippen raken elkaar met een zoetzoute tederheid die alleen watergeesten elkaar kunnen schenken.

De vrouw die hen heeft geschaduwd staat op de oever, half verscholen achter een boom. Ze heeft twee profielen, twee gezichten. Het ene, met de blauwe iris, is ijzig, onbewogen, berekenend. Het andere, met de bruine iris, is een raadsel, bodemloos. Beide ogen zijn gericht op het stelletje dat op de brug staat te zoenen. Owen en Catherine... Owen en Judy... Walt en Judy. De namen verdringen elkaar in haar hoofd. Hij heeft haar bedrogen met Judy. Ze had naar hen gekeken, bij het kampvuur, gezien hoe ze elkaar aanraakten, gezien dat hij haar begeerde, dat hij haar wel ter plekke had willen nemen. Gehurkt in de tent had ze naar hen gekeken toen ze sliepen, terwijl de muziek over hen heen golfde en het tentdoek deed trillen.

Ze heeft niet veel tijd, want ze mag Leonard Cohen niet mislopen. Stel je voor. Is ze helemaal hiernaartoe gekomen, zal ze hem nog mislopen! Dus moet ze opschieten. Hij zal 'Suzanne' voor haar zingen, voor haar alleen, voor Mara en niemand anders. Haar verleden ligt in zijn poëzie opgesloten. Hij kent het gevaar van haar stromingen, hij weet hoe steil haar bodem afloopt en hij ziet de antwoorden in haar dodelijke diepte. Want zij is de vrouwe van het meer en in de spiegel van haar oppervlakte wordt haar andere ik onthuld.

Als Owen de trappen naar de flat oploopt, groeit zijn onrust. Hij weet niet precies waar hij op hoopt, dat Naomi er niet is, dat Naomi er wel is, berouwvol en aanspreekbaar. Hij kan haar niet dwingen zich onder behandeling te laten stellen. Hij kan het alleen adviseren. Maar misschien heeft ze gedurende zijn afwezigheid zelf al nagedacht en is ze tot dezelfde conclusie gekomen. Als hij de eerste verdieping bereikt, hoort hij de muziek, en ook het rinkelen van de telefoon. Maar pas als hij de laatste trap bestijgt, herkent hij het nummer: 'Suzanne', de ballade van Leonard Cohen. Het is een van haar favoriete nummers en hij vat dat op als een goed teken. Het rinkelen houdt op als hij de deur van de flat bereikt. Degene die belde heeft het blijkbaar opgegeven. Hij heeft de sleutel in zijn hand, maar de deur staat op een kier. Als hij hem nader bekijkt, ziet hij dat hij is beschadigd en dat het slot is opengebroken. Hij denkt meteen aan Blue en duwt heel voorzichtig tegen de deur.

25

CATHERINE KIJKT HEM NA ALS HIJ DE BRUG AF LOOPT, EEN LANGE jongeman met warrig blond haar, verlegen blauwe ogen en de belofte van ijzeren wilskracht in de stand van zijn mond. Ze voelt hem nog op haar lippen, proeft hem. Er is iets wonderlijks gebeurd met de tijd. Alle seconden, alle minuten, alle uren overlappen elkaar, waardoor ze niet meer zeker weet of ze de tijd nog secuur kan meten. Ze moet Owen immers haar hele leven gekend hebben? Maar als je de kalender mag geloven, hebben ze elkaar nog maar een paar keer ontmoet. Ze kijkt naar de Big Ben met zijn onverstoorbare gezicht, om te zien of hij het kan verklaren. Maar hij laat niets los. Als de kus een kleur zou zijn, zou die kleur zijn uitgelopen in de seconden ervoor en erna. Haar contouren, die haar leven lang zo scherp en duidelijk zijn geweest, zijn opeens vervaagd. En zijn contouren, zeg alsjeblieft dat ze zich niet heeft vergist, zijn eveneens wazig geworden. Ze weet niet meer waar ze eindigt, maar heeft het idee dat ze eindigt bij Owen.

Terwijl ze hierover piekert, valt haar op dat er iets is veranderd aan de rivier. Een eigenaardig zilver licht danst op de oppervlakte van het water. Is de bleekblauwe weerschijn van de oneindige zomer aan het verdwijnen? Langzaam heft ze haar hoofd op en haar adem stokt om wat ze ziet. Wolken, prachtige parelgrijze wolken, hangen boven de horizon. Is het een fata morgana of is het echt? Nog meer mensen blijven op de brug staan en wijzen ernaar. Ze hoort iemand zeggen, op een eerbiedige fluistertoon: 'Volgens mij zijn het regenwolken.' In de verte rommelt de donder. De laaghangende wolkenpartij is zo'n zeldzaam fenomeen geworden dat ze de neiging heeft in haar ogen te wrijven om zich ervan te vergewissen dat ze het goed ziet. Gaat het regenen? Gaat het eindelijk regenen? Is de lange, hete zomer van 1976 voorbij?

Ze draait zich om in de richting van het station, maar elke stap die ze doet, brengt haar verder bij Owen vandaan. Het zilveren licht dat op het water danst, heeft een onweerstaanbare aantrekkingskracht. Als ze weer blijft staan en ernaar kijkt, ziet ze een man op de oever van de rivier. Hij zit met zijn rug naar haar toe en heeft een zwarte capuchon over zijn hoofd. Hij draait zich langzaam naar haar om en kijkt naar haar op. Ze wendt snel haar ogen af, want het groeiende gevoel van herkenning is onverdraaglijk. Als ze stiekem weer kijkt, is hij nergens meer te bekennen. Dan hoort ze het zachte stemmetje in haar hoofd: 'Als je die trein neemt, zul je Owen nooit meer zien.' Ze blijft als gehypnotiseerd staan kijken naar het licht dat deint op het water. En nu ruikt ze regen, zoete regen die door de wolken zakt. In de verte schiet een bliksemschicht uit het wolkendek. *Als je die trein neemt, zul je Owen nooit meer zien.* Ze hoort het gestage kloppen van zijn hart onder het katoen van zijn T-shirt als ze op zijn borst uithuilt, voelt hoe zijn brede schouders haar steunen. Ze ziet hem voor de deur staan, omlijst door het verblindende zonlicht, Bria gezond en wel in zijn armen. Ze voelt zijn handen rond haar gezicht, zijn lippen op de hare, hij in haar en zij in hem. Alles wat hen scheidt, valt weg en onder hen stroomt de rivier rustig door. Als ze de stem voor de derde keer hoort, sprint ze weg, over de brug, tussen de verbaasde voorbijgangers door, tot haar hijgende adem als een mes in haar longen snijdt. Achter haar gromt de naderende storm.

26

OWEN BLIJFT STAAN OM TE LUISTEREN. HIJ PROBEERT DE GELUIDEN die hem bereiken van elkaar te scheiden. De gezongen tekst van 'Suzanne', de begeleidende akkoorden van de gitaar, het hese zuchten van de lekkende kranen, het ronkende verkeer op straat.

'Naomi?' Hij zegt het op een zachte toon, om haar niet aan het schrikken te maken. 'Naomi? Ik ben het. Owen.' De deur van haar slaapkamer is dicht. Hij klopt zachtjes aan. 'Naomi?' Hij duwt de deurkruk naar beneden, maar de deur zit op slot. In zijn eigen slaapkamer ligt de inhoud van de klerenkast en de commode aan flarden gescheurd over het bed en de vloer verspreid. De dozen met koopwaar voor de markt zijn opengereten en de vloer is bezaaid met gouden sleutelhangers, sieraden en tassen. Hij wordt zich bewust van een ander geluid, luider dan de rest: het bonken van zijn hart. De ingelijste foto staat er echter nog precies zoals hij die had achtergelaten en hij grijpt hem snel. Hij loopt door de gang en scheidt het kralengordijn alvorens erdoorheen te stappen. De inhoud van de keukenkastjes is eruit gesmeten, maar de zitkamer is redelijk intact. Alleen de kussens liggen allemaal op de vloer en ertussen staan overvolle asbakken. Op de eetkamertafel staat een vaas met verlepte anjers in troebel water. De plaat draait nog en de wat monotone melodie van het nummer komt uit de ingebouwde speaker van de platenspeler.

Achter hem tikken de kralen tegen elkaar. Een ijselijke kreet snijdt door het vertrek. Owen draait zich razendsnel om en ziet Naomi op zich afkomen. Ze heeft een groot vleesmes in haar hand en maakt wilde, stekende bewegingen. Instinctief steekt hij zijn handen uit, met de palmen naar voren. De foto valt op de grond. Hij maait om zich heen en mept de vaas van de tafel. De verlepte bloemen vliegen in het rond. Slijmerig water stroomt over de foto van de sneeuwman. Licht weerkaatst erin. Een gezicht komt op hem af, vertrokken van venijn. De smeer van zware make-up. Het waas van een gebloemde tuniek. Het zwaaien van het mes. Een jaap in zijn hand. Het zachte vlees barst open. Hij grijpt haar pols om het wapen van zich af te draaien. Haar pols wordt glibberig van zijn bloed. Ze heeft ontstellend veel kracht. Ze worstelen. De lavalamp valt om, de telefoon stort op de grond. Zijn schoenen en haar blote voeten trappen op glasscherven. Zijn hart klopt als een bezetene. De punt van het mes is maar een paar centimeter van zijn hart verwijderd. Hij weet dat hij dit niet zal overleven.

Een arm zwaait het kralengordijn opzij. Catherine gilt... Naomi kijkt snel om... Owen duwt haar pols van zich af... de stand van het mes verandert... hij glijdt uit op de natte vloer... Naomi kijkt snel om... hij glijdt uit op de natte vloer... Owen duwt haar pols van zich af... de stand van het mes verandert... Catherine gilt... Met een sierlijke draai vallen ze neer. Het mes dringt in haar zachte buik. Naomi gromt hijgend. De tijd staat stil.

Een onmeetbare pauze. Dan verschijnt Catherine's gezicht boven Owen. Het rode haar hangt naar beneden. Strijkt een lok over zijn gezicht? Hij meent van wel. Hij meent die ene gewaarwording van alle andere te kunnen onderscheiden. Het kriebelen van haar rode haar. Hij voelt het warme bloed stromen tussen de sandwich van zijn lichaam en dat van Naomi. Hij weet niet of hij stervende is, weet niet zeker bij wie van hen tweeën het mes is binnengedrongen. Catherine roept zijn naam. Dan verdwijnt ze uit zijn beeld en hoort hij haar een adres afratelen. Het is het adres van een flat in Covent Garden. De flat waar hij de hele lange, hete zomer heeft gewoond met Naomi en Sean. Hij ademt de krijtachtige geur van gezichtspoeder in. Naomi's luikende oogleden trillen. Haar lippen zijn uiteengeweken, blauwig van kleur, zo droog als asbest. Haar gezicht is lijkwit. Haar mond staat vol schuimend bloed.

'Naomi?' zegt hij.

Ze draait haar hoofd met een laatste, bovenmenselijke krachtsinspanning en haar lippen beroeren zijn oor als ze fluistert: 'Ma... Mara.' De muziek houdt op en de eerste dikke regendruppels spatten tegen de ramen.

27

ZE STAAN IN DE TUIN DE LUCHT TE BESTUDEREN. VOOR BILL IS DIT een gewoonte sinds juni, toen de extreme temperatuur slachtoffers onder de planten begon te maken. Ruth was van lieverlee met hem gaan meedoen en nu is het voor hen beiden een vast ritueel geworden. Met een frons op zijn voorhoofd en tot spleetjes geknepen ogen kijkt hij naar de massa grijze wolken aan de horizon.

'Wat denk je? Regenwolken?' vraagt hij optimistisch.

'Ik zou het niet weten,' antwoordt Ruth. Ze zijn al vaker bedrogen door wolken die kwamen aandrijven en weer verdwenen zonder dat er een druppel regen uit viel. Zij fronst ook, maar wat haar bezighoudt, is niet de vraag of er regen komt, al moet ze toegeven dat het licht een eigenaardige zilveren kleur heeft. Nee, wat aan haar gedachten knaagt en haar rust verstoort, is hun gesprek van daarnet. Bill had gezegd, bijna langs zijn neus weg, bijna en passant, dat hij Owen niet één keer te spreken had gekregen sinds die na zijn vakantie in Italië de auto had teruggebracht. Nogmaals, op zich zou deze opmerking haar niet ongerust hebben gemaakt. Hun zoon woont in Londen, een stad met een bruisend nachtleven. Hij woont midden in het theaterdistrict. Het is heel goed mogelijk dat hij niet thuis was als Bill opbelde omdat hij naar een voorstelling of uit eten was. Nee, wat haar zorgen baart, is dat Bill er zo over uitweidde.

'Er nam wel iemand op. Elke keer. Ik heb in totaal drie keer gebeld, Ruth. Ik hoorde iemand ademen en op de achtergrond klonk muziek. Ik vroeg of Owen er was. Ik zei, u spreekt met Bill Abingdon, Owens vader. Is Owen thuis? Maar degene die had opgenomen, zei helemaal niets terug. De eerste keer dacht ik dat ik misschien een verkeerd nummer had gedraaid, dus heb ik opgehangen en het nog een keer geprobeerd. Ik heb zelfs de namen genoemd van zijn huisgenoten, Sean, en die vrouw die we hebben ontmoet, Naomi, die hier toen is blijven slapen. Daar kwam ook geen reactie op. Raar, hè? Maar goed, er zal wel een logische verklaring voor zijn.'

En nu laat Naomi haar niet meer los, met haar eigenaardige ogen die af en toe helemaal glazig werden, en het onverzorgde haar dat eruitzag alsof het was geblondeerd. Terwijl ze naar de lucht tuurt en omwille van haar man bidt dat het gaat regenen, zegt haar vrouwelijke intuïtie dat die Naomi iets vreemds had, iets dreigends.

Ze houdt haar hand boven haar ogen en tuurt ingespannen. Alles bij elkaar heeft Ruth een vreemde dag achter de rug. De dagen zijn monotoon geworden voor haar. Ze zijn allemaal zo'n beetje hetzelfde. Maar deze dag heeft ze *gevoeld*, en dat is op zich bijzonder, omdat ze al jaren niet echt iets *voelt*. Er is een uitdrukking die van toepassing lijkt om de indringende sfeer van deze dag te beschrijven: de stilte voor de storm.

Vanochtend is ze naar Sarahs graf gegaan, naar het grasheuveltje dat tot bruin stro is verdord. Dit is op zich niets bijzonders. Ze gaat bijna elke dag, om het graf bij te houden, verse bloemen neer te zetten. Alleen zijn bloemen de laatste tijd een probleem geworden vanwege de hittegolf waar maar geen einde aan lijkt te komen. Je zou denken dat haar man, als tuinman, er nog wel aan kon komen, maar nee, de tuinen van de mensen voor wie hij werkt zijn net zo dor als hun eigen tuin. De planten zijn zo uitgedroogd dat je ze als het ware om water hoort smeken wanneer je langs de bloemperken loopt. Uiteindelijk had ze in een winkel een bosje anjers gekocht, lichtroze nota bene, maar ze had vrijwel meteen spijt van haar aankoop gekregen. Ze heeft een hekel aan anjers, vooral de moderne varianten ervan. De ouderwetse soorten zijn nog wel redelijk. Die zijn groot en hebben tenminste nog geur. De anjers die je tegenwoordig in de winkels ziet, hebben kleine, kittige bloemen die helemaal nergens naar ruiken. En wat haar nog het meest irriteert is juist datgene wat ze zo populair maakt: dat ze als snijbloemen zo lang staan. Nog weken nadat ze over hun hoogtepunt heen zijn, staan ze er zogenaamd fris bij.

Op de terugweg had ze Bill gevraagd even bij de supermarkt te stoppen. Toen ze naar buiten kwam met een paar dozen, maar zonder boodschappen, had hij verbaasd gekeken. 'Waar heb je die dozen voor nodig?' vroeg hij. Haar antwoord was een fletse glimlach. Thuis ging ze regelrecht naar Sarahs kamer, waar ze haar spullen begon te sorteren. Bill bleef aanvankelijk met een onbehaaglijk gevoel op de gang staan. 'Wat ben je aan het doen, lieverd?' vroeg hij toen, met zijn hoofd om de hoek van de deur. Tegen die tijd had ze al een doos vol en begon ze aan de tweede.

'Ik ben Sarahs spulletjes aan het sorteren. Een deel kan naar de kerkbazaar, een deel naar Oxfam.' Toen ze opkeek, zag ze de onthutste uitdrukking op zijn gezicht.

'Is dat... een goed idee?' vroeg hij aarzelend. Hij streek over zijn kale hoofd, waarop de streep van zijn Frankenstein-litteken nog altijd duidelijk zichtbaar was.

Ze glimlachte bedroefd. 'Na veertien jaar lijkt mij van wel. We zullen een doos bewaren met haar lievelingsspulletjes, onze lievelingsspulletjes, maar geen hele kamer meer.' Hij hielp haar een poosje, maar omdat hij voelde dat ze er behoefte aan had het in haar eentje te doen, ging hij weg om gieters te vullen met het badwater dat ze elke dag bewaarden om de planten water te geven. Wat ze plotseling besefte, toen ze bezig was de kleertjes op te vouwen, was dat ze Sarahs liefde had moeten verdienen, dat ze zich voor elke heerlijke dag die ze met haar had doorgebracht, had moeten inspannen, niet uit liefde, maar om liefde. En dat was het verschil tussen haar zoon en haar dochter, Owen en Sarah. Owen hield onvoorwaardelijk van haar. Ze kreeg het er helemaal benauwd van en voelde een pijnscheut diep in haar borst. Ze haalde diep adem terwijl ze dit nieuwe besef verwerkte. Ze had haar zoons uitzonderlijke toewijding, zijn veel volwassener, lankmoedige liefde, op de koop toe genomen. Ze dacht weer aan de anjers uit de winkel, die je lieten geloven dat ze nog leefden terwijl ze allang dood waren.

Nu laat ze Bill in zijn eentje naar de lucht turen, gaat naar binnen en probeert tweemaal het telefoonnummer van haar zoon, maar er wordt niet opgenomen. De hele avond behoudt ze dat gevoel van een stilte voor de storm. Ze heeft geen geduld voor de nieuwe aflevering van *Dad's Army* en staat steeds op om iets te gaan doen. En zo komt het dat ze er al op is voorbereid als er wordt gebeld.

Bill daarentegen kijkt volslagen verbijsterd als hij opendoet en twee politieagenten ziet.

'Meneer en mevrouw Abingdon, mogen we even binnenkomen?' vraagt de langste van de twee. Ze wordt zich bewust van haar hart, dat heel snel begint te kloppen. De agenten wachten beleefd tot ze is gaan zitten en Bill naast haar heeft plaatsgenomen. Ze nemen eerbiedig hun pet af. 'Het gaat om uw zoon, Owen.' Ze begint te jammeren, op een schrille, hoge toon. Het is te laat, denkt ze. Hij is dood. Mijn zoon is dood. Ik ben te laat wakker geworden.

De regen die net begon te druppelen toen ze Wantage verlieten, komt met bakken uit de hemel tegen de tijd dat ze Londen bereiken. Ruth kijkt uit het raam van de auto en ziet mensen dansen in de zondvloed die uit de donkere lucht naar beneden komt. Ze rukken hun kleding open zodat de regen het stof van de eindeloze zomer kan wegwassen. De verwondingen van hun zoon zijn niet levensbedreigend. De agenten hebben haar verteld dat iemand hem heeft aangevallen met een mes, dat hij een ernstige wond in zijn hand heeft en dat hij naar het ziekenhuis is gebracht waar hij nu wordt behandeld. Ze hoort de regendruppels op het dak van de auto kletteren. Ze ziet het glanzende, leven schenkende water door de goten stromen.

28

MET ZIJN HAND ZO DIK INGEPAKT DAT HET LIJKT ALSOF HIJ EEN witte bokshandschoen aan heeft, zit Owen in de gang van het ziekenhuis. Hij voelt zich precies wat hij vanavond is: een kleine jongen. Gejaagde mensen draaien om hem heen als een mobile: receptionisten, verpleegkundigen, artsen, patiënten, familieleden. Haast, haast, haast. Iedereen heeft haast. Iedereen schijnt te weten wat hij moet doen, iedereen behalve Owen. Zijn hand doet pijn en zijn T-shirt zit onder het bloed, van haar – wie ze ook was – en van hemzelf. Vlak bij hem staan twee politieagenten zachtjes te praten terwijl ze wachten tot de snee in zijn hand zal zijn gehecht en ze te horen krijgen dat de jongeman zich goed genoeg voelt om mee te gaan naar het politiebureau om een verklaring af te leggen. Nadat de verplegers van de ambulance hadden vastgesteld dat Naomi dood was, hadden ze Owen onder politie-escorte naar het ziekenhuis gebracht. Catherine werd meegenomen om een getuigenverklaring af te leggen. Ze had gezegd dat ze zo snel mogelijk zou komen, maar voorlopig is hij helemaal alleen.

Het kunstlicht zindert op hem neer. Het doet pijn aan zijn ogen. Het patroon van het zeil op de vloer stoort hem ook, omdat het niet symmetrisch is. Het zijn geen gelijkzijdige driehoeken. Ze hebben allemaal verschillende hoeken. Zo veel hoeken en er zijn er geen twee gelijk. Hij wordt er om de een of andere reden onzeker van. Hij doet zijn ogen dicht en is helemaal alleen op het strand. Hij kijkt om zich heen en ziet een woestijn van zand, hoge duinen van zand. Instinctief weet hij dat hij op de top van zo'n heuvel alleen maar het volgende duin zal zien, en daarna nog een, en nog een. Hij keert de duinen de rug toe. Maar dan is het nog erger, veel erger. De zee strekt zich voor hem uit tot aan de horizon. Hij moet Sarah eruit halen, maar hij weet niet hoe hij dat moet doen. Hij zou brullend op de branding moeten afstormen en eisen dat de zee haar uitbraakt, dat de golven haar terugspuwen, het leven weer in. Maar hij weet dat de spottende golven alleen maar zullen schudden van het lachen.

'Wil je misschien een kopje thee?' vraagt een van de agenten. Hij schudt zijn hoofd. Hij wil alleen maar zijn moeder. Er is wat opschudding aan het einde van de gang, harde stemmen, ruzie. Niets om je druk over te maken. Zo gaat het 's avonds op de afdeling Spoedeisende Hulp. Owen draait als een robot zijn hoofd in de richting van het tumult. Wie holt er door de gang, botst pardoes tegen een van de onverstoorbare verpleegsters op, waardoor haar paperassen alle kanten op vliegen, gooit een stoel omver en geeft de man bij de koffieautomaat zo'n duw dat hij zijn bekertje laat vallen? Wie veroorzaakt al deze commotie? Het is een moeder die haar zoon kwijt is. Ze zoekt hem al veertien jaar. Hier is geen plaats voor Britse gereserveerdheid. Ruth trekt zich niets aan van de verpleegkundige die haar achterna rent en roept: 'Mevrouw! Mevrouw! U mag hier niet komen!' Ze trekt zich niets aan van de man die de helft van de koffie op zijn overhemd heeft gekregen en haar begint uit te schelden, en ook niet van de hulpverpleger die wegrent om de bewaking te waarschuwen. Haar katoenen jurk, met een patchworkpatroon in roze en wit, is kletsnat. Hij omvat haar vormen op een schaamteloze manier. Haar bruine haar hangt in losse slierten om haar hoofd. Haar sandalen maken piepende geluiden als ze door de gang sprint. Ze duwt mensen uit de weg alsof het bowlingkegels zijn.

'Owen! Owen!' En de kleine jongen die helemaal alleen op het strand staat, hoort zijn naam, hoort de wanhoop in de stem. Hij kijkt op. Dan springt hij overeind en wuift met zijn ingepakte hand. Tranen stromen over zijn wangen. Haar natte armen omklemmen hem als een dwangbuis.

'Mijn jongen!' Hij staat te trillen van de shock en van opluchting, en begint onduidelijk te brabbelen. Zijn vader is er nu ook, op de achtergrond, met een schaapachtig gezicht, knikkend naar de agenten.

'Het spijt me,' zegt Owen.

'Nee... het spijt *mij*,' fluistert ze terug.

Epiloog

DE ZEEMEEUW CIRKELT SOEPEL IN DE WARME NAMIDDAGLUCHT. DE lage zon geeft zijn pluimage een gouden tint en maakt van een aaseter een arend. Zijn ogen speuren onvermoeibaar de zee en het land af. Hij ziet veel glanzende dingen in de blauwe kom van de baai. Een klein, stenen huis op een beschutte plek. Een pad slingert zich vanaf het huis door een langgerekte weide vol veldbloemen naar een met rotsblokken bezaaide klip waarvan de wand begroeid is met plukken adelaarsvaren. De meeuw ziet velden zeewinde, bosjes echt lepelblad en kussens donzig roze standkruid. Op de hellende klip verbreedt het pad zich en loopt uit in een harp van goudbruin zand. De op gordeldieren gelijkende, half onder water liggende rotsen zijn bedekt met een laag blauwgrijze mosselen en versierd met glinsterende schelpdeeltjes.

Een kalende man zit op een handdoek in de schaduw de krant te lezen. Een jong stel wandelt gearmd over het strand. Hij heeft blond haar en blauwe ogen, zij rood haar en lichtgroene ogen in de kleur van druiven. Een klein stukje bij hen vandaan loopt een lange, slanke vrouw van middelbare leeftijd samen met een klein meisje door het glinsterende, helderblauwe, ondiepe water. Ze dragen alle vijf kleurige badpakken, in vrolijk rood, felblauw en kanariegeel. De roodblonde krullen van het meisje zijn bedekt met een oranje zonnehoedje. Als ze opkijkt, ziet de zeemeeuw haar heldere blauwgroene ogen. Ze gilt van pret als uitlopers van de branding rond haar voeten en enkels stromen. De slanke vrouw kijkt op haar horloge, bukt zich en fluistert het meisje iets in haar oor. Als ze hun spullen gaat inpakken, laat ze het kind achter onder de waakzame blikken van het jonge stel.

De zonnestralen zetten het halflange rode haar van de jonge vrouw in vuur en vlam. De zeemeeuw laat een schrille kreet horen als hij de koperen gloed bespeurt en ze kijken alle vijf naar hem op. Het meisje is in het af en aan stromende water gaan zitten. Met haar hoofd schuin luistert ze naar de golven die gorgelend hun geheimen doorgeven aan het zand. Ze graaft en vindt een witte schelp. Ze beweegt hem heen en weer in het water om het zand eraf te spoelen. Ze houdt van de smaak van zeezout, ze houdt ervan als het tot zacht, wit stof opdroogt op haar huid. Ze krabbelt overeind en loopt een paar stappen het water in. Ze is niet bang voor de zee, want ze is een waterkind. Haar moeder heeft haar op haar tweede al leren zwemmen. Ze houdt ervan om de zeemeerminnen uit haar sprookjesboeken na te tekenen, zeemeerminnen met vissenstaarten in plaats van benen. Ze gebruikt alle blauwe, groene en grijze potloden om ze in te kleuren. Op haar laatste tekening heeft ze een kleine, vleeskleurige baby in de armen van een zeemeermin getekend. Toen haar moeder vroeg wie dat was, zei ze: 'Dat ben ik, mama, zie je dat niet?'

De lange vrouw is terug. Haar gezicht staat kalm als ze haar hand uitsteekt naar het kind. Het meisje loopt gewillig naar haar toe, omdat ze weet dat de zee er morgen ook nog is en op haar zal wachten. Ze blijft geduldig staan terwijl ze wordt afgedroogd en dan trekken ze allebei hun sandalen aan. Ze lopen naar de kalende man met zijn krant en dan sjouwen ze gedrieën over het strand. Ze blijven een keer staan om glimlachend om te kijken naar het jonge stel en de golven. Dan lopen ze hand in hand via het pad naar boven. Als ze weg zijn, waadt het jonge stel de zee in tot het water tot hun middel komt. Dan klimmen ze op een rotsplateau dat boven het deinende water uitsteekt. Ze gaan zitten en staren naar de viltstiftstreep van de horizon. Ze zien een zeilboot en in de verte een schip, een tanker, meent hij. Ze kijken op naar de duizelingwekkende blauwe lucht en volgen de zeemeeuw die hen nog steeds in het oog houdt.

Zijn oranjegele ogen zijn gewend aan wonderbaarlijke zaken, aan de maan en de zon aan beide uiteinden van de gang door het hemelgewelf, aan stormen die machtige schepen in wrakhout veranderen, aan de meedogenloosheid van de barse zon, aan verdoemde zeelui en scholen walvissen die ijle liederen zingen. Nu bespeurt hij nog een wonder. Naast het stel dat op de rots zit te zonnen, zit een kind, een Waterkind, een bekoorlijk, zilvertrillend springkikkertje van zuiver licht. Het Waterkind is geen vreemde voor de zeemeeuw. Hij heeft het al eens gezien en zal het vaker zien. Samen laten ze zich in de zee zakken, de man, de vrouw en het Waterkind. Ze zwemmen gedrieën. Het stel haalt diep adem en duikt. Ze openen hun ogen en zien een wonder, een zout, prikkend vergezicht. Een woestijn van blond zand. De sponzige vormen van rotspartijen in aubergine en donkerbruin, oranjegeel en beige-grijs. Een oerwoud van glazig bruin wier. Weiden van appelgroen mos, bezaaid met stekelige zee-egels. Hardroze en paarse zeeanemonen. Glanzende abrikooskleurige krabben. Scholen piepkleine visjes die schitteren als uitgestrooide glitter. De zee stompt hen met zijn blauwe vuisten, daagt hen uit, lokt de zwemmers nog ietsje verder mee, zodat het waterkind zich gedwongen ziet een vuurwerk van watersterren te laten ontploffen om hun een halt toe te roepen, hen duidelijk te maken dat dit zijn wereld is, niet de hunne, en dat ze nu moeten omkeren. Ze zien hem kronkelend wegschieten, genietend van zijn vrijheid, als een zilveren aal door het blauwe diep klievend. Dan komen ze boven, halen dankbaar adem en zwemmen zelfverzekerd naar de kust. Maar de zeemeeuw, verleid door de verbluffende zilveren foxtrot, drijvend op de zuilen van warme lucht, volgt het Waterkind naar het toverland van de Atlantische Oceaan.

De legende van het Vaglimeer

DE LEGENDE VAN HET MEER BERUST OP EEN WARE GEBEURTENIS. Het spookdorp Fabbriche di Careggine dat in *Stille wateren* voorkomt, is niet verzonnen. Het stamt uit de dertiende eeuw en was ooit een bedrijvige gemeenschap. In 1941 werd begonnen met de bouw van een stuwdam die de kracht van de rivier de Edron zou benutten om de regio te voorzien van hydro-elektriciteit. Toen de stuwdam in 1953 gereed was, is de Edronvallei onder water gezet en kwam het ontruimde dorp op de bodem van het meer te liggen. Volgens de legende was één bewoonster, de mooie Teodora, in haar huis gebleven en werd het Vaglimeer haar graf. De dorpsbewoners waren bang voor Teodora, omdat ze dachten dat ze een heks was. Men zegt dat de jonge, lieftallige tovenares ene Anselmo in haar ban had gekregen, een man die veel ouder was dan zij en haar echtgenoot werd. Toen hij brandhout ging sprokkelen in de verraderlijke bergen, stak er een sneeuwstorm op. Hij struikelde en brak zijn been. Teodora, die zat te wachten tot hij thuis zou komen, sloeg geen alarm. Ze wist dat als hij gewond was, hij het alleen zou halen als hij snel gered zou worden. Tegen de tijd dat hij werd gevonden, was hij doodgevroren. Toen het meer in 1958 voor het eerst werd leeggepompt, zoals om de tien jaar wordt gedaan, heeft men naar haar beenderen gezocht. Men heeft in de modder gegraven, maar geen spoor gevonden van de tovenares. Ze blijft tot in de eeuwigheid de vrouwe van het meer, een sirene die rondwaart in de zilveren diepte.

Dankwoord

Innige dank aan mijn geweldige agent Judith Murdoch, mijn buitengewone uitgever en editor Patrick Janson-Smith, en mijn inspirerende redacteuren Laura Deacon en Susan Opie.